DRÔLE DE MARIAGE

MADELEINE WICKHAM
alias
SOPHIE KINSELLA

DRÔLE DE MARIAGE

Traduit de l'anglais
par Claire Mulkai

belfond
12, avenue d'Italie
75013 Paris

Titre original :
THE WEDDING GIRL
publié par Black Swan Books, une division de Transworld
Publishers Ltd, Londres.

Si vous souhaitez recevoir notre catalogue
et être tenu au courant de nos publications,
vous pouvez consulter notre site internet :
www.belfond.fr
ou envoyer vos nom et adresse,
en citant ce livre,
aux Éditions Belfond,
12, avenue d'Italie, 75013 Paris.
Et, pour le Canada,
à Interforum Canada Inc.,
1055, bd René-Lévesque-Est,
Bureau 1100,
Montréal, Québec, H2L 4S5.

ISBN 978-2-7144-4415-8
© Madeleine Wickham 1999. Tous droits réservés.
© Belfond 2001 pour la traduction française.
Et pour la présente édition
© Belfond, un département de place des éditeurs , 2008.

Pour Hugo, qui est arrivé au beau milieu

PROLOGUE

Un groupe de touristes s'était arrêté pour admirer Milly, debout dans sa robe de mariée sur les marches de l'hôtel de ville. Massés sur le trottoir d'en face, ils bloquaient le passage, si bien que les habitants d'Oxford, habitués à cet afflux annuel de visiteurs, descendaient sans protester sur la chaussée pour les contourner. Quelques autochtones jetaient un coup d'œil du côté de la mairie, curieux de connaître la cause de cet attroupement, et admettaient en leur for intérieur que le jeune couple sur le perron avait fière allure.

Un ou deux touristes avaient même sorti leurs appareils photo ; Milly leur souriait d'un air radieux, enchantée de susciter un tel intérêt, et tentait d'imaginer le tableau qu'elle formait avec Allan. Ses cheveux d'un blond presque blanc, coupés très courts, s'imprégnaient de sueur sous le chaud soleil de l'après-midi, son voile de location lui grattait le cou, la dentelle en nylon de sa robe était trempée à tous les endroits en contact avec sa peau, ce qui ne l'empêchait pas de se sentir gaie, légère, euphorique ; chaque fois qu'elle regardait Allan – son mari –, un irrésistible sentiment d'ivresse s'emparait d'elle, effaçant toute autre sensation.

Milly était arrivée à Oxford depuis moins de un mois. À la fin de l'année scolaire, au début de juillet, tandis que toutes ses amies s'apprêtaient à partir pour Ibiza, l'Espagne ou Amsterdam, elle s'était retrouvée dans une école de secrétariat d'Oxford. « Voilà des vacances bien plus utiles que de bronzer idiot, avait déclaré sa mère avec fermeté, avant d'ajouter : Et pense à l'avantage que cela te donnera sur les autres quand tu chercheras du travail. » Mais Milly ne désirait pas spécialement avoir l'avantage sur les autres. Ce qu'elle voulait, c'était un bronzage parfait et un petit ami, le reste elle s'en fichait.

Dès le deuxième jour de cours, elle s'éclipsa après le déjeuner, dégota un coiffeur bon marché et, avec un frisson d'excitation, demanda qu'on lui décolore les cheveux et qu'on les lui coupe presque à ras. Ensuite, heureuse, le cœur léger, elle flâna dans les rues d'Oxford inondées de soleil ; elle faisait halte de temps à autre dans la fraîcheur d'une chapelle ou d'un cloître, contemplait les jardins derrière les arches de pierre, et cherchait un endroit où se faire bronzer. Ce fut pure coïncidence si elle choisit en fin de compte une pelouse du collège Corpus Christi, si la chambre de Rupert était située juste en face, si lui et Allan avaient décidé de passer l'après-midi à se prélasser dans l'herbe et à boire du Pimm's.

Elle observa les deux hommes à la dérobée quand ils s'allongèrent nonchalamment sur la pelouse, trinquèrent, fumèrent des cigarettes ; elle regarda avec intérêt l'un des deux retirer sa chemise et dévoiler un torse bien bruni. Attentive aux bribes de conversation qui parvenaient à ses oreilles, elle mourait d'envie de faire la connaissance de ces deux êtres si beaux et si raffinés. Son cœur bondit dans sa poitrine lorsque, tout à coup, le plus âgé lui adressa la parole.

« Auriez-vous du feu, par hasard ? » Il avait un accent américain et parlait d'un ton légèrement ironique.

« Ou... oui, bafouilla-t-elle en fouillant dans sa poche.

— Nous sommes affreusement paresseux », dit le plus jeune. Milly croisa son regard ; il paraissait plus timide, plus méfiant que son ami. « J'ai un briquet, là, juste de l'autre côté de la fenêtre. » Il désigna sa chambre. « Mais il fait trop chaud pour bouger.

— Pour vous remercier, nous vous offrons un verre de Pimm's. » L'Américain tendit la main et se présenta. « Allan. »

Son ami l'imita. « Rupert. »

Milly resta tout l'après-midi en leur compagnie, allongée dans l'herbe, à s'enivrer d'alcool et de soleil, à flirter, à rire, et elle les amusa beaucoup en leur décrivant les filles de l'école de secrétariat. Un frisson délicieux s'empara d'elle et s'intensifia au fil des heures – un émoi sexuel d'autant plus troublant qu'ils étaient deux, et beaux tous les deux. Rupert était blond, bronzé, souple comme un félin ; ses cheveux formaient un halo doré autour de sa tête, ses dents d'une blancheur étincelante contrastaient avec sa peau hâlée. Le visage d'Allan était sillonné de ridules, ses tempes grisonnaient, mais ses yeux gris-vert faisaient chavirer Milly chaque fois qu'elle croisait son regard, et sa voix était douce comme une caresse.

Quand Rupert roula sur le dos et suggéra : « On va dîner quelque part, ce soir ? », Milly pensa que c'était une invitation à sortir avec lui. Une joie mêlée d'incrédulité l'envahit aussitôt, mais en même temps elle dut s'avouer qu'elle aurait préféré que la proposition vienne d'Allan.

Allan se mit lui aussi sur le dos, répondit : « Bien sûr ! », puis il se pencha sur Rupert et, avec le plus grand naturel, l'embrassa sur la bouche.

11

Curieusement, une fois le premier choc passé, Milly ne se sentit pas trop affectée. C'était presque mieux ainsi : de cette façon, elle les avait tous les deux pour elle. Au restaurant, ce soir-là, elle jubila devant les coups d'œil envieux de deux des filles du cours de secrétariat, installées à une table un peu plus loin. Le lendemain, ils écoutèrent des disques de jazz sur un vieux gramophone, durant toute la soirée, en buvant des cocktails à la menthe, et Allan et Rupert montrèrent à Milly comment rouler un joint. En l'espace d'une semaine, ils formaient un trio inséparable.

Puis Allan demanda à Milly de l'épouser.

Immédiatement, sans réfléchir, elle répondit oui. Allan, supposant qu'elle plaisantait, éclata de rire et se lança dans de longues explications au sujet des difficultés de sa situation. Il parla de problèmes de visa, évoqua les fonctionnaires du ministère de l'Intérieur, dénonça un système obsolète et la discrimination des homosexuels. Pendant tout ce temps, il la fixait d'un air implorant, comme pour la gagner à sa cause. Mais Milly n'avait pas besoin qu'il la persuade, elle frémissait déjà d'excitation en s'imaginant en robe de mariée, un bouquet à la main ; elle exultait à l'idée d'accomplir quelque chose de plus extraordinaire que tout ce qu'elle avait pu faire jusque-là. Ce fut seulement quand Allan marmonna avec un froncement de sourcils « Je n'arrive pas à croire que je suis en train de demander à quelqu'un de transgresser la loi pour moi ! » que Milly réalisa vraiment de quoi il retournait. Mais les vagues scrupules qui effleuraient sa conscience n'étaient rien comparés à l'exquise griserie qu'elle éprouva lorsque Allan lui entoura les épaules de son bras et lui murmura à l'oreille : « Tu es un ange. Merci.

— De rien », répondit-elle en toute sincérité, un sourire radieux aux lèvres.

Maintenant, ils étaient mariés. Ils avaient prononcé les vœux à toute allure, Allan d'un ton étrangement sérieux, Milly d'une voix chevrotante, au bord du fou rire. Puis ils avaient signé le registre, Allan d'abord, d'une main sûre et rapide, Milly ensuite, s'efforçant d'adopter pour l'occasion une signature adulte. Tout s'était déroulé très vite, lui semblait-il, et voilà qu'ils se retrouvaient mari et femme. Allan l'avait gratifiée d'un petit sourire et l'avait embrassée. Elle sentait encore sur ses lèvres le goût de ce baiser léger, et l'alliance à son doigt lui faisait un effet un peu bizarre.

« Assez de photos, décréta soudain Allan. Inutile de trop nous montrer.

— Juste deux ou trois de plus », insista Milly. Elle avait eu toutes les peines du monde à convaincre Allan et Rupert de louer une robe de mariée ; maintenant qu'elle la portait, elle voulait prolonger ce moment éternellement. Elle se rapprocha un peu d'Allan, lui saisit le bras, sentit sur sa peau nue le tissu rêche du costume. Un vent assez vif s'était levé ; il rafraîchissait sa tête et sa nuque et tirait sur son voile. Poussé par le vent, un vieux programme de théâtre se déplaçait le long du caniveau à sec, et, de l'autre côté de la rue, les touristes commençaient à se disperser.

« Rupert ! cria Allan. Ça suffit, les photos !

— Attends ! implora Milly. Et les confettis ?

— Bon, d'accord, concéda Allan. On ne peut pas te refuser ça. »

Il plongea la main dans sa poche et lança une poignée de confettis multicolores. À cet instant précis, une rafale de vent souleva le voile de Milly, l'arracha du minuscule diadème en plastique fixé sur sa tête et l'envoya haut dans les airs, tel un fin panache de fumée. Le voile finit par atterrir sur le trottoir, aux pieds d'un garçon brun d'environ seize ans, qui se pencha pour le ramasser et entreprit de l'examiner comme s'il s'agissait d'un objet insolite.

« Hé ! lui cria Milly. Il est à moi ! » Elle descendit les marches en courant, semant derrière elle un nuage de confettis. « Il est à moi », répéta-t-elle distinctement en s'approchant du garçon, pensant avoir peut-être affaire à un étudiant étranger qui ne comprenait pas l'anglais.

« Oui, je m'en doutais », riposta-t-il d'un ton ironique.

Il lui tendit le voile, et elle sourit avec coquetterie mais, derrière ses lunettes rondes, l'adolescent la regardait avec un léger dédain. Soudain, elle se sentit blessée et un peu stupide, avec sa tête nue et sa robe d'emprunt.

« Merci, dit-elle, et elle saisit le morceau de tulle.

— De rien », répondit le garçon en haussant les épaules. Il l'observa pendant qu'elle ajustait le voile avec des mains hésitantes, gênée par son regard. « Félicitations, ajouta-t-il.

— Pour quoi ? » s'étonna Milly sans réfléchir, puis elle releva la tête et rougit. « Ah oui, bien sûr. Merci beaucoup.

— Que votre mariage soit heureux », dit-il encore, d'un ton neutre.

Puis il la salua d'un signe de tête et la quitta brusquement.

« Qui était-ce ? s'enquit Allan qui venait de surgir au côté de Milly.

— Je l'ignore. Il nous adresse ses vœux d'heureux mariage.

— D'heureux divorce, plutôt », rectifia Rupert, qui tenait la main d'Allan serrée dans la sienne.

Son visage rayonnait, il était plus beau que jamais.

« Milly, je te suis très reconnaissant, dit Allan. Nous te remercions tous les deux.

— Il n'y a pas de quoi. Franchement, c'était un plaisir.

— N'empêche. Nous t'avons acheté un petit quelque chose. » Allan jeta un coup d'œil à Rupert, qui sortit de sa poche un écrin et le remit à Milly. « Des perles de culture, expliqua-t-il lorsqu'elle ouvrit la boîte. Nous espérons que tu aimes les perles.

— Je les adore ! s'exclama Milly, qui regarda tour à tour Allan et Rupert, les yeux brillants. Il ne fallait pas !

— Nous y tenions, précisa Allan avec sérieux. Pour te remercier d'être une si grande amie – et une épouse aussi parfaite. » Il attacha le collier autour du cou de Milly. La jeune fille rougit de plaisir. « Tu es ravissante, ajouta-t-il avec gentillesse. Un homme ne peut rêver d'avoir une femme plus belle que toi.

— Et maintenant, s'écria Rupert, que diriez-vous d'une coupe de champagne ? »

Ils passèrent le reste de la journée à canoter sur la rivière Cherwell, à boire du champagne millésimé et à se porter mutuellement des toasts plus extravagants les uns que les autres. Les jours suivants, Milly consacra tous ses moments libres à ses deux amis. Le week-end, ils partaient en voiture à la campagne et organisaient des pique-niques somptueux. Ils visitèrent le palais de Blenheim, et Milly insista pour signer sur le livre d'or « M. et Mme Allan Kepinski ». Quand, trois semaines plus tard, ses cours de secrétariat prirent fin, Allan et Rupert réservèrent une table dans un grand restaurant et, pour le dîner d'adieu, lui firent choisir trois plats en lui interdisant de regarder les prix.

Le lendemain, Allan accompagna Milly à la gare, l'aida à hisser ses bagages dans le filet, sécha ses larmes avec un mouchoir de soie. Il l'embrassa, promit de lui écrire et affirma qu'ils se retrouveraient bientôt à Londres.

Elle ne devait jamais le revoir.

1

Dix ans plus tard

La pièce, claire et spacieuse, donnait sur les rues de Bath que recouvrait, en cette froide journée de janvier, un fin manteau de neige. Elle avait été redécorée à l'ancienne, quelques années plus tôt, avec du papier peint à rayures et de beaux meubles d'époque georgienne qui, dans l'immédiat, disparaissaient sous un monceau de vêtements aux couleurs vives, de CD, de magazines et de produits de maquillage. Dans un angle, une élégante armoire en acajou était presque entièrement masquée par une gigantesque housse à vêtements, un carton à chapeaux encombrait le secrétaire et par terre, près du lit, était posée une valise à moitié pleine de tenues choisies pour une lune de miel sous un climat chaud.

Milly, qui était montée un peu plus tôt pour finir ses bagages, se cala confortablement dans son fauteuil, jeta un coup d'œil à la pendule et mordit dans une pomme d'api. Sur ses genoux, un magazine ouvert à la page du courrier du cœur. *Chère Anne*, écrivait une lectrice, *j'ai un secret que je cache à mon mari*. Milly leva les yeux au ciel. Inutile de lire la réponse, le conseil ne variait jamais : « Dites la vérité, soyez franche ». Préceptes moraux appris par cœur et rabâchés sans réfléchir.

Son regard sauta à la lettre suivante : *Chère Anne, je gagne beaucoup plus d'argent que mon petit ami.* Milly haussa les épaules avec dédain – tu parles d'un problème ! –, passa aux pages décoration et porta son attention sur un choix impressionnant de corbeilles à papier coûteuses. Elle n'avait pas indiqué de corbeille à papier sur sa liste de mariage ; peut-être n'était-il pas trop tard ?

On sonna en bas, à la porte d'entrée, mais elle ne bougea pas. Cela ne pouvait pas être Simon – pas si tôt ; il devait s'agir d'un des clients qui séjournaient là. D'un air distrait, Milly leva les yeux de son magazine et regarda autour d'elle. Cette chambre était la sienne depuis vingt-deux ans, depuis l'époque où la famille Havill était venue s'installer au 1, Bertram Street et où la petite fille de six ans qu'elle était alors avait supplié en vain qu'on repeigne cette pièce en rose Barbie. Depuis, Milly avait quitté la maison pour aller au lycée, puis à l'université ; elle avait même habité à Londres quelque temps, mais chaque fois elle était revenue ici, avait retrouvé cette chambre. Samedi, cependant, elle la quitterait pour toujours. Elle s'installerait chez elle, entamerait une vie nouvelle, une vraie vie d'adulte, une vie de femme mariée.

La voix de sa mère, dans le couloir, interrompit ses pensées et lui fit relever brusquement la tête. « Milly ? Simon est là !

— Quoi ? » Milly s'examina dans la glace et grimaça devant son allure débraillée. « Ce n'est pas possible !

— Je lui dis de te rejoindre ? » Sa mère glissa la tête dans l'embrasure de la porte et inspecta les lieux. « Milly ! Je croyais que tu devais ranger tout ce bazar ! »

— Ne le laisse pas monter ! Explique-lui que je suis en train d'essayer ma robe de mariée et que je descends dans une minute. »

Sa mère disparut, et Milly jeta aussitôt sa pomme d'api dans la corbeille à papier, referma son magazine, le lança par terre, se ravisa et le poussa du pied sous le lit. Puis elle retira prestement le caleçon bleu qu'elle portait et ouvrit son armoire. D'un côté étaient suspendus un pantalon noir de bonne coupe, une jupe gris anthracite, un tailleur-pantalon marron foncé et toute une collection de chemisiers blancs impeccables ; de l'autre, les vêtements qu'elle mettait dans les occasions où elle ne voyait pas Simon : des jeans effrangés, de vieux pulls, des minijupes moulantes de couleurs vives – autant de tenues dont il lui faudrait se débarrasser avant samedi.

Elle enfila le pantalon noir, un chemisier blanc, et le pull en cachemire que Simon lui avait offert à Noël, puis s'observa dans le miroir d'un œil critique, brossa ses cheveux, maintenant blond doré et mi-longs, jusqu'à ce qu'ils brillent, et choisit une paire de mocassins noirs qui lui avaient coûté les yeux de la tête. Simon et elle répétaient souvent qu'acheter des chaussures bon marché était une fausse économie. Autant que Simon pouvait en juger, Milly possédait en tout et pour tout ces mocassins noirs, une paire de boots marron et une paire d'escarpins bleu marine de chez Gucci qu'il lui avait lui-même offerts.

Avec un soupir, Milly referma son armoire, enjamba une pile de sous-vêtements entassés par terre et attrapa son sac à main. Elle se parfuma, ferma la porte derrière elle et commença à descendre l'escalier.

« Milly ! chuchota une voix dans la chambre de sa mère. Viens voir ! »

Milly entra et trouva Olivia Havill debout près de la commode, son coffret à bijoux grand ouvert.

19

« Ma chérie, si tu veux, je te prête mon collier de perles pour cet après-midi. » La mère de Milly brandit un double rang de perles naturelles avec un fermoir en diamant. « Il irait très bien avec ton pull.

— Maman, on va juste voir le pasteur. Ce n'est pas une occasion très importante, je n'ai pas besoin de mettre un collier de perles.

— Bien sûr que si, c'est une occasion importante ! Tu dois prendre cela au sérieux, Milly, on ne prononce qu'une seule fois les vœux du mariage. D'ailleurs, toutes les mariées de la haute société ont des colliers de perles. De vraies perles, pas ces ridicules petites choses.

— J'aime mes perles de culture, protesta Milly. Et je ne fais pas partie de la haute société.

— Tu vas devenir Mme Simon Pinnacle, ma chérie.

— Simon n'appartient pas à la haute société.

— Ne dis pas de bêtises ! Évidemment que si. Son père est multimillionnaire. »

Milly leva les yeux au ciel. « Il faut que j'y aille.

— Très bien. » Olivia rangea à regret le collier dans sa boîte à bijoux. « Comme tu voudras. Et n'oublie pas de questionner le chanoine Lytton au sujet des pétales de roses.

— Entendu. À plus tard. »

Milly descendit l'escalier en courant, attrapa son manteau sur le portemanteau de l'entrée et cria « Bonjour ! » à Simon qui l'attendait au salon. Le temps qu'il la rejoigne dans l'entrée, elle parcourut à la hâte la première page du *Daily Telegraph*, s'efforçant de retenir le plus grand nombre possible de titres.

« Milly, s'exclama Simon avec un grand sourire, tu es superbe !

— Toi aussi. »

Simon, habillé pour le bureau, portait un costume sombre qui tombait impeccablement sur ses épaules carrées, une chemise bleue et une cravate de soie violette. Ses cheveux bruns coiffés en arrière découvraient son large front, et une odeur discrète d'after-shave l'enveloppait.

Il ouvrit la porte et l'air glacial leur fouetta le visage.

« Eh bien, dit Simon en s'effaçant pour laisser passer Milly. En route pour apprendre en quoi consiste le mariage.

— Oui. Plutôt bizarre, non ?

— Je trouve que c'est une perte de temps complète. Qu'est-ce qu'un vieux pasteur décati peut bien nous dire à ce sujet ? Il n'est même pas marié lui-même.

— Bah, je suppose qu'il va nous débiter les préceptes.

— Il n'a pas intérêt à nous faire la morale, sinon je risque de piquer une crise. »

Milly regarda Simon à la dérobée ; le cou tendu, les yeux fixés avec détermination devant lui, il ressemblait à un bouledogue prêt à la bagarre.

« Je sais ce que j'attends du mariage, reprit Simon, les sourcils froncés. Nous le savons, toi et moi. Nous n'avons pas besoin de l'intervention d'un étranger.

— On se contentera d'écouter et de hocher la tête, et ensuite on partira. De toute façon, je sais déjà ce qu'il va nous dire.

— Quoi ?

— Soyez bons l'un envers l'autre et ne couchez pas à droite et à gauche. »

Simon réfléchit un instant.

« Je pense que je devrais être capable de respecter le premier de ces principes. »

Milly lui flanqua une petite tape ; il rit, la serra contre lui et l'embrassa sur les cheveux. Quand ils arrivèrent au coin de la rue, Simon ouvrit les portières de sa voiture à l'aide de la télécommande.

« J'ai eu un mal fou à trouver une place pour me garer, expliqua-t-il en démarrant. Les rues sont vraiment trop engorgées. Je me demande si ce nouveau projet de loi aboutira à quelque chose...

— Le projet de loi sur l'environnement ?

— Oui. Tu as lu l'article d'aujourd'hui à ce sujet ?

— Bien sûr. » Milly se reporta mentalement aux titres du *Daily Telegraph*. « Tu crois qu'ils sont vraiment décidés à faire quelque chose ? »

Tandis que Simon argumentait, Milly hochait la tête de temps à autre et, tout en regardant par la fenêtre, se demandait si elle achèterait un troisième bikini pour son voyage de noces.

Le salon du chanoine Lytton était une vaste pièce pleine de courants d'air et de livres. Des livres, il y en avait partout : le long des murs, sur chaque meuble, par terre où ils s'entassaient en piles poussiéreuses qui menaçaient de s'écrouler. De plus, presque tout ce qui dans la pièce n'était pas un livre y ressemblait : la théière avait la forme d'un livre, l'écran de cheminée était décoré de dessins de livres, même les tranches de pain d'épice sur le plateau à thé avaient l'air d'une série de volumes d'encyclopédie.

Le chanoine Lytton lui-même avait l'aspect d'un parchemin ; sa peau, mince et craquelée, paraissait sur le point de se déchirer à tout instant et, lorsqu'il souriait ou fronçait les sourcils, son visage se creusait d'une multitude de rides. Pour le moment, et depuis le début de l'entretien ou presque, il arborait une expression sévère : ses épais sourcils blancs se rejoignaient au-dessus de ses yeux plissés par la concentration, et sa main décharnée, serrée autour de sa tasse de thé inentamée, s'agitait dangereusement dans l'air.

« Le secret d'un mariage réussi, déclama-t-il, c'est la confiance. La confiance, voilà la clé, c'est sur elle que tout repose.

— Absolument », répliqua Milly, pour la vingtième fois en une heure.

Elle regarda Simon du coin de l'œil : penché en avant, il semblait sur le point d'interrompre le pasteur. Mais le chanoine Lytton n'était pas le genre d'orateur à tolérer les interruptions ; chaque fois que Simon prenait sa respiration pour dire quelque chose, l'ecclésiastique haussait la voix et se détournait, contraignant au silence un Simon frustré mais déférent et qui, Milly l'aurait parié, était en désaccord avec la plupart des affirmations du pasteur. Quant à elle, elle n'avait pas écouté un traître mot.

Son regard se posa sur la bibliothèque vitrée, à sa gauche ; elle entrevit son reflet – l'image d'une femme adulte, élégante, raffinée. Milly était satisfaite de son apparence physique. Le chanoine Lytton l'appréciait sans doute moins ; il jugeait probablement que c'était un péché de dépenser de l'argent en vêtements et qu'il valait mieux le distribuer aux pauvres.

Elle changea de position sur le canapé, étouffa un bâillement et s'aperçut avec horreur que le chanoine Lytton l'observait. Le pasteur s'interrompit au milieu de sa phrase et plissa le front.

« Pardonnez-moi si je vous ennuie, mon enfant, remarqua-t-il d'un ton sarcastique. Peut-être cette citation vous est-elle déjà familière ? »

Milly sentit ses joues s'empourprer.

« Non, je... euh... j'étais... euh... » Elle se tourna vers Simon, qui lui sourit et lui adressa un petit clin d'œil. « Je suis juste un peu fatiguée.

— La pauvre Milly a été débordée par les préparatifs du mariage, renchérit Simon. Il faut penser à tant de choses : le champagne, le gâteau...

— En effet, dit le chanoine Lytton avec sévérité. Mais puis-je vous rappeler que ce qui importe dans le mariage, ce n'est ni le champagne, ni le gâteau, ni les présents que vous ne manquerez pas de recevoir. » Son regard fit le tour de la pièce, comme s'il comparait ses modestes biens aux montagnes de cadeaux somptueux destinés à Simon et à Milly, et il se renfrogna davantage. « Je suis affligé, poursuivit-il en se levant et en marchant avec raideur vers la fenêtre, de la désinvolture avec laquelle beaucoup de jeunes couples abordent le mariage. Le sacrement du mariage ne devrait pas être considéré comme une simple formalité.

— Bien sûr que non, protesta Milly.

— Il ne s'agit pas uniquement d'un préambule à une fête.

— En effet, souligna Milly.

— Ainsi que nous le rappellent les préceptes de l'Église, il ne faut pas s'engager dans le mariage de façon irréfléchie, à la légère ou dans un esprit égoïste, mais...

— Ce ne sera pas le cas, coupa Simon avec impatience. J'ai conscience que vous rencontrez tous les jours des gens qui se marient pour de mauvaises raisons, toutefois cela ne nous concerne pas, Milly et moi. Nous nous aimons et nous désirons vivre ensemble le restant de nos jours. Pour nous, le mariage est une affaire sérieuse ; champagne et gâteau n'ont absolument rien à voir. »

Il se tut et un silence s'installa. Milly prit la main de Simon et la pressa doucement.

« Je vois, dit enfin le chanoine Lytton. Eh bien, je suis heureux d'entendre cela. » Il se rassit, avala une gorgée de thé froid et fit la grimace. « Je n'ai pas l'intention de vous abreuver de sermons, reprit-il, mais vous ne vous imaginez pas le nombre de couples mal assortis qui viennent me trouver pour que je les marie. Des jeunes hommes et des jeunes femmes irréfléchis qui se connaissent à peine, des gamines stupides qui voient là l'occasion de porter une belle robe...

— Je n'en doute pas, monsieur le chanoine. Mais entre Milly et moi, c'est le grand amour. Nous prenons le mariage au sérieux et nous désirons réussir notre union. Nous nous connaissons bien, nous nous aimons profondément et je suis sûr que nous serons très heureux. »

Simon se pencha vers Milly et l'embrassa avec tendresse, puis il se tourna vers le pasteur, une lueur de défi dans le regard.

« Oui, marmonna ce dernier. Bon. J'en ai peut-être assez dit. Vous me semblez sur la bonne voie. » Il attrapa un dossier et se mit à fouiller dans ses papiers. « Il reste juste deux ou trois points...

— C'était beau, chuchota Milly à l'oreille de Simon.

— C'était vrai, murmura-t-il en lui effleurant la joue.

— Ah oui. » Le pasteur releva la tête. « J'aurais dû mentionner cela plus tôt. Comme vous avez pu le constater, le révérend Harries a omis de lire vos bans, dimanche dernier.

— Ah bon ? s'étonna Simon.

— Vous ne vous en êtes pas aperçu ? interrogea le pasteur en dardant sur lui un regard perçant. Je suppose que vous avez assisté à l'office du matin ?

— Oui, bien sûr, répliqua Simon après un silence. Maintenant que vous en parlez, j'ai eu l'impression que quelque chose clochait.

— Évidemment, il s'est confondu en excuses, poursuivit le chanoine Lytton avec un soupir agacé, mais le mal est fait. Vous devrez donc vous marier avec dispense de bans.

— Oh, fit Milly. Qu'est-ce que cela signifie ?

— Cela signifie, entre autres, que je vais être obligé de vous demander de prêter serment.

— Oh merde ! murmura Milly.

— Pardon ?

— Non, rien, continuez, je vous en prie.

— Il faut que vous juriez solennellement que les informations que vous m'avez fournies sont exactes. » Le pasteur tendit une bible à Milly, puis lui passa une feuille de papier. « Voulez-vous jeter un coup d'œil à ceci, vérifier que tout est correct, et lire à voix haute le serment. »

Milly examina quelques secondes le document, puis releva la tête.

« C'est parfait, affirma-t-elle avec un grand sourire.

— Melissa Grace Havill, lut Simon par-dessus son épaule, célibataire. Célibataire ! répéta-t-il, amusé.

— Bien, fit Milly d'un ton brusque. À présent, je vais lire le serment.

— Oui, s'il vous plaît, approuva le chanoine Lytton, visiblement satisfait. Après cela, tout sera en ordre. »

Quand ils sortirent de chez le pasteur, il faisait froid et sombre. La neige avait recommencé à tomber et les réverbères étaient déjà allumés ; une guirlande de Noël clignotait dans une vitrine de l'autre côté de la rue. Milly respira un grand coup, secoua ses jambes engourdies à force d'être restées si longtemps immobiles, et se tourna vers Simon. Avant qu'elle ait eu le temps d'ouvrir la bouche, une voix triomphante résonna depuis le trottoir d'en face.

« Ah, vous voilà !

— Maman !

— Olivia, quelle bonne surprise ! »

Olivia traversa la rue et adressa un grand sourire à Milly et à Simon. Des flocons de neige parsemaient ses cheveux blonds coupés avec style ainsi que son manteau de cachemire vert. Presque toutes les tenues d'Olivia avaient des teintes de pierres précieuses – bleu saphir, rouge rubis, violet améthyste –, soulignées par des boucles dorées, des boutons étincelants, des chaussures ornées de dorures. À une époque, elle avait secrètement rêvé d'avoir des lentilles de contact turquoise, mais y avait renoncé par crainte des sourires ironiques dans son dos. À la place, elle mettait de son mieux en valeur le bleu naturel de ses yeux, ombrant ses paupières de fard doré et se faisant teindre les cils en noir une fois par mois.

Elle regarda Milly d'un air affectueux.

« Je parie que tu n'as pas interrogé le chanoine Lytton au sujet des pétales de roses.

— Oh zut, j'ai oublié !

— J'en étais sûre, voilà pourquoi je me suis dit qu'il valait mieux que je passe moi-même au presbytère. » Olivia sourit à Simon. « Ma petite fille est une vraie tête de linotte, vous ne trouvez pas ?

— Non, je ne suis pas de cet avis, rétorqua Simon d'une voix tendue.

— Évidemment, vous êtes amoureux d'elle ! »

Olivia sourit gaiement à son futur gendre et lui ébouriffa les cheveux. Avec ses talons hauts, elle était un tout petit peu plus grande que lui, et Simon avait remarqué – mais apparemment il était le seul – que, depuis que Milly et lui étaient fiancés, sa future belle-mère portait de plus en plus souvent des chaussures à talons hauts.

« Il faut que j'y aille, déclara-t-il. Je dois retourner au bureau, nous sommes débordés en ce moment.

— Tout le monde est débordé ! s'exclama Olivia. Il ne reste que quatre jours, vous vous rendez compte ? Quatre jours avant que vous disiez "oui" ! Et j'ai encore mille choses à faire. » Elle se tourna vers Milly. « Et toi, ma chérie ? Tu es pressée ?

— Non, j'ai pris mon après-midi.

— Eh bien, que dirais-tu d'un petit tour en ville avec moi ? On pourrait peut-être aller prendre... »

Milly acheva la phrase de sa mère : « ... un chocolat chaud chez *Mario*.

— Exactement. » Olivia sourit d'un air victorieux à Simon. « Je lis dans les pensées de ma fille comme dans un livre ouvert.

— Ou une lettre ouverte », riposta Simon du tac au tac.

Il y eut un silence gêné.

« Bon, eh bien, j'y vais, dit Olivia d'un ton brusque. Je ne serai pas longue. Au revoir, Simon, à ce soir. »

Elle ouvrit la grille du presbytère et remonta rapidement l'allée en dérapant par endroits sur la neige.

« Tu n'aurais pas dû dire ça, reprocha Milly à Simon, dès que sa mère fut hors de portée de voix. Au sujet de la lettre. Elle m'avait fait promettre de ne pas t'en parler.

— Je suis désolé, mais elle le mérite. De quel droit s'autorise-t-elle à lire mes lettres ?

— Elle m'a assuré que c'était par erreur.

— Par erreur ? Tu plaisantes ! Cette lettre t'était adressée et se trouvait dans ta chambre.

— Bah, fit Milly avec indulgence, ce n'est pas si grave que ça. Heureusement que tu n'avais rien écrit de désobligeant sur elle ! ajouta-t-elle en riant.

— La prochaine fois, je ne m'en priverai pas. » Simon consulta sa montre. « Je dois partir, maintenant. »

Il prit dans ses mains les doigts gelés de Milly, les embrassa délicatement l'un après l'autre, et attira la jeune femme contre lui. Milly sentit les lèvres douces et tièdes de

Simon sur les siennes et ferma les yeux. Soudain, il s'écarta d'elle et le vent glacé la frappa au visage.

« Il faut que je me dépêche, dit Simon. À plus tard.

— À plus tard. »

Elle sourit en le regardant ouvrir sa voiture à l'aide de la télécommande, s'y engouffrer et démarrer aussitôt. Simon était un homme pressé – pressé de faire, d'agir. Il avait besoin d'être tous les jours sorti, soit pour le travail, soit pour les loisirs, mais toujours en se donnant à fond. Il ne supportait pas de perdre son temps et ne comprenait pas comment Milly pouvait passer une journée entière à ne rien faire et s'en trouver bien, ou arriver à la fin de la semaine sans avoir rien prévu pour le week-end. Parfois, il s'accordait un jour de farniente avec elle et ne cessait de répéter que c'était bon de pouvoir se détendre mais, au bout de quelques heures, tout à coup, il se levait d'un bond et annonçait qu'il allait piquer un sprint.

Lorsqu'elle l'avait rencontré, chez des amis, il était installé à la cuisine et faisait trois choses à la fois : il parlait sur son téléphone portable, mangeait des chips et consultait les principaux titres de l'actualité sur un écran. Milly s'était versé un verre de vin, et il avait tendu son verre puis, profitant d'un silence au bout du fil, il lui avait souri et l'avait remerciée.

« La soirée a lieu dans l'autre pièce, avait souligné Milly.

— Je sais, avait répondu Simon, les yeux rivés sur l'écran. J'y vais dans une minute. »

Milly avait haussé les épaules et l'avait planté là sans même lui demander son nom. Pourtant, plus tard dans la soirée, quand il avait rejoint les autres, il était venu vers elle, s'était présenté de façon charmante et excusé de sa distraction.

« Je voulais juste avoir des nouvelles sur une question d'ordre professionnel, expliqua-t-il.

« — Et c'étaient de bonnes ou de mauvaises nouvelles ?
s'enquit Milly, un peu ivre.

— Cela dépend pour qui.

— C'est vrai pour tout, non ? Comme on dit, le
bonheur des uns fait le malheur des autres. Prenons la
paix dans le monde, par exemple : cela représente une
catastrophe pour les fabricants d'armes.

— Oui, sans doute, dit Simon d'un air songeur. Je
n'avais jamais vu les choses sous cet aspect.

— Ah, tout le monde ne peut pas être philosophe,
répliqua Milly avec une folle envie de rire.

— Puis-je vous servir un verre ?

— Un verre, non, mais je veux bien du feu, s'il vous
plaît. »

Simon se pencha et, alors qu'il abritait la flamme avec
sa paume, Milly nota qu'il avait des mains puissantes et
bronzées et qu'il sentait bon un after-shave qu'elle aimait.
Puis, au moment où elle aspirait une bouffée de cigarette,
il la fixa dans les yeux et, à sa surprise, elle sentit un petit
frisson lui parcourir l'échine.

Lorsque les bavardages superficiels eurent fait place aux
conversations sérieuses et que tout le monde se retrouva
assis par terre à fumer des joints, la discussion glissa sur
la vivisection. Milly, qui avait vu par hasard à la télévision, huit jours plus tôt, un numéro spécial de l'émission
pour enfants *Blue Peter* consacré à ce sujet, fut à même
de fournir plus de faits concrets et d'arguments solides
que tous les autres invités, et Simon la dévisagea avec
admiration.

Il l'invita à dîner quelques jours plus tard et discuta
abondamment affaires et politique. Milly, qui ne connaissait rien ni aux affaires ni à la politique, se contenta de
sourire et d'acquiescer en hochant la tête. À la fin de la
soirée, juste avant de l'embrasser pour la première fois,

Simon lui dit qu'elle possédait d'extraordinaires facultés de compréhension et de discernement. Quand elle tenta de lui expliquer qu'elle ignorait tout de la politique – et de la plupart des autres sujets, en fait –, il protesta qu'elle était trop modeste. « J'ai bien remarqué, lors de cette soirée, l'autre jour, la façon dont tu as réduit à néant les arguments puérils de ce type. Tu savais exactement de quoi tu parlais. À vrai dire, ajouta-t-il, tandis que ses yeux se voilaient, j'ai trouvé cela très excitant. » Milly, qui était sur le point de lui avouer la source de ses informations, avait préféré se rapprocher de lui pour qu'il l'embrasse une fois de plus.

Depuis, la perception que Simon avait de Milly n'avait pas changé. Il continuait de lui affirmer qu'elle était trop modeste, il croyait toujours qu'elle appréciait, comme lui, les expositions d'art branchées, il persistait à lui demander son avis sur des questions telles que la campagne présidentielle aux États-Unis et il écoutait avec attention ses réponses. Il pensait qu'elle aimait les sushis et qu'elle avait lu Sartre. Elle, qui n'avait pas l'intention de l'induire en erreur mais ne voulait pas non plus le décevoir, l'avait laissé se faire d'elle une image qui – il fallait bien le reconnaître – n'était pas tout à fait exacte.

Que se passerait-il quand ils vivraient ensemble ? Parfois, Milly s'inquiétait de cette fausse image qu'elle donnait d'elle-même et ne doutait pas que Simon la démasquerait dès l'instant où il la surprendrait à pleurer sur un roman de gare. À d'autres moments, elle se disait que cette image n'était pas si inexacte que cela. Peut-être n'était-elle pas tout à fait la femme sophistiquée qu'il croyait, mais elle pouvait l'être, et elle le serait. Il lui suffirait pour cela de se débarrasser de ses vieux vêtements et de ne porter que ses nouvelles tenues, d'énoncer à l'occasion un commentaire intelligent et d'observer un silence discret le reste du temps.

Un jour, au début de leur relation, alors qu'ils étaient couchés tous les deux dans le grand lit de Simon à Pinnacle Hall, Simon lui affirma avoir compris qu'elle n'était pas une femme comme les autres parce qu'elle ne lui posait pas de questions à propos de son père. « La plupart des filles, dit-il avec amertume, ont juste envie de savoir quel effet ça fait d'être le fils de Harry Pinnacle. Ou bien elles veulent que je leur obtienne un entretien ou une faveur de ce genre. Mais toi... toi, tu n'as jamais fait la moindre allusion à lui. »

Il la dévisagea avec des yeux incrédules ; Milly lui sourit tendrement et, à moitié ensommeillée, murmura une vague réponse. Difficile d'avouer à Simon que, si elle n'avait jamais mentionné le nom de Harry Pinnacle, c'était parce qu'elle n'avait jamais entendu parler de lui.

« Dire que nous dînons ce soir avec Harry Pinnacle ! Cela va être passionnant. »

Interrompue dans ses pensées, Milly répondit à sa mère d'un ton distrait : « Oui, sûrement.

— A-t-il toujours cet extraordinaire cuisinier autrichien ?

— Je l'ignore. »

Milly se rendit compte qu'elle avait fini par adopter le ton dissuasif qu'employait Simon chaque fois que quelqu'un parlait de son père. Simon évitait systématiquement de prolonger une conversation concernant Harry Pinnacle et, si les gens insistaient, il changeait carrément de sujet ou même quittait la pièce. Il avait maintes et maintes fois coupé court à la curiosité de sa future belle-mère qui le pressait de questions à propos du grand homme, mais jusqu'ici Olivia ne paraissait pas s'en être aperçue.

« Ce qu'il y a de formidable chez Harry, continua la mère de Milly d'un air songeur, c'est sa simplicité. Je le dis à tout le monde : si vous le rencontriez, jamais vous ne croiriez que vous avez en face de vous un homme d'affaires multimillionnaire, le fondateur d'une énorme chaîne de magasins avec des succursales dans tout le pays. Vous penseriez seulement : Voilà un homme charmant. Et Simon est exactement pareil.

— Simon n'est pas un homme d'affaires multimillionnaire, mais un agent de publicité tout à fait ordinaire.

— Ordinaire, certainement pas, ma chérie.

— Maman…

— Je sais que tu n'aimes pas que je parle de cela, mais le fait est que Simon deviendra très riche, un jour. Toi aussi, par conséquent.

— Peut-être.

— Inutile de prétendre le contraire. Et lorsque cela arrivera, ta vie s'en trouvera modifiée.

— Non, ça ne changera rien.

— Les gens riches vivent différemment.

— Il y a un instant, tu soulignais la simplicité de Harry ; il ne vit pas différemment, n'est-ce pas ?

— Tout est relatif, ma chérie. »

Les deux femmes étaient parvenues près d'une rangée de boutiques de luxe ; elles s'arrêtèrent devant la première vitrine, où trônait un mannequin vêtu d'une somptueuse robe de velours blanc.

« Qu'elle est belle, murmura Milly.

— Pas autant que la tienne. Je n'ai jamais vu une robe de mariée aussi splendide que la tienne.

— C'est vrai, elle est superbe.

— Et elle te va à merveille, mon chou. »

Elles s'attardèrent quelques minutes, fascinées par l'éclairage subtil de la vitrine, les flots de soie, de satin et de tulle drapés sur les murs, les bouquets de fleurs séchées, les ravissants souliers brodés.

« Ces préparatifs de mariage ont été très excitants, soupira Olivia. Je vais les regretter une fois que tout sera fini.

— Mmmm », marmonna Milly.

Après un court silence, Olivia lui demanda à brûle-pour-point : « Est-ce qu'Isobel a un petit ami, actuellement ? »

Milly leva brusquement la tête.

« Maman ! Tu n'essaies pas de marier aussi Isobel ?

— Bien sûr que non. Je suis curieuse, c'est tout. Elle ne me dit jamais rien. Je lui ai demandé si elle serait accompagnée, pour la réception…

— Et qu'a-t-elle répondu ?

— Qu'elle viendrait seule.

— Eh bien, alors ?

— Cela ne prouve rien.

— Maman, si tu as envie de savoir si Isobel a un petit ami, pourquoi ne lui poses-tu pas la question à elle ?

— Oui, peut-être », fit Olivia d'un ton vague, comme si soudain le sujet ne l'intéressait plus.

Une heure plus tard, Milly et sa mère ressortaient du café *Mario* et prenaient le chemin du retour. Elles savaient que, sitôt rentrées, la cuisine se remplirait de touristes aux pieds endoloris à force d'avoir marché. La maison des Havill, dans Bertram Street, était un des *bed and break-fast* les plus connus de Bath ; les visiteurs appréciaient beaucoup cette demeure au beau mobilier georgien, située à proximité du centre-ville, ainsi que le charme d'Olivia, ses plaisants bavardages et son don pour transformer la moindre réunion en véritable fête.

L'heure du thé était un moment privilégié ; Olivia adorait rassembler ses hôtes autour de la table pour déguster de l'Earl Grey et des scones aux raisins, chauds et beurrés. Elle profitait de l'occasion pour présenter les gens les uns aux autres, pour écouter le récit de leur journée, leur conseiller des sorties pour le soir, et leur raconter les derniers potins à propos de personnes dont ils n'avaient jamais entendu parler. Si quelqu'un manifestait le désir de se retirer dans sa chambre pour se faire du thé avec la minibouilloire mise à sa disposition, il avait droit à un regard désapprobateur de la maîtresse de maison et à des toasts froids le lendemain matin. Olivia méprisait les minibouilloires et le thé en sachets ; elle ne les fournissait que pour mériter quatre étoiles dans le guide des *bed and breakfast* de la ville. Même chose pour le câble, les saucisses végétariennes et les brochures signalant les parcs d'attractions et autres distractions familiales qu'offrait la région – elle notait toutefois avec satisfaction que le présentoir nécessitait rarement d'être réapprovisionné.

« J'ai oublié de te dire, fit Olivia en cherchant les clés dans son sac, le photographe est arrivé pendant que tu étais sortie. C'est un tout jeune homme.

— Je croyais qu'il ne devait venir que demain.

— Moi aussi. Heureusement que ces gentils Australiens ont eu un décès dans leur famille, sinon nous n'avions plus de place pour lui. À propos d'Australiens... regarde un peu ça ! »

Olivia introduisit la clé dans la serrure et ouvrit la porte en grand.

« Des fleurs ! s'exclama Milly en découvrant dans l'entrée un énorme bouquet de fleurs blanches noué avec un ruban de soie vert foncé. Pour moi ? Qui les a envoyées ?

— Lis la carte. »

Milly prit le bouquet et chercha sous le papier cello-phane le message qu'elle lut lentement.

« "Chère petite Milly, nous sommes très heureux pour toi et nous regrettons beaucoup de ne pouvoir venir pour ton mariage. Nous penserons très fort à toi ce jour-là. Avec toute notre affection. Beth, Scott et Adrian." Comme c'est gentil à eux ! murmura Milly, stupéfaite. Depuis Sydney ! Ces gens sont vraiment adorables.

— Tout le monde est fou d'excitation, ma chérie. Cela va être un mariage extraordinaire !

— Oh, qu'elles sont belles ! » dit une voix mélodieuse. Une femme d'un certain âge, en pantalon et baskets bleus, apparut en haut de l'escalier. « Des fleurs pour la mariée ?

— Les premières, précisa Olivia avec un petit rire satisfait.

— Vous avez de la chance, dit la dame à Milly.

— Je le sais ». Un sourire radieux éclaira le visage de la jeune femme. « Je vais les mettre dans un vase. »

Le bouquet dans les bras, Milly poussa la porte de la cuisine et s'immobilisa sous le coup de la surprise : un jeune homme brun, vêtu d'une veste en jean élimée, était assis à la table ; il portait des lunettes rondes à monture métallique et lisait le *Guardian*.

« Bonjour, dit poliment Milly. Je suppose que vous êtes le photographe.

— Bonjour, répondit le jeune homme en repliant le journal. Milly, je présume ? »

Il leva la tête, et Milly eut aussitôt le sentiment qu'elle le connaissait, qu'elle l'avait déjà rencontré quelque part.

« Alexander Gilbert, se présenta le photographe, et tous deux se serrèrent la main. Très jolies fleurs, ajouta-t-il en désignant le bouquet.

— Oui », fit Milly en le dévisageant avec curiosité. Où donc l'avait-elle déjà vu ? Pourquoi le visage de ce garçon paraissait-il gravé dans sa mémoire ?

« Mais ce n'est pas votre bouquet de mariée.

— Non. » Milly se pencha pour respirer le parfum des fleurs. « Ce sont des amis australiens qui me l'ont envoyé. C'est vraiment très attentionné de leur part, étant donné que... »

Elle se tut soudain, et son cœur se mit à battre plus fort.

« Étant donné quoi ?

— Rien... Je... je vais porter ces fleurs dans une autre pièce. »

Milly se dirigea vers la porte. Ses mains étaient moites contre la cellophane du bouquet. Elle savait où elle avait déjà vu ce type, elle s'en souvenait parfaitement. En y pensant, son estomac se noua d'angoisse ; elle serra les dents et s'efforça de garder son calme. *Pas de panique*, se dit-elle en saisissant la poignée de la porte. *Tout va bien. Du moment que lui ne me reconnaît pas.*

« Attendez. »

La voix du jeune homme la figea sur place. À croire qu'il avait lu dans ses pensées. Malade d'appréhension, Milly se retourna ; le photographe la scrutait, les sourcils froncés. « Nous ne nous sommes pas déjà rencontrés quelque part ? »

2

Coincé dans un bouchon alors qu'il rentrait chez lui, Simon regardait la neige tomber sans discontinuer et le mouvement régulier des essuie-glaces. Il attrapa son téléphone mobile et commença à faire le numéro de Milly mais, après avoir composé les deux premiers chiffres, il se ravisa. Tout ce qu'il voulait, c'était entendre la voix de Milly, la faire rire, imaginer son expression pendant qu'elle parlait. Seulement, elle était peut-être occupée ou bien elle le trouverait ridicule d'appeler ainsi, sur une impulsion, sans avoir rien à dire. Et puis, si par hasard elle n'était pas là, il risquait d'avoir Mme Havill au bout du fil.

La mère de Milly était l'unique point que Simon aurait aimé pouvoir changer, concernant sa fiancée. Olivia était une femme plutôt agréable, encore séduisante, pleine de charme, amusante, et Simon comprenait pourquoi elle avait du succès dans les soirées. Mais il était profondément irrité par la façon dont elle traitait Milly, comme s'il s'agissait d'une enfant de six ans : elle l'aidait à choisir ses vêtements, lui conseillait de porter une écharpe, voulait savoir tout ce qu'elle faisait, à chaque instant de chaque jour. Le pire, d'après lui, était que cela ne paraissait pas déranger Milly, qui laissait sa mère lui caresser les cheveux en susurrant : « Brave petite », et qui n'omettait jamais de téléphoner si elle devait arriver plus tard que prévu. À l'inverse de sa sœur aînée, Isobel, qui depuis long-temps s'était acheté un appartement et avait quitté ses parents, Milly ne semblait pas éprouver le désir légitime d'être indépendante.

Résultat : sa mère la considérait toujours comme une petite fille, et non comme une personne adulte et mûre – ce qu'elle était en réalité. Le père de Milly et sa sœur n'agissaient guère mieux : ils riaient quand elle exprimait une opinion sur un sujet d'actualité, plaisantaient à propos de sa carrière, discutaient de questions importantes sans la consulter. Ils refusaient de voir la femme intelligente et passionnée que Simon reconnaissait en Milly, ils refusaient de la prendre au sérieux et de la traiter comme une grande personne.

Simon avait essayé d'aborder ce sujet avec Milly, il avait tenté de lui expliquer de quelle façon sa famille la rabais-sait et se montrait condescendante vis-à-vis d'elle. Milly s'était contentée de hausser les épaules et d'affirmer que ses parents et sa sœur n'étaient pas si méchants que cela. Lorsqu'il avait durci ses critiques contre eux, elle avait été contrariée. Milly était une fille trop gentille et trop affec-tueuse pour voir leurs défauts, songeait Simon en quit-tant l'artère principale de Bath pour tourner en direction de Pinnacle Hall. C'était pour cela qu'il l'aimait. Mais il faudrait que les choses changent une fois qu'ils seraient mariés et s'installeraient dans leur propre appartement. La famille de Milly cesserait d'être l'axe central autour duquel la vie de la jeune femme s'articulait, et les Havill auraient à respecter cela ; elle serait une épouse, un jour peut-être une mère, et il leur faudrait prendre conscience qu'elle n'était plus leur petite fille.

En approchant de Pinnacle Hall, Simon appuya sur la touche de sécurité de sa télécommande et attendit avec impatience que les grilles s'ouvrent – de lourdes grilles en fer forgé avec le nom « Pinnacle » ciselé dans le métal. Toutes les fenêtres de la demeure étaient allumées, les voitures stationnées à leurs places respectives, les bureaux encore en pleine activité. La Mercedes rouge de son père était garée pile devant la maison ; Simon détestait cette grosse voiture rutilante et prétentieuse.

Il laissa sa Golf dans un endroit discret et marcha sur le gravier crissant, couvert de neige. Pinnacle Hall était un vaste manoir du XVIIIe siècle transformé en hôtel de luxe dans les années quatre-vingt, époque à laquelle on y avait adjoint un complexe de loisirs et une aile construite avec goût, conçue pour abriter des chambres supplémentaires. Harry Pinnacle avait racheté l'endroit après la faillite des propriétaires, en avait fait de nouveau une demeure privée et avait installé le siège social de sa société dans l'aile la plus récente. Il avait coutume de raconter aux journalistes qui venaient l'interviewer que cela lui convenait de vivre en dehors de Londres. « Je me fais vieux, j'ai passé l'âge pour cela », précisait-il. Après quelques secondes de silence, tout le monde s'esclaffait, et Harry, avec un sourire satisfait, sonnait pour qu'on apporte le café.

Le hall lambrissé était vide et sentait l'encaustique. De la lumière filtrait sous la porte du bureau de Harry, et Simon entendit, assourdis par le lourd panneau de chêne, la voix de son père, puis son rire. L'hostilité de Simon, toujours à fleur de peau, se manifesta par des picotements, et il serra les poings.

Du plus loin qu'il se souvenait, Simon avait toujours haï son père. Harry Pinnacle avait déserté le foyer lorsque Simon avait trois ans, laissant le soin à sa femme d'élever l'enfant. La mère de Simon ne lui avait jamais expliqué en détail les raisons de l'échec de son couple, mais Simon était persuadé que c'était son père le fautif. Son père autoritaire, arrogant, odieux. Son père entreprenant, créatif, à la réussite éclatante. C'était cette réussite que Simon détestait le plus.

Tout le monde connaissait l'histoire : l'année des sept ans de Simon, Harry Pinnacle avait ouvert un petit bar dénommé *Fruit 'n Smooth*, où l'on servait des jus de fruits naturels sur un comptoir en chrome ; l'établissement connut un succès immédiat. L'année suivante, l'homme d'affaires en ouvrit un autre, puis un autre l'année d'après. Un an plus tard, il se mit à vendre des franchises. Vers le milieu des années quatre-vingt, chaque ville d'Angleterre avait son *Fruit 'n Smooth* et Harry Pinnacle était multimillionnaire.

À mesure qu'augmentaient la richesse et la notoriété de Harry Pinnacle, à mesure que son nom passait des pages intérieures des journaux aux gros titres à la une, le jeune Simon avait observé l'ascension de son père avec rage. Sa mère recevait des chèques tous les mois et s'extasiait chaque fois sur la générosité de Harry. Mais Harry ne venait jamais en personne, et Simon le haïssait à cause de cela. Puis, quand Simon eut atteint l'âge de dix-neuf ans, sa mère mourut et son père réapparut dans sa vie.

Simon fronça les sourcils et sentit ses ongles s'enfoncer dans ses paumes en se rappelant le moment où, dix ans plus tôt, il avait revu son père pour la première fois. Il arpentait le couloir de l'hôpital, fou de douleur, de colère et de fatigue, lorsque soudain il entendit une voix appeler son nom et aperçut en face de lui un visage qui lui était familier pour l'avoir vu des milliers de fois dans les journaux. Familier et pourtant étranger. En examinant son père, Simon avait retrouvé avec stupeur ses propres traits dans le visage de cet homme plus âgé. Et, malgré lui, une émotion profonde, instinctive, une émotion d'enfant, avait surgi en lui. Il aurait été si facile de se jeter au cou de son père, de partager avec lui son fardeau, d'accepter qu'il vienne vers lui, de s'en faire un ami. Mais, alors même qu'il commençait à se laisser fléchir, Simon avait étouffé, réprimé, refoulé ses sentiments ; Harry Pinnacle ne méritait pas son amour et il ne l'obtiendrait jamais.

Après l'enterrement, Harry avait installé Simon à Pinnacle Hall, lui avait acheté une voiture, payé des vacances coûteuses. Simon avait tout accepté poliment. Mais si Harry s'était imaginé qu'il achèterait l'affection de son fils en le couvrant de cadeaux, il s'était trompé. La rage adolescente de Simon fit bientôt place à la détermination farouche de dépasser son père dans tous les domaines. Non seulement il dirigerait une entreprise florissante et gagnerait beaucoup d'argent mais, à l'inverse de son père, il serait également heureux en ménage, apprendrait à ses enfants à l'aimer, deviendrait la figure centrale d'une famille stable et comblée. Il aurait la vie que son père n'avait jamais eue, et Harry Pinnacle l'envierait et le détesterait à cause de cela.

Simon avait donc lancé sa propre affaire, une petite société d'édition qui avait débuté avec trois publications spécialisées, source de profits raisonnables et de grandes espérances – qui ne se réalisèrent jamais. Après trois années de lutte, les bénéfices s'étaient réduits à presque rien et, à la fin de la quatrième année, Simon avait dû procéder à la liquidation.

Impossible d'oublier le terrible sentiment d'humiliation qui s'était emparé de lui le jour où il avait avoué à son père que son entreprise avait fait faillite, le jour où il avait dû accepter l'offre de Harry, vendre son appartement et revenir s'installer à Pinnacle Hall. Harry lui avait versé un grand verre de whisky, avait prononcé des banalités à propos des aléas de la vie et lui avait proposé un travail au sein de « Pinnacle Enterprises ». Simon avait refusé net et marmonné quelques mots de remerciement. Il pouvait à peine regarder son père dans les yeux – son père ou qui que ce fût, d'ailleurs. Dans ces circonstances, accablé de honte et de frustration, il s'était méprisé presque autant qu'il méprisait Harry.

Il avait fini par trouver un emploi d'agent publicitaire pour le compte d'un petit magazine professionnel sans grande envergure. Il avait fait la grimace quand son père l'avait félicité et avait feuilleté la modeste publication en cherchant des paroles élogieuses. « Ce n'est pas un job terrible, avait dit Simon, sur la défensive, mais au moins j'ai du travail. » En effet, il avait un emploi, de quoi occuper ses journées et commencer à rembourser ses dettes.

Trois mois plus tard, Simon rencontra Milly ; au bout d'un an, il lui demanda sa main. Une fois de plus, Harry le félicita et lui proposa son aide pour l'achat de la bague de fiançailles. Mais Simon refusa son offre. « Je me débrouillerai tout seul », dit-il en regardant son père droit dans les yeux avec une confiance nouvelle, presque du défi. S'il ne pouvait le battre sur le plan professionnel, il le surpasserait sur le plan de la vie privée. Lui et Milly formeraient un couple parfait, ils s'apporteraient l'un à l'autre amour, soutien et compréhension, partageraient leurs soucis, prendraient ensemble toutes les décisions, exprimeraient librement leurs sentiments. Les enfants viendraient renforcer leur bonheur. Il n'y aurait aucun faux pas. Simon avait connu l'échec une fois, il ne voulait plus jamais le connaître à nouveau.

Simon fut tiré de ses pensées par un éclat de rire venant du bureau de son père, suivi par des paroles étouffées, puis par le bruit caractéristique signalant que Harry avait raccroché le vieux combiné de sa ligne privée. Simon attendit une minute ou deux, respira à fond, traversa le hall et frappa à la porte de son père.

Lorsque Harry Pinnacle entendit frapper, il sursauta – ce qui ne lui ressemblait guère –, rangea précipitamment dans le tiroir de son bureau la minuscule photo qu'il tenait à la main, repoussa le tiroir et le ferma à clé. Puis il resta un moment à contempler la clé, perdu dans ses pensées.

On frappa de nouveau, et il releva la tête, puis il pivota sur son fauteuil et se passa la main dans les cheveux.

« Oui ? »

Simon entra, avança de quelques pas et considéra son père d'un air furieux. Toujours la même chose : il tapait à la porte et son père le laissait attendre, tel un domestique. Pas une seule fois Harry ne l'avait invité à entrer sans frapper, pas une seule fois il n'avait paru content de le voir. Il semblait toujours agacé, comme si on le dérangeait au beau milieu d'un travail important. Foutaises ! pensa son fils, je ne te dérange pas en plein travail, tu n'es qu'un salaud bouffi de morgue.

Son cœur battait à tout rompre, il se sentait d'humeur belliqueuse, pourtant il ne put se résoudre à proférer les paroles agressives qui lui brûlaient les lèvres.

« Bonjour », dit-il d'une voix tendue. Il agrippa le dossier d'un siège en cuir et lança un regard noir à son père, dans l'espoir de provoquer une réaction. Mais Harry se contenta de le dévisager à son tour. Au bout de quelques secondes, il soupira et posa son stylo.

« Bonsoir. La journée a été bonne ? » Simon haussa les épaules et détourna les yeux. « Tu veux un whisky ?

— Non, merci.

— Eh bien moi, oui. »

Harry se leva pour se servir un verre et surprit l'expression de son fils – une expression crispée, amère, furieuse. Simon avait en lui une immense colère, une colère qu'il traînait depuis le jour où Harry l'avait vu à l'hôpital en train de faire les cent pas devant la chambre de sa mère. Ce jour-là, Simon avait craché aux pieds de son père et s'était éloigné avant que celui-ci ait pu prononcer un seul mot. Depuis, Harry éprouvait un sentiment de culpabilité qui se ravivait chaque fois que Simon le regardait avec ces yeux si semblables à ceux de sa mère.

Harry porta le verre à ses lèvres.

« La journée a été bonne ?

— Tu me l'as déjà demandé.

— Oui. Exact. »

Harry avala une gorgée d'alcool et se sentit tout de suite un peu mieux.

« Je suis venu te rappeler le dîner de ce soir. Les Havill sont invités.

— Je n'ai pas oublié. » Harry reposa son verre et observa Simon. « Le grand jour approche. Tu n'es pas trop nerveux ?

— Non, pas du tout.

— Il s'agit d'un engagement important. »

Simon regarda son père. Des phrases longtemps réprimées lui vinrent aussitôt à l'esprit – des phrases qu'il avait sur le cœur depuis des années.

« Sais-tu seulement ce qu'est un engagement ? »

Une lueur de rage passa sur le visage de Harry ; Simon, dans un mélange d'excitation et de crainte, attendit que son père crie contre lui afin de riposter avec plus de hargne encore. Mais la colère disparut des traits de Harry aussi vite qu'elle était apparue ; il se dirigea vers la fenêtre, laissant Simon sur sa faim.

« Qu'est-ce qu'il y a de mal à s'engager ? hurla ce dernier. Qu'est-ce qu'il y a de mal à aimer une personne durant toute la vie ?

— Rien, répondit Harry sans se retourner.

— Alors pourquoi… »

Simon se tut brusquement. Un long silence s'installa, ponctué par les craquements du feu dans la cheminée. Simon fixa du regard le dos de son père. *Dis quelque chose, bon sang, dis quelque chose, espèce d'enfoiré.*

« Je te verrai à huit heures, grommela Harry.

— Parfait, répliqua Simon d'un ton douloureux. À plus tard. » Et il quitta immédiatement la pièce.

Harry contempla son verre et se maudit. Il n'avait pas voulu blesser son fils. Ou peut-être que si. Il ne pouvait plus se fier à ses motivations, ni contrôler ses sentiments. La sympathie se transformait vite en agacement, la culpabilité en colère. Ses bonnes intentions vis-à-vis de Simon s'évanouissaient dès que le garçon ouvrait la bouche. Une partie de lui-même avait hâte que Simon soit marié, quitte la maison, soit absorbé par une autre famille, le laisse enfin en paix. Et une autre partie redoutait ce moment et refusait même d'y penser.

La mine renfrognée, Harry se versa un autre verre de whisky et retourna à son bureau. Il attrapa le téléphone, composa un numéro, écouta avec impatience la sonnerie à l'autre bout du fil, puis raccrocha d'un air mécontent.

Milly avait le cœur qui battait la chamade ; elle aurait voulu fuir, s'échapper. C'était lui, le garçon d'Oxford, l'adolescent qui l'avait vue sur les marches de la mairie le jour où elle avait épousé Allan, lui qui avait ramassé son voile de mariée et le lui avait tendu. Aujourd'hui, il avait un visage plus dur et une petite barbe, mais il portait les

47

mêmes lunettes cerclées de métal et arborait la même expression suffisante, presque méprisante. Appuyé contre le dossier de sa chaise, il l'observait avec curiosité. Pourvu qu'il ne se souvienne pas ! priait en silence Milly sans oser le regarder en face.

Olivia s'approcha de la table de la cuisine. « Je me suis occupée de tes fleurs, ma chérie. Il ne faut pas les laisser en plan comme ça.

— Je sais, murmura Milly. Merci.

— Bien. Voulez-vous un peu plus de thé, Alexander ?

— Oui, avec plaisir. »

Olivia le servit, s'assit et sourit.

« N'est-ce pas merveilleux ? À présent, je commence à croire à la réalité de ce mariage. Milly, as-tu montré à Alexander ta bague de fiançailles ? »

L'estomac noué, Milly leva avec lenteur la main gauche. Le jeune homme contempla d'un air impénétrable le bijou, une bague ancienne sertie de diamants.

« Très jolie, commenta-t-il. Vous êtes fiancée au fils de Harry Pinnacle, l'héritier de Fruit 'n Smooth, c'est bien ça ?

— Oui, répondit Milly à contrecœur.

— Beau parti.

— Un garçon charmant, précisa aussitôt Olivia, comme chaque fois que quelqu'un évoquait la filiation de Simon ou son argent. Tout à fait intégré à notre famille, maintenant.

— Et que fait-il dans la vie ? s'enquit Alexander, vaguement moqueur. Il travaille pour son père ?

— Non, répliqua Milly d'une voix empruntée. Il est agent publicitaire.

— Je vois. » Le photographe avala une gorgée de thé et scruta Milly d'un air pensif. « Je suis sûr de vous avoir déjà vue quelque part.

— Vraiment ? s'enquit Olivia. Comme c'est curieux !

— Je crains de ne pas vous reconnaître, dit Milly en s'efforçant d'adopter un ton léger.

— Peut-être, ma chérie, intervint sa mère, mais tu n'es pas physionomiste. » Elle se tourna vers Alexander. « Moi, je suis comme vous, je n'oublie jamais un visage.

— Vous savez, les visages, c'est mon métier, je passe mon temps à les observer. » Alexander considéra de nouveau Milly, qui tressaillit sous son regard. « Avez-vous toujours eu les cheveux comme ça ? demanda-t-il soudain.

— N… non, bégaya Milly, paniquée. Je… je les ai teints en rouge, à une époque.

— Pas très réussi, commenta sa mère. J'avais conseillé à Milly d'aller chez mon coiffeur mais elle ne m'a pas écoutée, alors bien sûr…

— Ce n'est pas ça, coupa Alexander. Vous n'étiez pas à Cambridge, par hasard ?

— Non.

— Mais Isobel y était ! s'écria Olivia. C'est peut-être à elle que vous pensez.

— Qui est Isobel ?

— Ma sœur. » Milly se raccrocha à cet espoir. « Elle… elle me ressemble beaucoup.

— Isobel a étudié les langues, précisa Olivia avec fierté, et maintenant elle a un excellent métier : elle est interprète de conférences, voyage dans le monde entier et a rencontré tous les hommes d'État de la planète, ou presque…

— Comment est-elle, physiquement ?

— Il y a une photo d'elle sur la cheminée. » Olivia regarda Alexander tandis qu'il examinait la photo et continua d'un ton badin : « Il faut absolument que vous la rencontriez avant le mariage, je suis sûre que vous avez beaucoup de choses en commun, vous et elle.

— Ce n'était pas elle, déclara le jeune homme en se retournant vers Milly. Elle ne vous ressemble pas du tout.

— Isobel est plus grande que Milly. Vous êtes très grand, Alexander », ajouta Olivia, songeuse.

Le photographe haussa les épaules et se leva.

« Excusez-moi, je dois partir, j'ai rendez-vous avec un ami.

— Vraiment ? fit Olivia. Un ami intime ?

— Un ancien camarade de lycée, répondit Alexander en la regardant comme s'il avait affaire à une folle.

— Eh bien, bonne soirée !

— Merci. » Au moment de quitter la pièce, Alexander s'adressa à Milly. « Je vous verrai demain, je prendrai quelques photos non officielles, et nous discuterons tranquillement de ce que vous souhaitez. »

Il la salua d'un signe de tête et disparut.

« Voilà un jeune homme bien intéressant ! » s'exclama Olivia dès qu'il fut sorti.

Milly demeura figée, les yeux baissés, les mains crispées sur sa tasse de thé, le cœur battant à tout rompre.

« Ça va bien, ma chérie ? s'inquiéta sa mère.

— Oui oui. Très bien. »

Milly se força à sourire et but une gorgée de thé. *Pas de panique*, se dit-elle. *Il ne s'est jamais rien passé et il ne se passera rien.*

« J'ai jeté un coup d'œil sur son press-book, reprit Olivia. Ce garçon a beaucoup de talent. Il a exposé, gagné des prix.

— Ah oui ? »

Milly prit un biscuit, le tint quelques secondes entre ses doigts, puis le remit dans l'assiette. Un sentiment de terreur l'étreignit soudain. Et si ce type retrouvait la mémoire ? S'il se rappelait avec précision ce qu'il avait vu dix ans plus tôt et le racontait à quelqu'un ? Si le pot aux roses était découvert ? Milly se sentit malade d'angoisse.

Une réflexion d'Olivia la tira de ses pensées.

« Il faut qu'Isobel et lui se rencontrent, sitôt qu'elle sera rentrée de Paris.

— Quoi ? Pour quelle raison ? » Milly dévisagea sa mère, qui haussa les épaules. « Oh non ! Tu n'y penses pas !

— C'est juste une idée comme ça, se défendit Olivia. Quelles chances a cette pauvre Isobel de rencontrer des hommes, enfermée toute la journée dans des salles de conférences ennuyeuses à mourir ?

— Isobel n'a pas envie de rencontrer des hommes. En tout cas, pas des hommes comme tu les imagines. Et surtout pas celui-ci.

— Pourquoi ? Qu'est-ce qu'il a de particulier ?

— Rien. Rien, mais il n'est pas le genre d'Isobel. »

Une image de sa sœur se forma dans l'esprit de Milly – l'image d'une Isobel intelligente et avisée. Elle en éprouva un vif soulagement : elle parlerait à sa sœur. Isobel savait toujours ce qu'il fallait faire. Milly consulta sa montre.

« Quelle heure est-il à Paris ?

— Pourquoi ? Tu vas l'appeler ?

— Oui. J'ai envie de lui parler. J'ai besoin de lui parler. »

Isobel Havill rentra à son hôtel à huit heures du soir et vit aussitôt que le signal d'appel du répondeur clignotait. Son visage s'assombrit, elle passa d'un geste las sa main sur son front et ouvrit la porte du minibar. La journée avait été encore plus épuisante que d'habitude. Elle sentait sa peau desséchée par l'atmosphère de la salle de conférences, un goût de café et de tabac lui restait dans la bouche. Après des heures consacrées à écouter, traduire, parler dans un micro de cette voix basse et mesurée qui faisait d'elle une interprète très recherchée, sa gorge était douloureuse, ses lèvres incapables de prononcer un mot de plus, sa tête prête à exploser à force d'avoir entendu tant de discours dans tant de langues différentes.

Un verre de vodka à la main, elle se dirigea lentement vers la salle de bains en marbre blanc, alluma la lumière et examina ses yeux rougis dans la glace. Elle ouvrit la bouche pour dire quelque chose, puis renonça. Elle se savait incapable de penser, d'avoir une seule idée personnelle ; pendant des heures, son cerveau avait fonctionné uniquement comme un conducteur d'informations ultra-perfectionné et il demeurait encore conditionné pour faire circuler les mots dans un sens, puis dans l'autre, sans en interrompre le flux avec ses propres pensées, sans altérer la traduction par ses opinions personnelles. Tout au long de la journée, elle avait assumé sa tâche sans jamais flancher ni perdre son sang-froid ; maintenant elle était complètement vidée, à sec.

Elle finit son verre de vodka et le posa sur la tablette au-dessus du lavabo ; le bruit la fit tressaillir, ses yeux dans le miroir avaient une expression inquiète. Depuis le matin elle avait évité de penser à cet instant mais, puisqu'elle se retrouvait seule et que son travail était terminé, elle n'avait plus aucune excuse. D'une main tremblante, elle fouilla dans son sac, y prit un sachet en plastique provenant d'une pharmacie et en sortit un petit étui oblong. À l'intérieur, elle trouva une notice en français, allemand, espagnol et anglais. Elle parcourut avec impatience tous les textes, notant au passage que les instructions en espagnol étaient mal traduites et que la version allemande présentait des divergences par rapport aux trois autres ; en revanche, toutes indiquaient la même durée pour le test : une minute. *One minute. Un minuto.*

Elle effectua le test avec un sentiment d'étrangeté, laissa la petite fiole sur le rebord de la baignoire et retourna dans la chambre. Sa veste était toujours posée sur l'immense lit à deux places, le téléphone clignotait toujours. Elle appuya sur la touche d'écoute des messages et se versa un second verre de vodka. Encore trente secondes.

Une voix d'homme emplit la pièce et Isobel tressaillit. *Bonjour, c'est moi. Rappelle-moi si tu as un moment. Au revoir.*

Elle regarda sa montre. Encore quinze secondes.

Isobel, c'est Milly. Écoute, j'ai vraiment besoin de te parler. S'il te plaît, peux-tu me rappeler dès que tu auras entendu mon message ? Je t'en prie, c'est très très urgent.

N'est-ce pas toujours urgent ? dit Isobel tout haut.

Elle consulta sa montre, respira à fond et se dirigea d'un pas décidé vers la salle de bains. Avant même d'atteindre la porte, elle aperçut la petite bande bleue. Elle fut prise de panique.

« Non, murmura-t-elle, ce n'est pas possible. » Elle détourna les yeux du test de grossesse, recula comme devant un objet contaminé et referma la porte de la salle de bains. Le souffle coupé, elle tendit machinalement la main vers le verre de vodka, puis se ravisa. Un profond sentiment de désarroi et de solitude fondit sur elle.

Isobel, c'est encore Milly. Je serai chez Simon ce soir, peux-tu m'appeler là-bas ?

« Non, cria Isobel, sur le point de pleurer. Non, je ne peux pas, compris ? »

Elle saisit son verre, le vida d'un trait et, d'un air de défi, le brisa sur la table de chevet. Mais soudain les larmes la submergèrent, et son souffle se transforma en hoquet. Tel un animal blessé, elle se réfugia sous les couvertures, enfouit sa tête sous l'oreiller et, tandis que le téléphone recommençait à sonner, elle se mit à sangloter en silence.

3

Olivia et Milly arrivèrent à Pinnacle Hall à huit heures et demie. Simon les accueillit à la porte et les introduisit dans le grand salon.

« Comme c'est agréable ! s'exclama Olivia en s'approchant de la cheminée où flambait un feu de bois.

— Je vais chercher du champagne, dit Simon. Papa est encore au téléphone.

— En fait, murmura Milly, je crois que je vais essayer de rappeler Isobel. J'utiliserai le téléphone de la salle de jeux.

— Ça ne peut pas attendre ? s'étonna sa mère. Qu'est-ce que tu as à lui dire ?

— Rien de spécial. J'ai juste… besoin de lui parler. Je… je n'en ai pas pour longtemps. »

Restée seule, Olivia s'installa dans un fauteuil et admira le portrait au-dessus de la cheminée – un tableau à l'huile avec un cadre magnifique, qui semblait dater de l'époque de la maison ; en réalité, il s'agissait d'un portrait de la grand-mère de Harry, jeune fille. La légende d'un Harry Pinnacle *self made man* était si bien établie qu'on croyait généralement qu'il était parti de rien. Le fait qu'il ait fréquenté une prestigieuse école privée et que ses parents lui aient prêté de coquettes sommes d'argent pour démarrer gâchait un peu l'histoire, si bien que tout le monde, y compris Harry lui-même, laissait de côté ces détails.

La porte s'ouvrit ; une jolie jeune femme blonde vêtue d'un élégant tailleur-pantalon entra et apporta un plateau avec des coupes de champagne.

« Simon sera là dans quelques instants, annonça-t-elle. Il s'est souvenu qu'il avait un fax à envoyer.

— Je vous remercie », dit Olivia qui se servit et adressa à la jeune femme un sourire olympien.

La fille sortie, Olivia sirota son champagne. Un bon feu de bois, un siège confortable, de la musique classique diffusée par des haut-parleurs invisibles – voilà qui s'appelle vivre, songeait-elle, tandis qu'un sentiment de jubilation mêlée d'une pointe d'envie s'emparait d'elle à l'idée que bientôt sa fille connaîtrait ce genre d'existence. Milly était déjà chez elle à Pinnacle Hall autant qu'au 1, Bertram Street ; elle avait l'habitude de traiter avec le personnel de Harry et de se tenir au côté de Simon lors de grands dîners. Simon et elle avaient beau jeu d'affirmer qu'ils n'étaient pas différents de n'importe quel autre jeune couple et que l'argent ne leur appartenait pas – de qui se moquaient-ils ? Un jour, ils seraient riches, fabuleusement riches. Milly pourrait posséder absolument tout ce qu'elle voudrait.

À l'annonce des fiançailles, Olivia, surprise et ravie, avait éprouvé une sorte de vertige. Que Milly ait un lien quelconque avec le fils de Harry Pinnacle était déjà bien, mais qu'il soit question de mariage – et si vite –, cela dépassait toutes les espérances. Au fur et à mesure que les projets de mariage se précisaient et se concrétisaient, Olivia avait mis un point d'honneur à dissimuler son triomphe, à traiter Simon comme n'importe quel autre prétendant, à minimiser – à ses propres yeux autant qu'à ceux des autres – ce que représentait une telle alliance.

Mais maintenant, à l'approche de l'événement, Olivia exultait. Plus que quelques jours et le monde entier verrait sa fille épouser l'un des plus beaux partis d'Angleterre. Tous ses amis, toutes ses connaissances seraient béats d'admiration, car elle présiderait le mariage le plus somptueux, le plus extraordinaire, le plus romantique qu'ils aient jamais imaginé. Olivia avait l'impression d'avoir attendu toute sa vie pareille apothéose. Son propre mariage s'était déroulé sans faste aucun, dans l'intimité ; en revanche, pour cette occasion, il y aurait une foule de gens importants, riches, influents, obligés de se tenir à l'arrière-plan alors qu'elle – et Milly, bien sûr – occuperait le devant de la scène.

Dans quelques jours seulement, elle porterait son tailleur haute couture, sourirait à une armée de photographes, observerait ses amis, ses relations, les membres de sa famille verts de jalousie, ébahis devant le luxe et l'opulence déployés pour le mariage de sa fille. Ce serait une journée exceptionnelle, dont tout le monde se rappellerait longtemps. Un peu comme un film merveilleux, se disait Olivia, aux anges. Un film romantique, un film hollywoodien.

Parvenu à la porte d'entrée de Pinnacle Hall, James Havill actionna la sonnette ouvragée ; en attendant qu'on lui ouvre, il regarda autour de lui et se renfrogna. Cet endroit était trop beau, trop parfait, une caricature de la richesse ; on se serait cru dans un de ces stupides films hollywoodiens et non dans la vie réelle. *Si c'est à cela que sert l'argent*, pensait James avec une certaine mauvaise foi, *vous pouvez le garder, moi je préfère la vraie vie.*

Il s'aperçut que la porte était entrouverte, la poussa et entra. Un feu crépitait dans l'immense cheminée du hall et tous les lustres étaient allumés, mais il n'y avait personne. James examina avec attention, l'une après l'autre, les lourdes portes de chêne massif ; derrière l'une d'elles – il s'en souvenait pour être déjà venu plusieurs fois – se trouvait l'immense salon décoré de têtes de cerfs. Mais laquelle ? Il hésita quelques secondes puis, irrité contre lui-même, se dirigea vers la porte la plus proche et l'ouvrit.

Il s'était trompé. La première chose qu'il aperçut fut la chevelure argentée de Harry, penché au-dessus d'un énorme bureau en chêne, absorbé dans une conversation téléphonique. Harry leva la tête, fronça les sourcils et, d'un geste agacé, fit signe à James de sortir.

« Désolé, s'excusa ce dernier qui recula dans le couloir.

— Monsieur Havill ? fit une voix discrète derrière lui. Pardonnez-moi de ne pas vous avoir ouvert plus vite. »

James se retourna et reconnut la jeune fille blonde, une des assistantes de Harry.

« Si vous voulez bien me suivre…, ajouta celle-ci avec tact en refermant la porte du bureau.

— Merci, répondit James, légèrement humilié.

— Les autres sont au salon. Puis-je prendre votre manteau ?

— Merci, répéta James.

— Et si vous avez besoin de quelque chose, demandez-le-moi, d'accord ? »

En d'autres termes, pensa James vexé, ne vous baladez pas dans la maison. La fille lui adressa un sourire poli, ouvrit la porte du salon et s'effaça pour le laisser passer.

Tirée de sa douce rêverie par le bruit dans le couloir, Olivia arrangea rapidement sa jupe et afficha un sourire. Elle s'attendait à voir Harry mais aperçut la jolie jeune femme blonde de tout à l'heure.

« Votre mari est là, madame Havill. »

James entra dans la pièce. Il venait directement du bureau, son complet gris anthracite était froissé et il avait l'air las.

« Il y a longtemps que tu es arrivée ?

— Non, répondit Olivia avec une gaieté forcée. Pas très. »

Elle se leva et avança vers lui avec l'intention de l'embrasser. La jeune fille se retira discrètement et referma la porte derrière elle.

Olivia s'immobilisa, soudain gênée. Depuis quelques années, James et elle n'avaient plus guère de contacts physiques qu'en public. Maintenant elle était embarrassée de se trouver si près de lui en l'absence d'une tierce personne, sans raison aucune. Elle le regarda, dans l'espoir qu'il viendrait à son secours, mais il avait une expression impénétrable qu'elle ne put déchiffrer. Finalement, elle se pencha vers lui en rougissant légèrement, lui planta un petit baiser sur la joue, puis recula aussitôt et avala une gorgée de champagne.

« Où est Milly ? s'enquit James d'un ton neutre.

— Elle est allée téléphoner. »

Olivia observa James tandis qu'il prenait sur le plateau une coupe de champagne, buvait une large rasade et s'installait dans le canapé en allongeant confortablement les jambes devant lui. Elle nota qu'il avait la tête mouillée à cause de la neige mais qu'il était bien coiffé ; elle se surprit à contempler ses cheveux bruns soigneusement séparés par une raie sur le côté mais, dès qu'il tourna la tête, elle regarda ailleurs.

« Eh bien... », dit-elle, puis elle s'interrompit, s'approcha de la fenêtre, écarta le lourd rideau de brocart et scruta l'obscurité.

Elle avait du mal à se remémorer quand James et elle s'étaient retrouvés pour la dernière fois tous les deux seuls dans la même pièce, encore moins quand ils s'étaient parlé avec naturel. Tous les sujets de conversation qui lui venaient à l'esprit lui semblaient aussi peu appropriés les uns que les autres : si elle évoquait devant James les derniers potins de Bath, il faudrait d'abord qu'elle lui rappelle qui étaient les personnes concernées ; si elle lui racontait le fiasco des chaussures de mariée, il faudrait au préalable lui expliquer la différence entre le satin duchesse et la soie sauvage. Rien de ce dont elle pourrait parler ne valait la peine de faire l'effort de commencer.

Autrefois, longtemps auparavant, leur conversation se déroulait tel un ruban souple et chatoyant. James écoutait les histoires d'Olivia avec un réel plaisir, Olivia aimait l'esprit caustique de James ; tous deux s'amusaient ensemble, riaient ensemble. Mais à présent les plaisanteries de James étaient teintées d'une amertume qu'Olivia ne comprenait pas, et chaque fois qu'elle ouvrait la bouche le visage de son mari se crispait en une expression d'ennui.

Ils attendirent donc en silence jusqu'au moment où la porte s'ouvrit à nouveau. Milly entra et adressa à son père un sourire forcé.

« Bonsoir, papa. Tu n'as pas eu trop de problèmes de circulation ?

— As-tu réussi à joindre Isobel ? s'enquit Olivia.

— Non, répondit Milly d'un ton bref. Je me demande ce qu'elle peut bien faire, j'ai dû laisser encore un message. » Elle avisa le plateau avec les coupes de champagne. « Ah, parfait, je boirais volontiers un verre. Tchin-tchin ! dit-elle en levant sa coupe.

— Tchin-tchin ! répéta Olivia.

— À ta santé, ma chérie », fit James.

Ils trinquèrent et un silence s'installa.

« Je vous ai dérangés ? questionna Milly.

— Non, répliqua sa mère. Absolument pas.

— Tant mieux », marmonna Milly d'un air distrait, puis elle s'approcha de la cheminée en souhaitant que personne ne lui adresse la parole.

Pour la troisième fois, elle était tombée sur le répondeur d'Isobel et une bouffée de colère l'avait envahie – la conviction irrationnelle qu'Isobel était là mais ne voulait pas répondre. Après avoir déposé un bref message, elle était restée un moment devant le téléphone, avec le fol espoir qu'Isobel allait rappeler. Isobel était la seule personne à qui elle pouvait parler, la seule qui l'écouterait calmement et qui réfléchirait à une solution plutôt que de la sermonner.

Hélas, le téléphone était demeuré muet, Isobel n'avait pas rappelé. Milly serra sa coupe de champagne entre ses mains. Cette panique secrète, harcelante, était insupportable. Tout à l'heure, dans la voiture, en venant à Pinnacle Hall, elle s'était répété pendant tout le trajet, pour se rassurer, qu'Alexander ne se souviendrait jamais de leur rencontre : après tout, elle avait duré deux minutes et avait eu lieu dix ans plus tôt. Et même dans l'hypothèse où il s'en souviendrait, il ne dirait rien ; il garderait le silence et se contenterait de faire son travail. Les gens civilisés ne causent pas délibérément de problèmes aux autres.

« Milly ? »

La voix de Simon l'interrompit dans ses pensées et elle sursauta d'un air coupable.

« Ça y est, tu as envoyé ton fax ?

— Oui. » Il la dévisagea avec attention. « Tout va bien ? Tu as l'air tendue.

— Vraiment ? » Elle lui sourit. « Je ne me sens pas tendue.

— Tu es tendue, insista-t-il en lui massant doucement les épaules. Tu t'inquiètes pour samedi, c'est ça ?

— Oui.

— J'en étais sûr. »

Devant l'assurance de Simon, Milly se tut. Simon aimait à croire qu'il devinait les émotions de Milly, qu'il connaissait ses sympathies et ses antipathies, qu'il pouvait prédire ses humeurs. Et elle avait pris l'habitude d'acquiescer, même quand il tombait complètement à côté de la plaque. Après tout, c'était gentil à lui d'essayer, la plupart des hommes ne se seraient même pas donné cette peine.

De toute façon, cela aurait été déraisonnable de s'attendre qu'il y parvienne. La plupart du temps, elle ne savait pas elle-même avec certitude ce qu'elle ressentait réellement. Les émotions teintaient son âme telle une palette de couleurs ; certaines ne faisaient que passer, d'autres s'attardaient, mais elles se mélangeaient toutes dans une espèce de tourbillon multicolore. Au contraire, les émotions de Simon étaient nettes, tranchées : quand il était heureux, il souriait ; quand il était en colère, il se renfrognait.

« Laisse-moi deviner à quoi tu penses, murmura-t-il à son oreille. Tu as hâte qu'on se retrouve seuls ce soir tous les deux.

— Non », répondit Milly avec franchise. Elle se tourna vers lui, respira son parfum musqué et plongea ses yeux dans ceux de Simon. « Je pensais que je t'aime très fort. »

Il était neuf heures et demie lorsque Harry Pinnacle fit enfin son apparition.

« Toutes mes excuses. Je suis absolument impardonnable.

— Vous êtes tout à fait pardonnable, Harry ! s'exclama Olivia, qui en était à sa cinquième coupe de champagne. Nous savons bien ce que c'est.

— Pas moi, maugréa Simon.

— Je suis désolé pour tout à l'heure, James, j'avais un appel important.

— Ce n'est pas grave », répondit James avec froideur.

Un silence s'ensuivit.

« Bon, eh bien, ne perdons pas davantage de temps, dit Harry avant de se tourner poliment vers Olivia. Après vous. »

Ils sortirent du salon, traversèrent le hall et entrèrent dans la salle à manger.

« Tout va bien, mon chou ? dit James à Milly, quand ils s'installèrent autour de la magnifique table en acajou.

— Ça va », répliqua-t-elle avec un sourire crispé.

Non, ça ne va pas, pensait James qui avait observé sa fille boire coupe après coupe avec une espèce de désespoir, et sursauter chaque fois que le téléphone sonnait. Remettait-elle en cause sa décision ? Il se pencha vers elle.

« Tu sais, ma chérie, lui dit-il à voix basse, tu n'es pas obligée de te marier si tu n'en as pas envie.

— Quoi ? »

Milly leva brusquement la tête comme si on l'avait frappée. James lui fit un signe rassurant.

« Si tu changes d'avis à propos de Simon, maintenant ou même le jour du mariage, ne t'inquiète pas, on peut tout annuler, ça n'a aucune importance.

— Je n'ai pas l'intention d'annuler quoi que ce soit, chuchota Milly avec véhémence. Je veux me marier, ajouta-t-elle au bord des larmes. J'aime Simon.

— Bon. Eh bien, dans ce cas, tout est pour le mieux. »

James s'appuya contre le dossier de sa chaise, regarda Simon de l'autre côté de la table et se sentit irrité sans raison. Ce garçon avait tout pour lui : un beau physique, un père riche, un caractère équilibré, un calme agaçant. De toute évidence il adorait Milly, il se montrait courtois avec Olivia et attentionné envers les autres membres de la famille. Il n'y avait absolument rien à redire. Sauf que James était d'humeur à récriminer, ce soir-là, il devait bien se l'avouer.

Il avait eu une journée épouvantable au bureau. La société de construction mécanique dans laquelle il travaillait, au sein du département financier, était en pleine restructuration depuis quelques mois. D'innombrables rumeurs circulaient et avaient atteint leur paroxysme ce jour-là, avec l'annonce du licenciement de quatre jeunes cadres dans le service de James. Cette information apparemment confidentielle s'était manifestement déjà répandue : en quittant le bureau, il avait remarqué tous les membres les plus jeunes de l'équipe penchés sur leurs bureaux, absorbés dans leur travail ; certains avaient gardé la tête baissée à son passage mais d'autres avaient levé vers lui des yeux pleins d'inquiétude. Chacun d'eux avait une famille, des traites à payer, aucun ne pouvait se permettre de perdre son emploi, aucun ne le méritait.

En arrivant à Pinnacle Hall, James s'était senti affreusement déprimé par toute cette histoire. Au moment où il garait sa voiture, il avait décidé que, lorsque Olivia l'interrogerait sur sa journée, pour une fois il lui dirait la vérité. Peut-être pas tout dans l'immédiat, mais assez pour qu'elle se sente concernée et réalise à quelles difficultés il se trouvait confronté. Mais elle n'avait pas posé de questions, et un sentiment d'amour-propre avait empêché James de lui confier spontanément ses soucis et de reconnaître devant elle sa vulnérabilité. Il n'avait pas envie que sa femme le mette sur le même plan que les autres causes diverses dont elle s'occupait : les animaux abandonnés, les enfants handicapés, un mari en détresse.

Il aurait pourtant dû être habitué, depuis le temps, songeait-il – habitué au fait qu'Olivia ne s'intéressait pas beaucoup à lui, qu'elle avait des tas d'autres préoccupations dans la vie, qu'elle accordait plus d'attention aux problèmes de ses volubiles amies qu'elle ne lui en avait jamais accordé, à lui. Après tout, ils avaient réussi, tous deux, à s'aménager une vie commune fondée sur la stabilité et le pragmatisme et, même si ce n'était pas l'amour fou entre eux, ils vivaient malgré tout dans une espèce d'harmonie. Elle avait sa vie, lui la sienne et, dans tous les domaines où leurs existences se croisaient, une parfaite entente régnait entre eux. James s'était résigné depuis longtemps à cet arrangement, pensant que cela lui conviendrait et lui suffirait. Mais ce n'était pas le cas : il avait besoin d'autre chose, il désirait davantage. Il voulait une autre vie, avant qu'il soit trop tard.

« Je propose de porter un toast. »

La voix de Harry interrompit ses pensées ; il leva les yeux, légèrement agacé. Il était là, présidant le dîner, le fameux Harry Pinnacle, l'un des hommes les plus en vue du pays en raison de sa réussite éclatante, et le futur beau-père de sa fille. James était conscient que cette alliance lui valait l'envie de ses pairs et qu'il aurait dû être heureux de savoir Milly à l'abri du besoin. Mais il refusait de se réjouir à l'idée que sa fille allait devenir une Pinnacle, il refusait de se délecter, comme le faisait Olivia, de la curiosité de leurs amis fascinés. Il avait surpris Olivia, au téléphone, glissant le nom de Harry d'une manière qui laissait supposer avec le grand homme une intimité que bien sûr elle n'avait pas ; elle exploitait à fond la situation, ce qui donnait à James l'envie de rentrer sous terre. Certains jours, il en venait à souhaiter que Milly n'ait jamais rencontré le fils de Harry Pinnacle.

« À Milly et Simon, déclara Harry de cette voix rauque qui donnait toujours un relief particulier aux moindres de ses propos.

— À Milly et Simon, répéta James en levant son verre en cristal de Venise.

— Ce vin est absolument délicieux, commenta Olivia. Vous y connaissez-vous en vin comme dans tous les autres domaines, Harry ?

— Seigneur, non. Je me fie à des spécialistes qui me conseillent quoi acheter. Cela me convient parfaitement ainsi.

— Je ne vous crois pas ! Vous êtes trop modeste ! »

Olivia tapota familièrement la main de Harry, sous l'œil effaré de son mari. Pour qui se prenait-elle ? James se détourna, un peu écœuré, et croisa le regard de Simon.

« À votre santé, James, dit le jeune homme en levant son verre. Et au mariage.

— Au mariage », répondit James avant d'avaler une grande lampée de vin.

Simon observait les invités qui dégustaient le vin de son père ; tout à coup sa gorge se serra. Il toussa et redressa la tête.

« Il manque quelqu'un parmi nous ce soir. Quelqu'un à qui j'aimerais porter un toast. À ma mère », énonça-t-il d'une voix émue.

Il y eut un silence et Simon vit les regards se diriger vers l'extrémité de la table. Puis Harry leva son verre.

« À Anne, dit-il d'un ton grave.

— À Anne, répétèrent James et Milly.

— Elle s'appelait Anne ? s'étonna Olivia, les joues en feu. J'ai toujours cru que c'était Louise.

— Non, répliqua Simon. Anne.

— Ah bon, si vous le dites. À Anne. Anne Pinnacle. » Elle vida son verre et regarda Milly, comme frappée par une pensée soudaine. « Tu n'as pas l'intention de garder ton nom de jeune fille, n'est-ce pas, ma chérie ?

— Je ne pense pas. Mais je continuerai peut-être à m'appeler Havill pour le travail.

— Oh non ! se récria Olivia. Cela risque de créer la confusion. Prends le nom de Pinnacle une bonne fois pour toutes.

— Moi, je trouve que tu as raison, Milly, dit James. Garde ton indépendance. Qu'en pensez-vous, Simon ? Cela vous ennuierait si Milly gardait son nom de jeune fille ?

— Pour être franc, je préférerais que nous partagions le même nom. Nous partagerons tout le reste. » Simon se tourna vers Milly et lui sourit. « Mais d'un autre côté je serai triste de perdre Milly Havill. Après tout, c'est de Milly Havill que je suis tombé amoureux.

— Comme c'est touchant, murmura James.

— Pourrais-tu envisager de changer ton nom pour celui de Havill ? interrogea Harry.

— Oui, répondit Simon en regardant son père droit dans les yeux. Oui, si Milly le désirait vraiment.

— Oh non ! s'exclama Olivia. Tu n'en as pas envie, n'est-ce pas, ma chérie ?

— Je suppose que tu n'aurais pas changé ton nom pour celui de maman, hein ? lança Simon à son père.

« — Non, en effet, répliqua Harry.

— Eh bien, la différence, c'est que moi, je suis prêt à faire passer mon couple avant toute chose.

— La différence, c'est que le nom de jeune fille de ta mère était Parry. »

Olivia pouffa de rire et Simon la fusilla du regard.

« En vérité, affirma le jeune homme avec véhémence, le nom n'a aucune importance. Ce sont les personnes qui font la réussite d'un mariage, pas les noms.

— Parce que toi, bien entendu, tu es un expert en mariage, ironisa son père.

— Certainement plus que toi ! Moi, au moins, je n'ai pas encore foutu mon couple en l'air ! »

Un silence s'installa. Les Havill baissèrent les yeux sur leurs assiettes, tandis que Simon regardait son père d'un air tendu.

« Je suis certain que Milly et toi, vous serez très heureux, dit enfin Harry. Tout le monde ne peut pas avoir cette chance.

— Ce n'est pas une question de chance ! riposta Simon, furieux. La chance n'y est pour rien ! » Il se tourna vers James et Olivia. « À votre avis, qu'est-ce qui fait la réussite d'un couple ?

— L'argent, déclara Olivia en éclatant de rire. Je plaisante, bien sûr !

— C'est la communication, non ? poursuivit Simon avec conviction. Partager, communiquer, parler, se connaître à fond l'un l'autre. Vous n'êtes pas d'accord, James ?

— Je suppose que vous avez raison, répondit James avant d'avaler une gorgée de vin.

— Tout à fait d'accord avec vous, Simon, j'allais le dire : la communication, renchérit Olivia.

— Moi, je mettrais les relations sexuelles avant la communication, objecta Harry. Bien faire l'amour, et souvent.

— Hum, là aussi je suis bien obligé de vous croire, commenta James d'un ton ironique.

— James ! » s'exclama Olivia avec un petit rire gêné.

Simon lança à James un regard intrigué, puis se tourna vers Milly, qui paraissait à mille lieues de la conversation.

« Et vous, Harry ? s'enquit Olivia en observant le père de Simon du coin de l'œil.

— Quoi, moi ?

— N'êtes-vous pas tenté de vous remarier ?

— Je suis trop vieux, répliqua Harry d'un ton bref.

— Allons, allons, ne dites pas de sottises ! Vous n'auriez aucun mal à vous trouver une charmante épouse.

— Si vous le dites.

— Je vous assure. Moi, je vous épouserais volontiers ! déclara Olivia en vidant son verre de vin.

— Vous êtes trop aimable.

— Je vous en prie, ce serait avec plaisir, réellement. »

Il y avait tout un assortiment de gâteaux pour le dessert.

« Oh ! s'écria Olivia, qui hésitait entre une tarte au citron et une charlotte au chocolat. Je ne sais lequel choisir.

— Prenez les deux, lui dit Harry.

— Vraiment ? Je peux ? Quelqu'un d'autre mangera des deux ?

— Moi, ni l'un ni l'autre, dit Milly en froissant sa serviette d'un geste nerveux.

— Vous ne faites pas un régime, au moins ? questionna Harry.

— Non, mais je n'ai pas très faim. »

Elle s'efforça de sourire à son futur beau-père, qui lui adressa un petit signe de tête amical. Harry était foncièrement gentil, Milly le savait, même si son fils ne pouvait le reconnaître.

« Tu es bien comme Isobel, fit remarquer Olivia. Isobel mange comme un oiseau.

— Elle est trop occupée pour penser à manger, commenta James.

— Ah oui, vraiment ? dit Harry d'un ton poli.

— Isobel est une tête, affirma James en s'animant soudain. Elle réussit très bien dans sa profession, voyage dans le monde entier...

— A-t-elle un petit ami ?

— Oh non, elle est trop absorbée par sa carrière. Isobel a toujours été très indépendante, elle n'est pas prête à sacrifier de sitôt sa liberté.

— Pourquoi pas ? objecta Olivia. Elle pourrait très bien, un jour prochain, rencontrer un homme d'affaires. Un homme d'affaires gentil.

— Dieu nous en préserve ! s'exclama James. Tu imagines Isobel casée avec un ennuyeux businessman ? De toute façon, elle est encore bien trop jeune.

— Elle est plus âgée que moi, souligna Milly.

— Exact, mais vous êtes très différentes, toutes les deux.

— En quoi ? » s'enquit Milly en regardant son père. Elle ressentait douloureusement la tension de la journée. « En quoi sommes-nous différentes ? répéta-t-elle, agacée. Insinuerais-tu que je suis trop stupide pour faire autre chose que me marier ?

— Mais non ! protesta James, surpris. Bien sûr que non ! Je voulais juste dire qu'Isobel est un peu plus audacieuse que toi. Elle aime prendre des risques.

— Moi aussi, j'ai pris des risques, à une époque ! J'ai pris des risques que tu ignores !

— Ne te fâche pas, Milly. Je dis seulement qu'Isobel et toi êtes différentes.

— Et c'est toi que je préfère », murmura Simon à l'oreille de Milly.

La jeune femme lui sourit avec gratitude.

« De toute manière, James, qu'est-ce que tu as contre les hommes d'affaires ? s'écria Olivia. Tu en es un, non, et je t'ai épousé.

— Je sais, ma chérie, répondit James d'une voix éteinte. J'espère simplement qu'elle se débrouillera mieux que moi. »

Une fois la table débarrassée, Harry se racla la gorge pour réclamer l'attention de ses invités.

« Je ne voudrais pas m'appesantir là-dessus, mais j'ai un cadeau pour les futurs mariés. »

Simon se raidit, sur la défensive. Lui-même avait un cadeau pour Milly qu'il avait prévu de lui offrir au moment du café. Le présent de Harry serait de toute façon beaucoup plus onéreux que les boucles d'oreilles choisies par Simon. Le jeune homme tâta le petit écrin de cuir dans sa poche et s'interrogea : ne valait-il pas mieux le garder pour un autre jour – un jour où il ne se retrouverait pas en concurrence avec son père ? Mais un sentiment de révolte l'envahit. Pourquoi avoir honte ? Harry avait peut-être les moyens de dépenser davantage que lui, et alors ? Personne ne l'ignorait.

« Moi aussi, j'ai un cadeau, annonça-t-il en s'efforçant d'adopter un ton détaché. Pour Milly.

— Pour moi ? s'étonna Milly, confuse. Mais je n'ai rien pour toi. Du moins, rien que je puisse t'offrir ce soir.

— Il s'agit d'un petit extra. »

Simon se pencha vers Milly, lui souleva doucement les cheveux et, d'un geste qui parut soudain très érotique, découvrit les oreilles délicates de la jeune femme ; à cette vue, et à l'odeur du parfum subtil de sa peau, il fut submergé par un violent désir. *Qu'ils aillent tous se faire foutre*, songea-t-il : *Olivia et son snobisme, Harry et son fric*. Lui, Simon, il avait le corps divin de Milly pour lui tout seul, et le reste, il s'en fichait éperdument.

« Qu'est-ce que c'est ? demanda Milly.

— Papa d'abord, dit Simon, magnanime. Que nous offres-tu, papa ? »

Harry fouilla dans sa poche et, une fraction de seconde, Simon crut que son père allait brandir une paire de boucles d'oreilles identique à la sienne. Au lieu de cela, Harry laissa tomber un trousseau de clés sur la table.

« Des clés ? fit Milly. Pour ouvrir quoi ?

— Une voiture ? suggéra Olivia, incrédule.

— Pas une voiture, non. Un appartement. »

Tout le monde demeura bouche bée. Olivia fut sur le point de dire quelque chose, mais aucun son ne franchit ses lèvres.

« Tu plaisantes, se récria Simon. Tu nous as acheté un appartement ?

— Un appartement à vous », affirma Harry en poussant le trousseau de clés devant lui.

Simon dévisagea son père. Il tenta de réprimer toutes les émotions négatives qui surgissaient en lui, il s'efforça de dénicher au fond de son cœur un sentiment de gratitude, mais il n'éprouvait rien d'autre qu'une colère irrépressible. Il regarda Milly du coin de l'œil ; elle contemplait Harry avec des yeux brillants. Simon fut pris de désespoir.

« Comment... comment sais-tu s'il va nous plaire ? maugréa-t-il, impuissant à trouver des mots de remerciement.

— C'est celui que vous auriez aimé louer.

— Celui de Marlborough Mansions ?

— Non. Celui que vous vouliez louer mais qui était trop cher.

— L'appartement de Parham Place ? fit Milly dans un souffle. Vous nous l'avez *acheté* ? »

Simon regarda son père avec l'envie de le tuer. En plus, ce salaud se montrait attentionné !

« C'est très généreux de votre part, Harry, dit James. Vraiment très généreux.

— Bah ! Un souci de moins pour eux, observa Harry en haussant les épaules.

— Oh, ma chérie ! s'exclama Olivia en pressant la main de sa fille. C'est merveilleux ! Et, en plus, tu habiteras tout près de chez nous.

— En voilà, un avantage ! » ironisa Simon, incapable de se retenir.

James lui jeta un coup d'œil et toussota.

« Eh bien, si nous découvrions le cadeau de Simon, maintenant ?

— Oui. » Milly se tourna vers son fiancé et lui caressa tendrement la main. « Qu'est-ce que c'est ? »

Simon sortit l'écrin de sa poche et le tendit sans rien dire à Milly. Tout le monde garda le silence, tandis que la jeune femme ouvrait l'écrin où brillaient de tous leurs feux deux minuscules boucles d'oreilles en diamant.

« Oh, Simon, murmura Milly, les larmes aux yeux. Qu'elles sont belles !

— Très jolies, commenta Olivia avec dédain. Tu te rends compte, Milly, Parham Place !

— Je vais les mettre tout de suite.

— Tu n'es pas obligée », répliqua Simon en essayant de maîtriser la colère et l'humiliation qui le submergeaient. Il avait l'impression que tout le monde se moquait de lui, y compris Milly. « Elles n'ont rien de particulier.

— Bien sûr que si, déclara Harry avec gravité.

— Non ! hurla tout à coup Simon. Pas comparées à un appartement de luxe !

— Simon, dit Harry d'une voix calme. Personne ne songe à faire ce genre de comparaison.

— Elles sont absolument ravissantes, Simon, affirma Milly. Regarde. »

Elle ramena ses cheveux en arrière et les diamants étincelèrent à la lumière des chandelles.

« Super », fit Simon sans même lever les yeux.

Il savait qu'il ne faisait qu'aggraver les choses, mais il ne pouvait s'en empêcher : il se sentait pareil à un petit garçon blessé, humilié.

Harry lança un clin d'œil à James et se leva.

« Allons prendre le café. Nicki a dû le servir au salon. »

James comprit le signal.

« Très volontiers, acquiesça-t-il. Viens, Olivia. »

Tous les trois sortirent de la salle à manger, laissant Simon et Milly seuls. Au bout d'un moment, Simon releva la tête. Milly le regardait et ses yeux n'exprimaient ni moquerie ni pitié. Il se sentit honteux.

« Je suis désolé, marmonna-t-il. Je me suis conduit comme un parfait con.

— Je ne t'ai pas encore remercié pour ton cadeau. »

Elle se pencha et l'embrassa sur la bouche. Au contact de ces lèvres douces et chaudes, Simon ferma les yeux et prit le visage de Milly entre ses mains. Il oublia peu à peu son père, et sa souffrance commença à s'apaiser. Milly était toute à lui, et rien d'autre n'avait d'importance.

« Enfuyons-nous, dit-il tout à coup. Merde pour la cérémonie ! Partons tous les deux et marions-nous à la
mairie ! »

Milly s'écarta de lui.

« Est-ce vraiment ce que tu désires ? » Simon la dévisagea. Il était à moitié sérieux en proposant cela, mais
Milly le fixait intensément.

« On le fait, Simon ? insista-t-elle. Demain ?

— Eh bien, on pourrait, répondit-il, un peu décontenancé. Mais cela risque d'embêter tout le monde, non ? Ta
mère ne me le pardonnerait jamais. »

Milly considéra Simon en silence et se mordit la lèvre.

« Tu as raison, dit-elle enfin. C'est une idée stupide. »
Elle repoussa sa chaise et se leva. « Allons rejoindre les
autres. Te sens-tu prêt maintenant à remercier ton père ?
Il est réellement gentil, tu sais.

— Attends. » Simon saisit la main de Milly et la serra
très fort dans la sienne. « Sérieusement, tu accepterais de
t'enfuir avec moi ?

— Oui, répondit simplement Milly. Je le ferais.

— Je croyais que tu accordais beaucoup d'importance à
la cérémonie, à la robe, à la réception, à la présence de
tous tes amis…

— En effet, mais… »

Milly détourna la tête et haussa les épaules.

« Mais tu serais capable de tout abandonner et de
t'enfuir avec moi ? » dit Simon d'une voix tremblante
d'émotion. Il contempla Milly avec le sentiment de n'avoir
jamais rencontré autant d'amour, autant de générosité
d'esprit. « Aucune autre femme ne ferait cela, murmura-t-il
dans un souffle. Seigneur, que je t'aime ! Je ne sais pas
comment j'ai pu mériter quelqu'un comme toi. »

Simon prit Milly sur ses genoux et se mit à l'embrasser dans le cou, puis il lui dégrafa son soutien-gorge et tira fébrilement sur la fermeture Éclair de sa jupe.

« Simon...

— On va fermer la porte. Cale une chaise sous la poignée.

— Mais ton père...

— Il nous a laissés poireauter assez longtemps. À son tour d'attendre, ce coup-ci. »

4

Le lendemain matin, Milly se réveilla fraîche et dispose. Oubliés le dîner trop copieux, les vins et les propos de la veille. Elle se sentait légère et pleine d'énergie.

Quand elle entra dans la cuisine pour prendre son petit déjeuner, un couple du Yorkshire, M. et Mme Able, leva la tête et la salua avec amabilité.

« Bonjour, Milly, lui dit sa mère, occupée au téléphone. Un autre paquet urgent est arrivé pour toi. » Elle désigna un grand carton posé au sol. « Et quelqu'un t'a envoyé une bouteille de champagne que j'ai mise dans le réfrigérateur.

— Du champagne ! Et que peut-il bien y avoir dans ce colis ? »

Milly se servit une tasse de café, s'assit par terre et commença à déchirer l'emballage.

« Sûrement un beau cadeau, affirma Mme Able.

— À propos, ma chérie, dit Olivia, toujours au bout du fil, Alexander t'attend à dix heures et demie pour prendre quelques photos et discuter avec toi.

— Oh, fit Milly, soudain pâle. Parfait.

— Tu auras intérêt à te maquiller. Quelque chose ne va pas, mon chou ?

— Si, si, tout va bien. »

Olivia reprit sa conversation téléphonique. « Ah, Andrea, oui, j'ai eu ton message et, franchement, cela m'a contrariée. »

Milly retira le plastique qui entourait le colis. Ses mains tremblaient, la panique la gagnait. Elle ne voulait pas voir le photographe, elle avait une envie puérile de se sauver et de chasser Alexander de son esprit.

« Eh bien, il faudra peut-être en effet que Derek achète un habit, répondit Olivia d'un ton brusque à son interlocutrice. Il s'agit d'un mariage mondain, Andrea, pas d'une minable petite cérémonie dans une salle paroissiale. Non, un costume de ville, même de bonne coupe, ne conviendra pas. » Elle leva les yeux au ciel et chuchota : « Qu'est-ce que c'est ? » en montrant le paquet que défaisait Milly.

Sans un mot, Milly sortit du carton deux sacs de voyage Louis Vuitton. Encore un cadeau somptueux ! Elle s'efforça de sourire, d'avoir l'air contente, mais elle ne pouvait penser à rien d'autre qu'à la peur qui lui nouait l'estomac. Elle ne voulait plus revoir les yeux inquisiteurs d'Alexander, elle n'avait qu'une envie : se cacher jusqu'au moment où elle serait bel et bien mariée avec Simon.

« Je n'ai jamais vu ça ! s'extasia Mme Able. Tu te rends compte, Geoffrey, un cadeau de mariage pareil ! Qui donc vous l'a offert ?

— Quelqu'un que je ne connais pas, répondit Milly, après avoir lu la carte.

— Des amis de Harry, sûrement, dit Olivia qui venait de raccrocher.

— C'est la première fois que j'ai l'occasion de voir de près un grand mariage comme celui-ci, murmura Mme Able. Je vais en avoir, des choses à raconter, quand je rentrerai ! »

Olivia sortit les œufs du réfrigérateur et entreprit de préparer le petit déjeuner.

« Je vous ai parlé du cortège ? Un organiste va venir spécialement de Genève, c'est le meilleur du monde, paraît-il. Et trois trompettes joueront une fanfare quand Milly entrera dans l'église.

— Une fanfare ! » Mme Able regarda Milly en écarquillant les yeux. « Vous aurez l'impression d'être une princesse.

— Mange donc un œuf, ma chérie, dit Olivia à sa fille.

— Non, merci, je n'ai pas faim.

— Tu ne serais pas un peu barbouillée après le dîner d'hier ? Nous avons passé une soirée merveilleuse, n'est-ce pas, Milly ? Je dois dire que Harry est un hôte exceptionnel. »

Olivia se tourna vers Mme Able et lui sourit.

« J'ai entendu dire, en effet, que ses dîners d'affaires sont sensationnels.

— Sans aucun doute. Mais, évidemment, c'est autre chose quand nous sommes juste entre nous. » Olivia prit un air rêveur. « Nous ne participons pas à ces dîners un peu guindés. Quand nous nous retrouvons, c'est pour manger, boire, bavarder, nous amuser... Il faut dire que Harry est un ami intime, qui fera bientôt partie de notre famille.

— Penser que vous serez alliés à Harry Pinnacle, commenta M. Able, alors que vous tenez seulement un *bed and breakfast* !

— Un *bed and breakfast* haut de gamme, rétorqua Olivia d'un ton cinglant.

— Geoff ! chuchota Mme Able d'un ton réprobateur. Vous devez dîner souvent avec lui, puisque vous êtes si intimes, dit-elle à Olivia.

— Eh bien, en fait... », répondit celle-ci, soudain moins assurée.

Tu as dîné deux fois avec lui, songeait Milly. *Deux fois en tout et pour tout.*

« Cela dépend…, reprit Olivia. Il n'y a pas de règle absolue, voyez-vous. Parfois, il part pour l'étranger pendant plusieurs semaines puis, à son retour, il a envie de se détendre avec ses amis.

— Êtes-vous déjà allée dans sa maison de Londres ? s'enquit Mme Able.

— Hélas, non. Mais Milly, oui. Et aussi dans sa villa en France. N'est-ce pas, ma chérie ?

— Oui, répondit Milly d'une voix tendue.

— Quelle ascension sociale pour vous, mon petit, dit M. Able. Vous retrouver du jour au lendemain membre de la jet-set.

— Ce n'est pas comme si Milly venait d'un milieu défavorisé, se rebiffa Olivia. Tu es habituée à fréquenter toutes sortes de gens, n'est-ce pas, ma chérie ? Dans son lycée, ajouta-t-elle avec un regard hautain à M. Able, il y avait une princesse arabe. Comment s'appelait-elle, déjà ?

— Il faut que j'y aille, dit Milly, incapable d'en supporter davantage.

— Très bien. N'oublie pas de te maquiller, il faut que tu apparaisses sous ton meilleur jour à Alexander.

— Oui, fit Milly d'une voix éteinte. À propos, il n'y a pas eu d'appel d'Isobel pour moi ce matin ?

— Non. J'espère qu'elle te téléphonera plus tard. »

Alexander apparut à la porte du salon à onze heures moins vingt.

« Bonjour, Milly. Excusez-moi, je suis un peu en retard. »

Milly éprouvait une vive appréhension, comme avant un examen ou une séance chez le dentiste.

« Ce n'est pas grave, dit-elle en posant le numéro de *Country Life* qu'elle faisait semblant de lire.

— Pas de problème, renchérit Olivia, sur les talons du photographe. Où doit-elle se placer, à votre avis, Alexander, près de la fenêtre ou à côté du piano ?

— Là où elle est, ça me paraît bien, répondit le jeune homme qui observa avec attention la position de Milly, sur le canapé. J'aurai besoin d'installer deux ou trois lampes…

— Quelqu'un veut une tasse de café ? s'enquit Olivia.

— J'y vais », dit aussitôt Milly, avant de sortir précipitamment de la pièce.

Sur le chemin de la cuisine, elle jeta un coup d'œil dans le miroir ; avec ses traits tirés et son regard apeuré, elle ne ressemblait guère à une heureuse future mariée. Elle prit sur elle et se força à afficher un sourire éclatant devant la glace. *Tout ira bien*, se dit-elle. *Il suffit que je m'oblige à adopter une attitude confiante, et tout ira pour le mieux.*

Quand elle revint au salon, la pièce s'était transformée en studio de photographe : un tissu blanc recouvrait le sol, des parapluies blancs et des supports de lampes étaient disposés autour du canapé où trônait Olivia souriant timidement devant l'objectif.

« Je suis ta doublure, ma chérie ! lança-t-elle gaiement à sa fille.

— Nerveuse ? fit Alexander à Milly.

— Pas du tout. »

Olivia se leva. « Montre-moi tes ongles. Si on doit voir ta bague de fiançailles…

— Mes ongles sont parfaits. »

Milly traversa la pièce, s'assit sur le divan et regarda Alexander avec le plus grand calme possible.

« Parfait, jugea le photographe. Détendez-vous. Calez-vous un peu plus dans le canapé. Relâchez vos mains. Pourriez-vous ramener vos cheveux en arrière, dégager votre visage ?

— Au fait, j'y pense ! s'écria Olivia. Les photos dont je vous ai parlé… je vais les chercher.

— D'accord, fit Alexander, l'air absent. Maintenant, Milly, voulez-vous incliner le buste un peu en arrière et sourire. »

Malgré elle, Milly obéit et, le sourire aux lèvres, le corps détendu, elle s'enfonça confortablement dans les coussins. Alexander avait l'air complètement absorbé par son travail et semblait avoir oublié toute allusion à une précédente rencontre. *Je me suis inquiétée pour rien*, pensa Milly, rassurée. *Tout se passera bien.* Elle jeta un coup d'œil à la bague qui étincelait à son doigt et bougea un peu ses jambes pour prendre une position plus flatteuse.

Olivia réapparut et fonça sur Alexander, un album de photos à la main.

« Les voici ! Là, c'est Isobel juste à la fin de ses études. À l'époque, ces photos nous paraissaient fantastiques, mais bien sûr nous n'avons pas l'œil d'un professionnel. Qu'en pensez-vous ?

— Très réussies, répondit Alexander avec un bref regard sur les photos.

— Vraiment, vous trouvez ? Tenez, en voilà une de Milly à peu près à la même époque. Cela doit bien faire dix ans. Regardez donc ses cheveux !

— Joli », dit machinalement Alexander, puis il tourna la tête, aperçut la photo de Milly et se figea. « Attendez, faites voir. »

Il prit l'album des mains d'Olivia, examina un instant la photo, puis fixa Milly d'un air incrédule.

« Elle s'était fait couper et décolorer les cheveux sans rien nous dire, expliqua Olivia en riant. C'était une rebelle,

« Il va falloir trouver autre chose ! dit-il tout en déplaçant un des parapluies. Vous savez parfaitement de quoi je parle. Et, de toute évidence, personne d'autre que moi n'est au courant. Voilà qui m'intrigue. » Il l'observait à travers l'objectif. « Croisez les jambes. La main gauche sur le genou pour qu'on voie votre bague. L'autre main sous le menton. »

Le flash entra en action, une fois de plus. Milly regardait désespérément devant elle et cherchait une réponse, une réplique cinglante, une phrase qui remettrait ce type à sa place, mais la panique lui ôtait toute faculté de réflexion. Elle se sentait clouée sur place par la peur, incapable de faire autre chose que d'obéir aux indications du photographe.

« Il n'y a rien d'illégal à avoir été mariée une première fois, poursuivit Alexander. Alors, où est le problème ? Votre futur mari désapprouverait cela ? Ou son père ? » Il prit plusieurs clichés et rechargea son appareil. « C'est pour ça que vous gardez ce premier mariage secret ? » Il la considéra d'un air songeur. « Ou peut-être est-ce plus compliqué que cela ? » Il fixa l'objectif. « Pouvez-vous avancer légèrement ? »

Milly se pencha en avant, l'angoisse aux tripes.

« J'ai toujours une vieille photo de vous, à propos. En robe de mariée, sur les marches de la mairie. Très réussie : j'ai failli l'encadrer. »

Tandis que le flash éclairait la pièce, Milly se revit tout à coup à Oxford, ce fameux jour, se pavanant au bras d'Allan et souriant au groupe de touristes qui la mitraillaient. Comment avait-elle pu être aussi stupide ? Comment avait-elle pu...

« Bien sûr, vous êtes très différente aujourd'hui. Je vous ai à peine reconnue. »

Milly s'obligea à regarder Alexander dans les yeux.

« Vous ne m'avez pas reconnue, articula-t-elle, d'un ton légèrement implorant. Vous ne m'avez pas reconnue.

— Bien. Je ne suis au courant de rien. » Alexander hocha la tête. « Avoir des secrets pour votre futur mari, Milly, voilà qui ne présage rien de bon. » Il retira son pull et le lança dans un coin de la pièce. « Ce pauvre homme n'a-t-il pas le droit de savoir ? Ne mérite-t-il pas que quelqu'un l'informe ? »

Milly esquissa un mouvement des lèvres mais aucun son ne sortit de sa bouche. Jamais de sa vie elle n'avait éprouvé pareille terreur.

« Superbe ! s'exclama Alexander, l'œil sur son appareil. Mais tâchez de ne pas plisser le front. » Il releva la tête et sourit à Milly. « Pensez à des choses agréables. »

Au bout d'un temps qui parut interminable à Milly, la séance de photos prit fin.

« OK, dit Alexander, vous êtes libre. »

Milly se leva et le regarda en silence. Peut-être que si elle lui parlait, si elle lui racontait tout, il se laisserait attendrir. Ou peut-être pas. Un frisson lui parcourut l'échine. Elle ne pouvait prendre un tel risque.

« Vous vouliez quelque chose ? interrogea Alexander en levant les yeux de la mallette où il rangeait son matériel.

— Non. » Elle croisa son regard, et la peur lui noua l'estomac. « Je vous remercie. »

Elle traversa le salon aussi vite que possible sans pour autant avoir l'air de se précipiter, s'obligea à tourner lentement la poignée de la porte et sortit de la pièce. Une fois dans l'entrée, la porte refermée, elle faillit pleurer de soulagement. Mais que faire, maintenant ? Elle ferma les yeux un instant, les rouvrit, tendit la main vers le téléphone. Elle connaissait désormais le numéro par cœur.

« Bonjour. Si vous désirez laisser un message pour Isobel Havill, merci de parler après le signal sonore. »

Milly raccrocha avec rage et contempla le combiné. Elle n'en pouvait plus, il fallait absolument qu'elle parle à quelqu'un. Frappée d'une inspiration subite, elle décrocha de nouveau.

« Allô ? Esme ? C'est Milly. Je peux passer te voir ? »

La marraine de Milly habitait une grande et élégante demeure située au nord de la ville, en retrait de la route, avec un jardin entouré de murs. Au moment où Milly remontait l'allée, Esme ouvrit la porte, et ses deux lévriers bondirent aussitôt dans la neige, sautèrent sur Milly et posèrent leurs pattes sur sa poitrine.

« Couchés, les monstres ! cria Esme. Laissez la pauvre Milly tranquille, elle a les nerfs à fleur de peau. »

Milly releva la tête.

« Ça se voit tant que ça ?

— Non, bien sûr. » Esme tira sur sa cigarette et s'appuya contre le chambranle de la porte. Ses yeux sombres, observateurs, croisèrent ceux de Milly. « Mais, en principe, tu ne m'appelles pas en plein milieu de la journée pour demander à me voir d'urgence. J'imagine que tu dois avoir un problème. »

Sous le regard scrutateur de sa marraine, Milly se sentit tout à coup gênée.

« Pas exactement, répliqua-t-elle en caressant les chiens d'un air distrait. J'avais juste besoin de parler avec quelqu'un, et comme Isobel est à l'étranger…

— Parler de quoi ?

— À vrai dire, je ne sais pas. De toutes sortes de choses. »

Esme aspira une bouffée.

« De toutes sortes de choses. Je suis intriguée. Mais entre donc. »

Un feu flambait dans la cheminée du salon et un pichet de vin chaud distillait son arôme dans toute la pièce. Milly tendit son manteau à Esme et s'enfonça avec délice dans le canapé. Une fois de plus, elle s'étonna qu'une femme d'une telle distinction et d'un tel raffinement puisse avoir un lien de parenté quelconque avec un homme aussi terne que son père.

Esme Ormerod était une cousine éloignée de James Havill, issue d'une autre branche, plus fortunée, de la famille ; elle avait grandi à Londres et James ne l'avait guère connue. Puis, à l'époque de la naissance de Milly, elle était venue s'installer à Bath et avait, par courtoisie, pris contact avec James. Olivia, impressionnée par cette parente de son mari, inconnue et assez originale, lui avait très vite demandé d'être la marraine de Milly, avec l'espoir de devenir intime avec elle. Cela n'avait pas été le cas. Esme n'était jamais devenue intime avec Olivia. Autant que Milly pouvait en juger, Esme n'était intime avec personne en particulier. Tout le monde à Bath connaissait la belle Esme Ormerod ; beaucoup avaient participé aux fêtes qu'elle donnait dans sa maison, avaient admiré ses tenues excentriques, ses collections d'objets d'art, mais peu pouvaient se vanter de bien la connaître. Même Milly, de tous les Havill la plus proche d'Esme, avait souvent du mal à deviner ce que sa marraine pensait ou s'apprêtait à dire.

Milly ignorait aussi d'où provenait l'argent de sa marraine. Sa famille était riche, d'accord, mais pas au point de lui procurer l'existence aisée qu'elle menait depuis bon nombre d'années. Les quelques tableaux que vendait Esme de temps à autre ne lui rapportaient même pas, aux dires de James, de quoi acheter ses écharpes en soie ; en dehors de cela, elle n'avait pas de revenus connus. La source de la richesse d'Esme était un prétexte à bien des suppositions. Selon une des dernières rumeurs qui circulaient dans Bath, Esme Ormerod se rendait une fois par mois à Londres, où elle se livrait à d'indicibles pratiques sexuelles avec un millionnaire vieillissant, qui lui allouait en échange une rente confortable. « Quelles bêtises, franchement ! » avait dit Olivia en entendant cela, avant d'ajouter aussitôt : « Mais après tout… ce n'est pas impossible. »

« Sers-toi, dit Esme en passant à Milly une assiette de gâteaux, tous différents, tous confectionnés avec art.

— Sublimes ! s'exclama Milly, qui hésitait entre un biscuit saupoudré de fine poudre de cacao et un autre parsemé d'amandes effilées. Où les as-tu trouvés ?

— Dans une petite boutique que j'ai dénichée. »

Milly mordit dans un biscuit au chocolat et une saveur exquise emplit sa bouche. Esme se fournissait exclusivement, semblait-il, dans de minuscules échoppes connues d'elle seule – au contraire d'Olivia, qui préférait les grands magasins fréquentés par le plus grand nombre : Fortnum and Mason, Harrods, John Lewis.

« Alors, comment se passent les préparatifs du mariage ? » s'enquit Esme, tout en s'asseyant par terre devant la cheminée et en relevant les manches de son pull en cachemire gris.

Le pendant en opale qui ne la quittait jamais brillait à la lueur des flammes.

« Bien, répondit Milly. Tu sais ce que c'est. »

Esme fit un geste évasif et Milly réalisa soudain qu'il y avait plusieurs semaines, sinon plusieurs mois, qu'elle n'avait ni vu sa marraine ni parlé avec elle. Cela n'avait pourtant rien d'inhabituel. Depuis l'adolescence de Milly, leurs relations avaient toujours été épisodiques ; chaque fois qu'elle avait un problème avec ses parents, Milly fonçait chez Esme. Esme la comprenait, la traitait en adulte, et Milly, en sa compagnie, s'imprégnait de tout ce que disait sa marraine, imitait sa façon de parler, l'aidait à préparer des plats rares dans lesquels entraient des ingrédients dont Olivia ignorait jusqu'à l'existence. Milly et Esme s'installaient au salon, buvaient du vin chaud, écoutaient de la musique de chambre. Milly avait le sentiment d'être une grande personne, une jeune fille raffinée, et elle se jurait de vivre à l'avenir davantage comme sa marraine. Puis, au bout de deux ou trois jours, elle rentrait chez ses parents et reprenait son existence exactement comme avant ; l'influence d'Esme se limitait à quelques mots nouveaux ou à l'achat d'huile d'olive première pression à froid.

« Eh bien, ma chérie, s'il ne s'agit pas de ton mariage, de quoi veux-tu me parler ?

— Il s'agit de mon mariage, mais c'est un peu compliqué.

— Simon ? Vous vous êtes disputés ?

— Pas du tout. Je... J'ai besoin d'un conseil. D'un conseil... purement théorique.

— Purement théorique ?

— Oui. » Milly se sentait en plein désarroi. Elle croisa le regard de sa marraine. « Purement théorique.

— Je comprends, dit Esme après un silence. Continue », ajouta-t-elle avec un sourire félin.

À une heure, Simon reçut au bureau un appel de Paris.

« Simon ? C'est Isobel.

— Isobel ! Comment vas-tu ?

— Sais-tu où est Milly ? Je n'arrive pas à la joindre.

— Elle n'est pas à son travail ?

— Apparemment non. Dis-moi, est-ce que vous vous êtes disputés ?

— Non, répondit Simon, stupéfait. Pas que je sache.

— Alors il doit s'agir d'autre chose. J'essaierai de la rappeler à la maison. Bon, eh bien, je te dis à bientôt.

— Attends ! Je voulais te demander quelque chose, Isobel.

— Oui ? »

Elle avait l'air méfiante. *Ou bien, c'est ma paranoïa*, se dit Simon. Il avait toujours un peu de mal, avec Isobel ; d'abord elle parlait peu et, chaque fois qu'il discutait avec elle, il se sentait gêné par son regard perspicace et se demandait ce qu'elle pensait de lui. Il l'aimait bien, mais en même temps il avait un peu peur d'elle.

« Il s'agit d'un service, en fait. Voudrais-tu avoir la gentillesse de choisir à ma place un cadeau pour Milly.

— Quel genre de cadeau ? »

Milly, elle, aurait tout de suite répondu : *Oui, bien sûr !* avant de s'informer des détails, songea Simon.

« J'aimerais lui offrir un sac Chanel. Pourrais-tu lui en choisir un ?

— Un sac Chanel ! Tu sais combien ça coûte ?

— Oui.

— Très cher.

— Je sais.

— Simon, tu es fou. Milly n'a pas envie d'un sac Chanel.

— Si !

— Ce n'est pas son style.

— Bien sûr que si. Elle aime les accessoires classiques, élégants.

— Si tu le dis, répliqua Isobel assez sèchement, puis elle soupira. C'est à cause de cet appartement que ton père vous a acheté ?

— Non, ça n'a rien à voir ! riposta Simon. Comment es-tu au courant ? ajouta-t-il après un silence.

— Par maman. Elle m'a aussi parlé des boucles d'oreilles. » La voix d'Isobel se radoucit. « Je me doute que ça a dû être un moment pénible pour toi, Simon, mais ce n'est pas une raison pour dépenser tout ton fric pour un sac hors de prix.

— Milly mérite le meilleur.

— Elle l'a. Elle t'a, toi !

— Mais…

— Écoute, si tu veux vraiment lui faire un cadeau, offre-lui quelque chose pour l'appartement, un canapé ou un tapis, elle sera ravie. »

Simon se tut un instant, puis reconnut : « Tu as raison.

— Évidemment j'ai raison !

— C'est juste que… mon satané père !

— Je sais. Mais qu'est-ce que tu peux y faire ? C'est un millionnaire généreux. Il faut avouer que c'est chiant.

— Tu ne mâches pas tes mots, toi, hein ? Je crois que je préfère ta sœur.

— Ça tombe bien. Bon, il faut que je te laisse, j'ai un avion à prendre.

— OK. Je te remercie, Isobel. Sincèrement.

— Hum, ouais. Bon, salut. »

Et elle raccrocha avant que Simon ait pu ajouter un mot.

« Bon. » Milly rentra la tête dans les épaules, détourna les yeux et fixa son regard sur le feu. « Supposons une personne. Une personne avec un secret.

— Une personne, répéta Esme, perplexe. Et un secret.

92

— Oui. Et supposons que cette personne n'ait jamais confié son secret à quiconque. Même pas à l'homme qu'elle aime.

— Pour quelle raison ?

— Parce qu'il n'a pas besoin de l'apprendre. Parce qu'il s'agit de quelque chose de stupide qui s'est passé dix ans plus tôt et ne le concerne pas. Mais si ce secret était découvert, cela aurait des conséquences désastreuses, pas seulement pour la personne en question, mais pour tout le monde.

— Ah ! Ce genre de secret.

— Oui, ce genre de secret. Et supposons… supposons que quelqu'un débarque qui connaît ce secret et menace de parler.

— Je vois.

— Mais la personne qui a un secret ne sait pas si ce quelqu'un est sérieux ou non ; elle pense que peut-être il plaisante. »

Esme hocha la tête.

« Le problème est le suivant : que doit-elle faire ? » Milly détacha les yeux du feu et regarda sa marraine. « Doit-elle parler à son… à son amoureux ? Ou bien vaut-il mieux qu'elle se taise, en espérant qu'il n'y aura pas de remous ? »

Esme saisit son étui à cigarettes.

« S'agit-il d'un secret qui doit absolument rester caché ? Ou bien d'une petite indiscrétion sans importance qui a des chances de laisser tout le monde indifférent ? La personne n'exagère-t-elle pas ?

— Non, elle n'exagère pas. Il s'agit d'un gros secret. Tel que… un précédent mariage, ou quelque chose de ce genre. »

Esme haussa les sourcils.

« Il s'agit en effet d'un gros secret.

— Ou quelque chose de ce genre, répéta Milly. Peu importe ce que c'est. » Elle fixa sa marraine droit dans les yeux. « Le problème, c'est qu'elle garde le secret depuis dix ans. Personne n'a jamais rien su, et personne n'a besoin de savoir.

— Je vois. »

Esme alluma une cigarette et aspira une bouffée.

« Alors, que ferais-tu à la place de cette personne ? »

Esme, pensive, souffla un nuage de fumée.

« Quel est le risque pour cette personne de se voir trahie par celui qui est au courant de son secret ?

— Je l'ignore. Faible actuellement, je pense.

— Dans ce cas, je ne dirais rien. Pour le moment. Et j'essaierais de trouver un moyen pour empêcher l'autre de parler. » Esme haussa les épaules. « Cette histoire s'estompera peut-être d'elle-même peu à peu. »

Milly la regarda, pleine d'espoir.

« Tu crois ? Tu crois vraiment ? »

Esme sourit.

« Ma chérie, combien de nuits d'insomnie as-tu connues à cause d'un problème qui te préoccupait, pour t'apercevoir le matin venu que tu n'avais rien à craindre ? Combien de fois t'es-tu empressée de chercher une excuse à une mauvaise action que tu avais faite, pour t'apercevoir ensuite que personne ne te soupçonnait ? » Elle tira sur sa cigarette. « Neuf fois sur dix, il est préférable de ne rien dire, d'adopter le profil bas et d'espérer que tout s'arrangera. Personne n'a besoin de savoir. En théorie, bien sûr.

— Bien sûr. »

Un silence s'installa, interrompu seulement par le feu qui crépitait. Dehors, la neige avait recommencé à tomber à gros flocons.

« Bois un peu plus de vin, avant qu'il ne refroidisse, suggéra Esme. Et prends un autre biscuit.

— Merci. » Milly choisit un petit fondant à la clémentine. « Tu ne crois pas que je... que la personne devrait être franche avec son amoureux ?

— Pourquoi ?

— Parce que... parce qu'elle va l'épouser !

— Ma chérie, cela part d'un bon sentiment, mais une femme ne devrait jamais chercher à se montrer franche avec un homme, c'est complètement impossible. »

Milly dévisagea sa marraine.

« Comment cela, impossible ?

— On peut essayer, bien sûr, mais fondamentalement les hommes et les femmes ne parlent pas le même langage. Ils ont... des perceptions différentes. Place un homme et une femme exactement dans la même situation, ils l'appréhenderont chacun d'une manière opposée.

— Et alors ?

— Alors, ils sont étrangers l'un à l'autre. La vérité, c'est que tu ne peux être véritablement franche avec quelqu'un que tu ne comprends pas. »

Milly réfléchit un moment.

« Dans un couple marié depuis longtemps et heureux, l'homme et la femme se comprennent, dit-elle enfin.

— Ils s'en tirent grâce à un mélange de signes non verbaux, de bonne volonté, et de quelques phrases glanées au fil des années. Mais ils ne se comprennent pas, ils n'ont pas accès à la richesse et à la profondeur de l'esprit de l'autre. Ils ne possèdent tout simplement pas de langage commun. Et il n'existe pas d'interprètes. Ou du moins très peu.

— Tu veux dire qu'il n'y a pas de mariage heureux ?

— Je dis qu'il n'y a pas de mariage honnête. Le bonheur, c'est autre chose.

— Tu as sans doute raison, marmonna Milly sans conviction, puis elle consulta sa montre. Il faut que je parte, Esme.

— Déjà ?

— Il y a une petite fête au bureau de Simon, ce soir, ses collègues vont nous offrir un cadeau.

— Je vois. » Esme tapota sa cigarette au-dessus d'un cendrier en nacre. « Eh bien, j'espère avoir quelque peu éclairci ton petit problème.

— Pas vraiment, répliqua Milly avec franchise. Les choses me semblent encore plus confuses qu'avant, si possible. »

Esme eut un sourire amusé.

« Oh, je suis navrée, s'exclama-t-elle. Alors, ajouta-t-elle en scrutant le visage de Milly, à ton avis, que va faire ta… ton hypothétique personne ? »

Après un silence, Milly murmura :

« Je l'ignore. Je n'en ai pas la moindre idée. »

James Havill quitta son bureau à l'heure du déjeuner et rentra chez lui. La maison était plongée dans le calme et le silence, à part quelques légers craquements de temps à autre. Dans l'entrée il guetta des bruits de voix, mais tout le monde était sorti, ainsi qu'il l'espérait : les touristes visitaient la ville, Milly était à son travail, la femme de ménage avait terminé sa journée ; seule Olivia devait être là.

Il grimpa l'escalier en s'efforçant de ne pas faire de bruit. Quand il arriva sur le palier, son cœur se mit à battre plus fort. Il projetait cette entrevue depuis le matin ; en plein rendez-vous de travail, il n'avait pu penser à rien d'autre qu'à ce qu'il dirait à sa femme cet après-midi – ce qu'il lui dirait, et la façon dont il le lui exprimerait.

La porte de la chambre d'Olivia était fermée. James contempla un moment la petite plaque en porcelaine avec la mention *Privé*, puis il frappa.

« Oui ? fit Olivia, surprise.

— Ce n'est que moi », répondit James, et il entra.

Un radiateur électrique était allumé et il faisait chaud dans la pièce – trop chaud, jugea-t-il. Olivia était assise devant la télévision dans son fauteuil en chintz fané, les pieds posés sur le tabouret qu'elle avait elle-même tapissé. Une tasse de thé à portée de main, elle tenait sur ses genoux une grande pièce de soie rose pâle.

« Bonjour, dit James avec un coup d'œil sur l'écran où Bette Davis, dans un film en noir et blanc, discutait d'une voix glaciale avec un homme à la mâchoire carrée. J'espère que je ne te dérange pas.

— Pas du tout. » Olivia saisit la télécommande et baissa le son. La voix de Bette Davis se réduisit à un murmure presque inaudible.

« Qu'en penses-tu ?

— Que veux-tu dire ? questionna James, déconcerté.

— La robe d'Isobel ! » Olivia souleva le morceau de soie. « Je la trouvais un peu trop dépouillée, aussi j'ai eu l'idée d'y ajouter quelques roses.

— Très joli », marmonna James, les yeux toujours rivés sur l'écran de télévision.

Il ne comprenait pas ce que disait Bette Davis ; elle avait déboutonné ses gants, allait-elle lancer un défi à l'homme à la mâchoire carrée ?

« Je voulais te parler, dit James en tournant la tête vers Olivia.

— Moi aussi. » Olivia attrapa un cahier à couverture rouge et le consulta. « D'abord, as-tu téléphoné à la mairie pour la route de l'église ?

— Je connais le chemin.

— Naturellement ! Mais sais-tu si l'on prévoit des travaux ou une manifestation, samedi ? Non ! Voilà pourquoi nous devons appeler la mairie. Tu as oublié ? » Elle écrivit dans son cahier. « Ne t'inquiète pas, je m'en occuperai. »

James se tut. Il chercha un endroit où s'asseoir ; en l'absence de siège, il s'installa sur le rebord du lit. La couette, douce et moelleuse, gardait un peu du parfum d'Olivia. Une couette propre, nette, comme aseptisée, qui donnait l'impression qu'Olivia ne dormait jamais dans ce lit. Ce qui était le cas. James n'avait pas vu l'envers de la couette d'Olivia depuis six ans.

« Ah, autre chose : les cadeaux pour les invités.

— Les cadeaux *pour* les invités ?

— Oui, James. De nos jours, on offre des cadeaux aux invités.

— Je croyais que c'était le contraire.

— Ça marche dans les deux sens : les invités offrent des cadeaux à Milly et à Simon, et nous, nous offrons des cadeaux aux invités.

— Et qui nous offre des cadeaux, à nous ?

— Tu ne m'aides pas beaucoup, James. Milly et moi avons prévu que chaque invité recevrait une flûte à champagne.

— Eh bien, c'est parfait. » James respira à fond. « Olivia…

— Mais je me demandais si un rosier en fleur ne serait pas plus original. Regarde. » Olivia désigna un magazine ouvert par terre. « Tu ne trouves pas ça ravissant ?

— Un rosier en fleur pour chaque invité ? La salle de réception va se transformer en véritable forêt !

— Un rosier miniature, évidemment ! On appelle ça des rosiers de poche.

— Olivia, n'as-tu pas assez à faire sans t'embarrasser à la dernière minute d'offrir aux invités des rosiers de poche ?

— Tu as peut-être raison. » À regret, Olivia prit son stylo et barra une ligne sur son cahier. « Bon, quoi d'autre maintenant ?

— Olivia, écoute-moi un instant. » James se racla la gorge. « Je voulais te parler de... » Il hésita. « ... de ce qui va se passer après le mariage.

— Pour l'amour du ciel, James ! Attendons que le mariage ait eu lieu avant de discuter de ce qui se passera après ! Je dois déjà penser à tellement de choses !

— Écoute-moi, s'il te plaît. » James ferma les yeux et rassembla son courage. « Nous sommes tous les deux conscients, je crois, que la situation sera différente une fois que Milly aura quitté la maison, quand nous nous retrouverons seuls ici, toi et moi.

— La rémunération des choristes..., murmurait Olivia en comptant sur ses doigts. Les fleurs pour les boutonnières...

— Inutile de faire comme si tout devait rester comme avant.

— La pièce montée...

— Depuis quelques années nous nous sommes éloignés l'un de l'autre. Tu as ta vie, j'ai la mienne...

— Le discours ! As-tu préparé ton discours ?

— Oui. » James dévisagea Olivia. « Mais je crains de ne pas être entendu.

— Parce que, tu comprends, je me suis dit que tu pourrais l'écrire en deux exemplaires. J'en garderais un, au cas où.

— Olivia...

— Et je vais suggérer la même chose à Simon. Attends, il faut que je note ça tout de suite. »

Elle se mit à griffonner sur son cahier, et James, du coin de l'œil, aperçut à l'écran Bette Davis qui, les larmes au bord des cils, tombait dans les bras de l'homme à la mâchoire carrée.

« Voilà qui est fait. » Olivia regarda sa montre et se mit debout. « Bon, il faut que je rende visite au chef choriste. Il y avait autre chose ?

— Eh bien…

— Parce que je ne suis pas en avance. Excuse-moi. » Elle fit signe à son mari de se lever et étala avec précaution la robe de soie rose sur le lit. « À plus tard !

— À plus tard. »

Olivia referma la porte sur son mari, et James se retrouva une fois de plus en train de contempler la petite plaque en porcelaine.

« Ce que je voulais dire, marmonna-t-il en s'adressant à la porte, c'est qu'après le mariage de Milly je veux partir. Je veux vivre une nouvelle vie. Tu comprends ? »

Seul le silence lui répondit. Alors il haussa les épaules, tourna les talons et s'éloigna.

5

Milly fut accueillie par des exclamations quand elle pénétra dans les bureaux de la société où travaillait Simon.

« La voilà ! cria Pearl, l'une des hôtesses de l'accueil, une femme d'un certain âge. Milly est là ! » Elle adressa un grand sourire à Milly. « Comment allez-vous ? Pas trop nerveuse pour samedi ?

— Elle n'a aucune raison d'être nerveuse, rétorqua une de ses collègues, qui portait un cardigan bleu pâle et du fard à paupières assorti. Profitez bien de cette journée, surtout, elle va passer tellement vite !

— En un éclair, renchérit Pearl en hochant la tête d'un air grave. Ce qu'il faut que vous fassiez, c'est, de temps en temps, vous arrêter et regarder autour de vous en répétant dans votre tête : "C'est le jour de mon mariage." Rien que cette phrase : "C'est le jour de mon mariage." Et vous verrez, vous en profiterez pleinement. » Elle sourit à Milly. « Je préviens Simon et je vous conduis là-haut.

— Ne vous donnez pas cette peine, je connais le chemin.

— Cela ne me dérange pas du tout. Margaret, essaie de joindre Simon, s'il te plaît, et dis-lui que je monte avec Milly. »

Accompagnées par un chœur de « Bonne chance ! », toutes deux traversèrent le hall de réception et se dirigèrent vers les ascenseurs.

« On va venir vous voir, samedi, confia Pearl à Milly au moment où les portes de l'ascenseur se refermaient sur elles. On se mettra à l'extérieur de l'église. Cela ne vous ennuie pas, au moins ?

— Bien sûr que non, répondit Milly, confuse. Vous voulez dire que vous avez l'intention de rester debout dehors, juste pour regarder ?

— Beryl apportera des sièges de camping ! Et on prendra avec nous une thermos de café. On veut être là quand les gens arriveront : les personnalités, tout le monde. Ce sera exactement comme un mariage royal !

— À vrai dire, j'ignore...

— Ou alors, comme ce superbe mariage à la télévision, l'autre jour, dans *EastEnders*. Vous l'avez vu ?

— Oui, je l'ai vu ! C'était d'un romantisme !

— Et les deux petites demoiselles d'honneur, n'étaient-elles pas adorables ?

— Ravissantes. Remarquez, ajouta Milly, tandis que l'ascenseur parvenait à l'étage de Simon, je ne connais pas bien les personnages de cette série, je ne la regarde pas d'habitude. Je préfère... les documentaires.

— Ah bon ? Moi, je ne pourrais pas vivre sans mes feuilletons, affirma Pearl sans fausse honte. Votre Simon me taquine souvent à ce sujet, il me pose des tas de questions sur chaque épisode. » Elle sourit à Milly. « C'est vraiment un garçon charmant. Et simple, avec ça. On ne devinerait jamais qui il est, si vous voyez ce que je veux dire. » Les portes de l'ascenseur s'ouvrirent. « Nous y voilà. Bon, où peut-il bien être ?

— Me voici ! » dit Simon qui apparut avec, dans les mains, une bouteille de vin et des gobelets en plastique qu'il tendit à Pearl. « Emportez ça pour toutes les personnes de la réception.

— Merci, c'est très gentil. Et n'oubliez pas de venir nous montrer votre cadeau, surtout ! » Pearl prit la main de Milly et la pressa avec effusion. « Bonne chance, Milly. Vous méritez tout le bonheur du monde.

— Merci, répondit Milly, les larmes aux yeux. Merci beaucoup. »

Les portes de l'ascenseur se refermèrent sur Pearl, et Simon sourit à Milly.

« Allons-y, ils t'attendent tous.

— Tais-toi, ça me fiche le trac.

— Le trac ? » Simon éclata de rire. « Il n'y a pas de quoi !

— Je sais, mais... je suis un peu sur les nerfs.

— Le stress du mariage ?

— Oui. » Elle lui sourit. « Je suppose. »

Les collègues du département de Simon s'étaient rassemblés dans le bureau qu'il partageait avec quatre autres agents publicitaires. Lorsque Milly et Simon entrèrent, des gobelets de vin mousseux circulaient et une femme en veste rouge recueillait les dernières signatures sur une carte géante.

« Qu'est-ce que je vais bien pouvoir écrire ? se lamentait une jeune fille. Tout le monde a trouvé des phrases tellement spirituelles.

— Mets juste ton nom, riposta la femme à la veste rouge, et dépêche-toi ! »

Milly serra son verre en plastique dans sa main et afficha un sourire. Elle se sentait vulnérable sous le regard de tous ces inconnus. Elle avala une gorgée de mousseux et prit une chips sur l'assiette que lui tendait un des collègues enjoués de Simon.

« Aaahhh ! »

Une voix grave interrompit le brouhaha général. Milly leva les yeux. Un homme en costume marron, au front dégarni et portant moustache, fonça sur elle.

« Vous devez être la fiancée de Simon. » Il lui serra la main. « Mark Taylor, chef de publication. Enchanté de vous rencontrer.

— Bonjour, fit poliment Milly.

— Où est-il passé ? Nous devons procéder à la remise du cadeau, maintenant. Simon ! Viens ici !

— Vous avez fait connaissance ? s'enquit Simon en approchant. Désolé, j'aurais dû faire les présentations. »

Mark Taylor tapa dans ses mains.

« Silence, s'il vous plaît ! Au nom de toute l'équipe de Pendulum, j'aimerais souhaiter à Simon et Mandy tout le bonheur possible. »

Il leva son verre.

« Milly ! cria quelqu'un.

— Quoi ? fit Mark Taylor, décontenancé.

— Milly, pas Mandy !

— Ce n'est pas grave, murmura Milly en rougissant.

— Qu'est-ce qu'ils disent ? cria Mark Taylor.

— Rien, répondit Milly. Continuez.

— À Mandy et Simon ! Longue vie, bonheur et prospérité au jeune couple ! » Un téléphone se mit à sonner dans un coin. « Quelqu'un peut répondre, s'il vous plaît ?

— Où est le cadeau ? fit une voix.

— Oui, où est le cadeau ? répéta Mark Taylor.

— Il sera livré plus tard, expliqua une femme à la gauche de Milly. Il ne figure pas sur la liste. C'est un plat à légumes avec couvercle. J'ai la photo, si vous voulez.

— Très joli, commenta Mark Taylor, puis il éleva la voix. Le cadeau est un plat à légumes avec couvercle qui ne figure pas sur la liste. Sally a la photo, si cela intéresse quelqu'un.

— Il doit y avoir une carte, aussi, fit remarquer Sally. Où est la carte ?

— La voilà ! » dit la femme à la veste rouge.

Un silence se fit au moment où Simon déchira l'enveloppe et déploya une grande carte avec l'image de deux ours en peluche. Il parcourut des yeux les signatures, riant par intervalles, levant la tête et adressant un petit signe à ceux dont il lisait les messages. Milly regardait par-dessus son épaule. La plupart des plaisanteries parlaient d'objectifs de production, de quarts de page et d'un mystérieux Powerlink.

« Super, dit enfin Simon. Je suis très touché.

— Un discours ! hurla quelqu'un.

— Je n'ai pas préparé de discours.

— Grâce à Dieu ! »

Simon avala une gorgée de vin. « Mais je voudrais juste dire, pour ceux d'entre vous qui pensent que ce qui compte le plus pour moi dans la vie, c'est de dépasser chaque mois les objectifs de production insensés d'Eric... » Il y eut des rires dans l'assistance. « ... ou de battre Andy aux fléchettes... » Les rires augmentèrent et Simon sourit. « Eh bien, j'ai quelque chose à vous annoncer : vous vous trompez. Ce qui compte le plus pour moi dans la vie, c'est la personne qui est ici à côté de moi. » Il prit la main de Milly, et plusieurs des jeunes femmes poussèrent un soupir ému. « Pour ceux d'entre vous qui ne la connaissent pas, cette femme est la plus belle, la plus douce, la plus tendre, la plus généreuse du monde, et je suis sincèrement honoré qu'elle devienne samedi mon épouse. Je considère que j'ai beaucoup de chance. »

Il y eut un silence, puis une voix murmura :

« À Milly et à Simon.

— À Milly et à Simon », reprirent les autres en chœur.

Milly regarda Simon et, face à ce visage heureux et sans méfiance, elle se sentit soudain misérable.

« Rendez-vous au pub ! » lança Simon.

Les gens commencèrent à se disperser et il sourit à Milly.

« Ce que j'ai dit t'a gênée ?

— Un peu, oui. »

Elle se força à sourire. Un sentiment d'intense culpabilité l'étreignait.

« J'avais besoin d'exprimer devant tout le monde ce que je ressens, dit Simon en lui caressant tendrement les cheveux. Je t'aime tellement que parfois j'ai l'impression que mon cœur va exploser. »

Milly ne put retenir ses larmes.

« Tais-toi, je t'en prie.

— Oh, ma chérie ! » Simon lui effleura la joue. « Tu veux un mouchoir ?

— Oui, merci », hoqueta Milly avant d'essuyer ses larmes et de reprendre son souffle.

« Simon ! cria une voix. C'est ta tournée, je crois !

— OK ! Une minute, j'arrive !

— Simon, dit Milly, ça t'ennuie beaucoup si je ne viens pas au pub ?

— Oh, fit Simon, et son visage s'assombrit.

— Je suis un peu fatiguée, je ne me sens pas le courage de… » Elle fit un geste vague. « … tout ça.

— Simon ! appela quelqu'un. Tu viens ou quoi ?

— Un instant ! » Il caressa le visage de Milly. « Tu préférerais qu'on aille quelque part, seuls tous les deux ? »

Elle le dévisagea et une image se forma aussitôt dans son esprit : lui et elle dans un restaurant intime, à une table dans un coin discret ; ils mangeraient du risotto accompagné d'un bon vin rouge et, tranquillement, calmement, elle lui avouerait la vérité.

« Non, répondit-elle. Vas-y et amuse-toi. Je me coucherai de bonne heure.

— Tu es sûre ?

— Oui. » Elle prit entre ses mains le visage de Simon et l'embrassa. « Va. Je te verrai demain. »

Milly rentra chez elle avec l'envie de se mettre tout de suite au lit. Au moment où elle enlevait son manteau, elle entendit des voix dans la cuisine et fit la grimace à l'idée que peut-être la tante Jane était venue plus tôt que prévu. Mais quand elle ouvrit la porte, elle aperçut Isobel debout sur une chaise, revêtue d'une robe rose, une couronne de fleurs sur la tête.

« Isobel ! » Elle en aurait pleuré de soulagement. « Depuis quand es-tu là ?

— Cet après-midi. » Isobel sourit à sa sœur. « Je reviens à la maison, et qu'est-ce que je découvre ? Mes verres ont disparu.

— Quels verres ?

— Des verres pour boire. Qu'est-ce que tu croyais ? Des verres de lunettes ?

— Isobel reste jusqu'après le mariage, précisa Olivia, qui fixait la couronne d'Isobel à l'aide de pinces à cheveux. Évidemment, on va être un peu à l'étroit quand tante Jane et les cousines débarqueront...

— Fiche Alexander dehors, suggéra Milly. Ça fera de la place.

— Ne dis pas de bêtises, ma chérie. Il faut bien qu'il soit là. » Elle enfonça encore une pince et ajusta la guirlande. « Voilà, comme ça c'est mieux.

— Si tu le dis. » Isobel se tourna vers Milly. « Qu'est-ce que tu en penses ? »

Milly examina sa sœur et remarqua à cet instant seulement ce qu'elle portait. Elle s'efforça de ne pas montrer son effarement. « Qu'est-il arrivé à ta robe ?

— J'ai rajouté des roses en soie, expliqua Olivia. Elles sont jolies, non ?

— Très jolies, approuva Milly.

— Sois franche, dit Isobel. J'ai l'air ridicule ?

— Non, non. » Milly détailla Isobel et fronça les sourcils. « Tu as l'air… fatigué.

— C'est exactement ce que je lui ai dit ! s'écria Olivia. Elle a l'air crevé et malade.

— Je ne suis ni crevée ni malade », protesta Isobel, agacée.

Milly nota qu'elle était blême et avait les cheveux ternes. La guirlande de roses ne faisait que souligner la pâleur de ses joues.

« Tu seras parfaite le jour du mariage, dit Milly, pas très convaincue. Une fois maquillée.

— Elle a maigri, aussi, ajouta Olivia d'un ton désapprobateur. Il faudrait presque reprendre la robe.

— Je n'ai pas maigri tant que ça. De toute façon, peu importe de quoi j'ai l'air, c'est le mariage de Milly, pas le mien. » Elle jeta un coup d'œil à sa sœur. « Tu vas bien, toi ?

— Oui, répondit Milly en la regardant dans les yeux. Comme tu vois.

— Mmmm. » Isobel commença à retirer sa robe. « Bon, il faudrait peut-être que je monte mettre un peu d'ordre dans mes affaires.

— Je viens avec toi, dit aussitôt Milly.

— Tu as raison, approuva Olivia. Brave petite. »

La chambre d'Isobel jouxtait celle de Milly, au dernier étage de la maison. Depuis qu'Isobel était indépendante, on louait parfois sa chambre à des clients mais, la plupart du temps, cette pièce demeurait vide, propre et nette en attendant son retour.

« Seigneur ! s'écria Isobel en ouvrant la porte. Qu'est-ce que c'est que ce bazar ?

— Des cadeaux de mariage. Et encore, une partie seulement. »

Toutes deux contemplèrent en silence le plancher entièrement jonché de piles de boîtes et de cartons ; certains avaient été ouverts, il s'en échappait des monceaux de papier déchiré et d'emballage à bulles, et l'on apercevait à l'intérieur des objets en verre ou en porcelaine.

« C'est quoi, ça ? interrogea Isobel en désignant un des paquets.

— Je ne sais pas. Une soupière, je crois.

— Une soupière ! Tu as l'intention de préparer des soupes quand tu seras mariée ?

— Peut-être, oui.

— Tu seras bien obligée, maintenant que tu as la soupière. » Isobel croisa le regard de Milly et s'esclaffa. « Tous les soirs, tu poseras ta soupière sur la table de la salle à manger et tu serviras de la bonne soupe avec une grande louche.

— Arrête ! dit Milly, gagnée par le rire.

— Et tu boiras du sherry dans tes huit verres à sherry, continua Isobel en lisant l'étiquette d'un autre colis. Tu vas t'éclater, dans ta vie de femme mariée !

— Tais-toi ! hoqueta Milly, secouée par le fou rire.

— Un chauffe-plat électrique. Très utile. J'aimerais bien en avoir un pareil. » Isobel leva les yeux. « Ça va, Milly ?

— Oui, oui », répondit Milly dont le rire se transformait en sanglots ; des larmes inondèrent soudain ses joues.

« Milly ! Je me doutais que quelque chose n'allait pas. » Isobel prit sa sœur par les épaules. « Que se passe-t-il ? De quoi voulais-tu me parler quand tu m'as appelée à Paris ?

— Mon Dieu, si tu savais ! » Milly sanglotait de plus belle. « Tout est fichu !

— Comment ça ?

— Je me retrouve dans une situation épouvantable.

— Qu'est-ce qui t'arrive ? » Isobel était de plus en plus inquiète. « Dis-le-moi, je t'en prie. »

Milly la dévisagea un long moment en silence.

« Suis-moi », dit-elle enfin.

Elle emmena sa sœur dans sa propre chambre, referma la porte avec précaution et, tandis qu'Isobel l'observait sans rien dire, elle s'approcha de la cheminée, fouilla quelques instants à l'intérieur du conduit et en retira un sac de toile fermé par un cordon bien serré.

« Qu'est-ce que… ?

— Attends. »

Milly sortit du sac un second sac plus petit qui contenait lui-même une boîte dont le couvercle était attaché avec de la ficelle. Elle arracha la ficelle et le couvercle en même temps, contempla brièvement le contenu de la boîte, puis la tendit à Isobel.

« Voilà ce qui s'est passé, dit-elle simplement.

— Ça alors ! »

Sur la première photo de la pile, Milly, en robe de mariée, souriait d'un air radieux sous une pluie de confettis. Isobel prit la photo entre ses mains, l'examina de plus près, jeta un coup d'œil à sa sœur, et sortit de la boîte la photo suivante ; sur celle-ci figuraient deux hommes debout côte à côte, l'un brun, l'autre blond. Venait ensuite une photo où l'homme brun baisait la main de Milly ; Milly, son voile rabattu sur l'épaule, posait pour la photo et semblait follement heureuse.

Sans un mot, Isobel regarda toutes les photos l'une après l'autre ; au fond de la boîte, quelques confettis décolorés et une petite carte illustrée de fleurs.

« Je peux ? interrogea Isobel en effleurant la carte.

— Vas-y. »

Isobel déplia la carte et lut ces mots : « À la plus merveilleuse des épouses. À toi pour toujours. Allan. » Elle releva la tête.

« Qui diable est Allan ?

— À ton avis, Isobel ? fit Milly d'une voix altérée. C'est mon mari. »

Une fois Milly parvenue à la fin de son récit, Isobel poussa un profond soupir, se leva, s'approcha de la cheminée tout en se taisant. Milly, assise dans le fauteuil, serrait un coussin contre sa poitrine ; elle regarda sa sœur avec appréhension.

« J'ai du mal à réaliser, dit enfin Isobel.

— Je comprends.

— Tu as réellement épousé un homme pour lui permettre de rester en Angleterre ?

— Oui. »

Milly jeta un coup d'œil aux photos toujours étalées par terre, à l'image de cette jeune fille heureuse et débordante de vie. Pendant qu'elle racontait son histoire, l'exaltation et le romantisme de toute cette aventure avaient soudain resurgi et, pour la première fois depuis des années, elle éprouva de la nostalgie pour cette période magique et grisante d'Oxford.

« Quels salauds ! marmonna Isobel en secouant la tête. Ils ont dû te voir venir ! »

Milly regarda sa sœur avec de grands yeux.

« Pas du tout, protesta-t-elle.

— Comment ça, pas du tout ? Ils se sont servis de toi !

— Non ! Je les ai aidés de mon plein gré, parce qu'ils étaient mes amis.

— Tes amis, vraiment ! Dans ce cas, pourquoi n'ai-je jamais fait leur connaissance, ni même entendu parler d'eux ?

— On s'est perdus de vue.

— Quand ? Sitôt que tu as rempli et signé les imprimés ? »

Milly garda le silence.

« Oh, Milly, soupira Isobel. Ils t'ont donné de l'argent ?

— Non, ils m'ont offert un collier de perles, répondit Milly en portant la main à son cou.

— Belle compensation, quand on songe que tu as enfreint la loi pour eux et que tu aurais pu être poursuivie. Le ministère de l'Intérieur enquête sur les faux mariages, tu le savais ?

— Ça suffit, Isobel, dit Milly d'une voix tremblante. Ce qui est fait est fait, je n'y peux rien.

— Tu as raison, excuse-moi. Ça doit être affreux pour toi. » Isobel saisit une des photos et l'examina quelques instants. « Je m'étonne que tu aies pris le risque de les conserver.

— C'est idiot, je sais, mais je n'ai pas pu me résoudre à les jeter, ce sont les seuls souvenirs qui me restent.

— Et tu n'en as jamais parlé à Simon ? »

Milly secoua la tête et garda les lèvres closes.

« Il faut que tu le lui dises. Tu t'en rends compte, n'est-ce pas ? »

Milly ferma les yeux.

« Impossible. Je ne peux pas, c'est au-dessus de mes forces.

— Mais il le faut, avant que ce type, Alexander, décide de tout lui révéler.

— Peut-être qu'il se taira, objecta Milly d'une petite voix.

— Et peut-être pas ! Inutile de courir ce risque. Avoue tout à Simon, je suis certaine qu'il ne le prendra pas si mal que ça. Des tas de gens sont divorcés, de nos jours.

— J'en suis bien consciente.

— Cela n'a rien de honteux. Tu es divorcée, bon, cela pourrait être pire.

— Je ne le suis pas.

— Quoi ?

— Je ne suis pas divorcée. Je suis toujours mariée. »

Un silence s'installa, puis Isobel murmura :

« Tu es toujours mariée ? Tu n'es pas divorcée ? Mais ton mariage avec Simon a lieu samedi !

— Je le sais ! Je le sais bien ! » s'écria Milly qui, devant le regard horrifié d'Isobel, enfouit sa tête dans le coussin et éclata en sanglots.

La bouteille de brandy était rangée dans la cuisine. Au moment où Isobel ouvrit la porte en espérant ne tomber sur personne, Olivia, qui parlait au téléphone, leva la tête.

« Isobel, dit-elle à voix basse, il est arrivé quelque chose d'épouvantable.

— Quoi ? interrogea Isobel, le cœur battant.

— On n'a pas fait imprimer assez de feuilles pour la cérémonie, les gens seront obligés de suivre le déroulement de l'office sur la même feuille !

— Oh ! fit Isobel, prise tout à coup d'une irrésistible envie de rire. Bah, ce n'est pas grave.

113

« — Pas grave ! On aura l'air d'avoir bâclé l'organisa-
tion. » Olivia fronça les sourcils en voyant Isobel verser du
brandy dans un verre. « Pourquoi bois-tu du brandy ?

— C'est pour Milly, elle est un peu tendue.

— Tout va bien ?

— Oui. Tout va pour le mieux. »

Isobel remonta dans la chambre de Milly, ferma la porte
derrière elle et tapa sur l'épaule de sa sœur.

« Bois ça, dit-elle, et calme-toi, les choses vont
s'arranger.

— Comment ? hoqueta Milly. La vérité va éclater au
grand jour, je suis perdue !

— Allons, allons, fit Isobel en l'étreignant. Nous trou-
verons une solution, ne t'inquiète pas.

— Je ne vois pas laquelle. » Milly leva vers sa sœur un
visage baigné de larmes et avala une gorgée d'alcool. « J'ai
tout gâché !

— Mais non, voyons.

— Ne te fatigue pas, va, dit Milly avec un petit rire,
avant d'ingurgiter une autre rasade de brandy. Oh là là,
j'ai besoin d'une cigarette. Tu en veux une ?

— Non, merci.

— Allez, insista Milly en ouvrant la fenêtre d'un geste
nerveux. Ce n'est pas une cigarette qui te donnera le
cancer du poumon.

— Sans doute pas », admit Isobel, après un court
silence.

Elle s'assit sur le rebord de la fenêtre, Milly lui passa
une cigarette et toutes deux aspirèrent de grandes
bouffées. Milly ressentit un bien-être immédiat.

« Ça va mieux, murmura-t-elle, puis elle rejeta la fumée
et la chassa par la fenêtre. Seigneur, quel micmac !

— Ce que je ne comprends pas, risqua Isobel, c'est
pourquoi tu n'as pas divorcé.

— On devait le faire, Allan avait prévu de s'en occuper, j'ai même reçu des papiers de son avocat. Mais ensuite tout est tombé à l'eau et je n'en ai plus entendu parler. Je n'ai jamais été convoquée au tribunal, rien.

— Et tu n'as pas effectué de recherches ? »

Milly se tut.

« Même pas quand Simon t'a demandé de l'épouser ? Même pas quand tu as commencé les préparatifs du mariage ?

— Je ne savais pas quoi faire ! Allan avait quitté Oxford, j'ignorais où il était, j'avais perdu les papiers...

— Tu aurais pu consulter un avocat, non ? Ou demander conseil auprès d'un service juridique ?

— Tu as raison.

— Alors, pourquoi... ?

— Parce que je n'ai pas osé, voilà pourquoi. J'ai eu peur de provoquer des remous. J'étais consciente d'avoir commis une action malhonnête et je craignais que les gens ne se mettent à fureter et à poser des questions. Je ne pouvais pas courir ce risque !

— Mais, Milly...

— Je voulais que personne ne le sache. Absolument personne. Tant que tout le monde l'ignorait, je me sentais... en sécurité.

— En sécurité !

— Oui, personne au monde n'était au courant, personne ne posait de questions, personne ne soupçon- nait rien. » Milly regarda sa sœur dans les yeux. « Tu t'es doutée de quelque chose, toi ?

— Non, admit Isobel à contrecœur.

— Tu vois ! Personne ne s'en doutait et, plus le temps s'écoulait, plus on aurait pu croire qu'il ne s'était rien passé. Au bout de quelques années, tout le monde continuait d'ignorer les faits et, peu à peu, ils ont tout simplement cessé d'exister.

— Cessé d'exister ! Milly, tu as épousé ce type, tu ne peux pas le nier !

— Cela a duré trois minutes dans un bureau de l'état civil. Une toute petite signature, il y a dix ans, au bas d'un document sur lequel personne ne jettera plus jamais les yeux. Ce n'est pas un mariage, Isobel, c'est du vent, ce n'est rien !

— Et lorsque Simon t'a demandé de l'épouser ? »

Un silence pesant s'installa.

« J'ai pensé le lui dire, répondit enfin Milly. Vraiment. Puis, en définitive, je n'en ai pas vu la nécessité. Ça ne changeait rien entre nous, cela n'aurait pu que compliquer les choses. Il n'avait pas besoin de savoir.

— Et que se serait-il produit, alors ? Tu te serais rendue coupable de bigamie ?

— Le premier n'était pas un vrai mariage, il n'aurait pas compté.

— Quoi ? Bien sûr que si, il aurait compté ! Seigneur, Milly, ce que tu peux être bête, parfois, je n'en reviens pas !

— Oh, ça va, ferme-la ! s'écria Milly, furieuse.

— Très bien, je la ferme.

— Parfait. »

Elles restèrent silencieuses un long moment. Milly finit sa cigarette puis écrasa le mégot sur le rebord de la fenêtre.

« Tu ne termines pas la tienne ? demanda-t-elle à Isobel sans la regarder.

— Non, prends-la si tu veux. »

Milly saisit la cigarette à moitié fumée et jeta un coup d'œil à sa sœur.

« Ça va ? s'inquiéta-t-elle. Maman a raison, tu as l'air crevé.

— Ça va.

— Tu n'es pas anorexique, au moins ?

— Bien sûr que non, répliqua Isobel avec un rire bref.

— Tu as maigri.

— Toi aussi.

— Tu trouves ? À cause de tout ce stress, je suppose.

— Eh bien, arrête de te stresser, compris ? fit Isobel d'un ton ferme. Cela ne sert à rien. Si seulement nous savions jusqu'où est allée la procédure de divorce, ajouta-t-elle, pensive.

— Elle n'est allée nulle part, soupira Milly, découragée. Je te l'ai dit, je n'ai jamais comparu au tribunal.

— Et alors ? Ce n'est pas nécessaire pour un divorce.

— Si.

— Non.

— Si ! Cela se passe comme ça dans *Kramer contre Kramer*.

— Pour l'amour du ciel, Milly ! Tu n'y connais donc rien ? Dans le film, le couple se dispute la garde de l'enfant.

— Ah bon, fit Milly après un silence.

— Pour un simple divorce, ton avocat va au tribunal pour toi.

— Quel avocat ? Je n'en ai jamais eu. »

Milly tira une dernière bouffée de la cigarette d'Isobel et l'éteignit. Isobel se taisait, perplexe. Tout à coup elle releva la tête.

« Peut-être que cela n'a pas été nécessaire. Peut-être Allan a-t-il procédé au divorce pour toi.

— Tu crois vraiment ?

— Je n'en sais rien. Ce n'est pas impossible.

117

— Donc il se peut que je sois divorcée, en fin de compte ?

— Je ne vois pas de raison pour que tu ne le sois pas. Théoriquement, du moins.

— Et comment puis-je le savoir ? questionna Milly, qui s'animait. Pourquoi ne m'en a-t-on jamais informée ? Existe-t-il un registre des divorces ? Mon Dieu, si je découvrais que je suis divorcée, finalement...

— Je suis sûre qu'un tel registre existe, mais il y a un moyen plus rapide.

— Lequel ?

— Fais ce que tu aurais dû faire depuis des années, bon sang ! Téléphone à ton mari.

— Impossible, j'ignore où il est.

— Eh bien, trouve-le.

— Je ne peux pas.

— Si, tu peux !

— Je ne sais même pas par où commencer ! Et de toute façon... » Milly se tut et détourna les yeux.

« De toute façon, quoi ? » interrogea Isobel, tandis que sa sœur, d'une main tremblante, allumait une autre cigarette. « Quoi ?

— Je ne veux pas lui parler, compris ?

— Pour quelle raison ? Hein ? Pour quelle raison ? insista Isobel.

— Parce que... tu as raison ! s'écria Milly en éclatant en sanglots. Tu as raison, ces deux types n'ont jamais été mes amis, ils se sont servis de moi, c'est tout. Durant toutes ces années, je pensais à eux comme à des amis. Ils s'aimaient tant, tous les deux, et j'avais tellement envie de les aider...

— Milly...

— Je leur ai écrit, à mon retour. Allan avait pris l'habitude de répondre à mes lettres. J'avais l'intention de revenir les voir un jour, de leur faire la surprise. Et puis, on a peu à peu perdu contact. Mais je continuais à les considérer comme des amis. » Milly regarda sa sœur. « Tu ne peux pas imaginer ce que ça a été, cette période à Oxford. Nous vivions tous les trois dans une sorte de tourbillon, on faisait des promenades en barque, on pique-niquait, on discutait jusque tard dans la nuit... Et pendant tout ce temps, ils se moquaient sans doute de moi...

— Non, Milly, je suis sûre que non.

— Ils m'ont vue venir. Une petite idiote, naïve, crédule, prête à faire tout ce qu'ils lui demanderaient.

— N'y pense plus, dit Isobel en posant son bras autour des épaules de sa sœur. C'était il y a dix ans. C'est fini, terminé. Tu dois regarder devant toi, désormais, tu dois savoir si ton divorce a été prononcé.

— Je ne peux pas. Je ne peux pas lui parler, il... il va se moquer de moi.

— Il faut que tu le fasses.

— Mais je n'ai aucune idée de l'endroit où il habite ! s'écria Milly, désespérée. Il a complètement disparu de la circulation.

— Nous sommes à l'ère de l'information et de la communication, Milly, les gens ne s'évanouissent pas dans la nature si facilement, de nos jours. » Isobel sortit un stylo de sa poche et déchira un bout de carton d'un des emballages des cadeaux de mariage. « Bon. Dis-moi où il habitait à l'époque. Et ses parents ? Et Rupert ? Et les parents de Rupert ? Et tous les gens qu'ils connaissaient, l'un et l'autre. »

Une heure plus tard, Milly levait les yeux du téléphone, l'air triomphant. « Ça y est ! Ils vont me donner un numéro !

— Alléluia ! Espérons que ce sera le bon », s'écria Isobel, qui avait déplié sur ses genoux une carte routière et consultait l'index des noms de localités.

Il avait fallu un moment à Milly pour se rappeler que le père de Rupert avait été directeur d'école dans les Cornouailles, et un peu plus longtemps pour se souvenir qu'il habitait un village dont le nom commençait par la lettre T. Depuis, Isobel et elle épluchaient la liste des localités et appelaient les renseignements téléphoniques, en quête d'un certain M. Carr.

« Et voilà ! » Milly reposa le combiné et contempla les chiffres qu'elle venait de noter.

« Super ! Appelle tout de suite.

— Oui. » Milly respira à fond. « Voyons si c'est le bon numéro. »

J'aurais dû faire cela plus tôt, pensait-elle avec un sentiment de culpabilité. Mais, alors qu'elle composait le numéro, elle se sentait meurtrie et peinée d'être contrainte à cette démarche. Elle n'avait aucune envie de parler ni à Rupert ni à Allan, elle voulait oublier l'existence de ces deux salauds, les chasser de sa mémoire.

Une voix masculine la fit soudain sursauter.

« Allô ? Allô ? »

Milly enfonça ses ongles dans la paume de sa main.

« Allô, dit-elle enfin. Monsieur Carr ?

— Lui-même, oui.

— Ah, bien. » Elle s'éclaircit la voix. « Pourrais-je... parler à Rupert, s'il vous plaît ?

— Il n'est pas ici. Avez-vous essayé son numéro à Londres ?

— Non, je ne l'ai pas. » Milly était surprise de réussir à s'exprimer avec tant de naturel. Elle jeta un coup d'œil à Isobel, qui lui adressa un signe de tête approbateur. « Je

120

suis une ancienne camarade d'Oxford, je souhaitais juste reprendre contact avec lui.

— Il vit à Londres. Il est avocat et travaille dans un grand cabinet. Je vais vous donner le numéro de son domicile. »

Milly n'en revenait pas : c'était aussi simple que cela ! Durant des années, elle avait cru Allan et Rupert complètement sortis de sa vie, elle les imaginait à l'autre bout du monde, peut-être, elle les voyait à travers une sorte de brouillard, telles de vagues silhouettes disparues à jamais. Et voilà qu'elle était en train de parler avec le père de Rupert, et que dans un instant elle parlerait à Rupert lui-même. Dans un instant elle entendrait le son de la voix de Rupert...

« Vous ai-je déjà rencontrée ? disait M. Carr. Étiez-vous au collège Corpus Christi ?

— Non. Excusez-moi, il faut que je vous laisse. Merci infiniment. »

Milly raccrocha et garda les yeux fixés sur le téléphone. Puis elle prit une profonde inspiration, décrocha à nouveau et composa le numéro de Rupert.

« Allô ? fit une voix féminine, plutôt aimable.

— Allô, pourrais-je parler à Rupert, s'il vous plaît ? dit Milly d'une seule traite. C'est très important, ajouta-t-elle.

— Bien sûr. Puis-je savoir qui le demande ?

— Milly. Milly d'Oxford. »

Pendant qu'elle patientait, Milly tortilla le fil du téléphone entre ses doigts et s'efforça de conserver son calme. Elle n'osait pas regarder Isobel, de peur de craquer. Dix ans, c'était long. À quoi ressemblait Rupert maintenant ? Que lui dirait-il ? Elle entendait de la musique en arrière-fond et imagina Rupert allongé par terre, écoutant du jazz en fumant un joint. Ou peut-être jouait-il aux cartes, assis dans un vieux fauteuil en velours, en sirotant du whisky.

121

Peut-être jouait-il aux cartes avec Allan. Milly tressaillit. Peut-être que, d'une minute à l'autre, elle aurait Allan au bout du fil.

« Je regrette, dit la voix féminine, mais Rupert est occupé pour le moment. Je peux prendre un message ?

— Non, mais pourriez-vous lui demander de me rappeler, s'il vous plaît ?

— Naturellement.

— Mon numéro est Bath 89406.

— C'est noté.

— Je vous remercie. » Milly regarda les chiffres qu'elle avait griffonnés sur le bloc-notes. Elle se sentait soulagée. Elle aurait dû faire cela depuis longtemps, c'était bien plus facile qu'elle ne l'avait imaginé. « Vous êtes la colocataire de Rupert ? s'enquit-elle sur le ton de la conversation. Ou une amie, peut-être ?

— Non, ni l'un ni l'autre, répondit la voix féminine, un peu surprise. Je suis sa femme. »

6

Assis près du feu dans sa confortable maison londo-
nienne, Rupert Carr tremblait de peur. Comme elle raccro-
chait, Francesca lui lança un regard curieux, et il sentit son
estomac se nouer. Qu'est-ce que Milly avait dit exactement
à Francesca ?

« Qui est Milly ? Pourquoi refuses-tu de lui parler ?

— C'est une f... fille un peu bizarre que j'ai c... connue
autrefois », répondit Rupert, furieux de ne pas maîtriser
son bégaiement. Il haussa les épaules avec une désinvolture affectée, mais il était cramoisi et un tic nerveux agitait
sa bouche. « Je n'ai aucune idée de ce qu'elle veut. Je la
rappellerai demain du bureau. » Il s'obligea à relever la
tête et à soutenir le regard de sa femme. « Mais pour le
moment j'aimerais revoir le texte de ma lecture.

— D'accord. »

Francesca lui sourit et vint s'asseoir près de lui sur le
canapé – un élégant canapé en cuir, cadeau de mariage
d'un des riches oncles de la jeune femme. Face à eux, dans
un canapé assorti, acheté, celui-là, par Rupert et Francesca, étaient installés Charlie et Sue Smith-Halliwell, leurs
plus proches amis. Tous quatre prenaient un verre avant
de se rendre à l'office à Sainte-Catherine, où Rupert devait
lire un passage de l'Évangile devant l'assemblée des fidèles.

Pour l'instant il évitait leurs regards et gardait les yeux fixés sur sa bible, mais les mots dansaient devant lui et ses mains transpiraient.

« Désolée, Charlie. » Francesca tendit le bras derrière elle et baissa légèrement le son du disque de Kiri te Kanawa. « Qu'est-ce que tu disais ?

— Rien de très profond, répliqua Charlie en riant. Je pense simplement que c'est à des gens comme nous (il désigna les quatre personnes réunies dans la pièce) qu'il revient d'encourager les familles à venir à l'église.

— Au lieu de passer leur dimanche matin chez Ikea, renchérit Francesca.

— La famille est la cellule de base de la société, affirma Charlie.

— Le problème, c'est qu'elle ne l'est plus actuellement, riposta aussitôt Sue d'une façon qui indiquait que cette discussion n'était pas nouvelle. La famille, c'est considéré comme ringard, aujourd'hui ! Il n'y a que des parents isolés, des couples de lesbiennes…

— Avez-vous entendu parler de cette version gay du Nouveau Testament ? dit Francesca. Je dois vous avouer que j'ai été très choquée.

— Tout cela me rend littéralement malade, commenta Charlie, les mains crispées sur son verre. Ces gens sont des monstres.

— Oui, mais on ne peut pas les ignorer, objecta Sue. On ne peut pas rejeter toute une partie de la société, même si elle est complètement dans l'erreur. Qu'en penses-tu, Rupert ? »

Rupert leva les yeux. Il avait la gorge nouée.

« Pardon, je n'écoutais pas vraiment.

— Oh, excuse-nous, dit Sue avec un grand sourire. Tu veux te concentrer, n'est-ce pas ? Tu seras parfait, comme toujours. C'est drôle, tu ne bégaies jamais quand tu lis.

— Je te considère comme un des meilleurs lecteurs de Sainte-Catherine, Rupe, lança Charlie d'un ton jovial. Sûrement à cause de ta formation universitaire. À Sandhurst, les militaires ne nous ont guère appris l'art de la diction.

— Ce n'est pas une excuse ! protesta Sue. Dieu nous a tous dotés d'une bouche et d'un cerveau, non ? Que vas-tu lire, Rupert ?

— Saint Matthieu, chapitre 26. Le reniement du Christ par Pierre. »

Il y eut un bref silence.

« Pierre, répéta Charlie avec gravité. Quel effet cela devait faire, d'être Pierre ?

— Tais-toi, dit Francesca avec un frisson. Quand je pense que j'ai été à deux doigts de perdre complètement la foi…

— Oui, mais tu n'as jamais renié Jésus, n'est-ce pas ? » rétorqua Sue. Elle prit la main de son amie. « Même le lendemain, quand je suis venue te voir à l'hôpital.

— J'éprouvais une telle colère. Et une telle honte, aussi. J'avais le sentiment que je ne méritais pas d'avoir un enfant, d'une certaine manière.

— Pourtant tu le mérites, assura Charlie. Vous le méritez tous les deux. Et vous en aurez un. N'oubliez pas : Dieu est avec vous.

— Je sais », murmura Francesca. Elle regarda son mari. « N'est-ce pas, mon chéri, qu'Il est avec nous ?

— Oui, répondit Rupert comme si ce mot lui écorchait les lèvres. Dieu est avec nous. »

Toutefois, Dieu n'était pas avec lui, il le savait bien. Lorsqu'ils eurent tous quatre quitté la maison et pris la direction de l'église Sainte-Catherine, située à dix minutes à pied, sur une petite place de Chelsea, Rupert se surprit à ralentir le pas. Il avait envie qu'on le laisse en arrière, qu'on ne s'occupe plus de lui, qu'on l'oublie. Mais c'était impossible : à Sainte-Catherine on n'oubliait personne. Quiconque franchissait le seuil de l'église faisait aussitôt partie de la famille. Les visiteurs occasionnels étaient accueillis avec un enthousiasme souriant, on leur faisait sentir qu'ils étaient reconnus et aimés, et on les exhortait à revenir. La plupart revenaient, d'ailleurs ; quant aux autres, ils recevaient des coups de fil pleins de sollicitude : « On voulait juste prendre de vos nouvelles. On se soucie de vous, on vous aime, vous savez. » Les sceptiques étaient reçus avec presque plus d'intérêt que les croyants ; on les encourageait à exprimer leurs réserves et, plus leurs arguments étaient convaincants, plus les sourires s'élargissaient. Les fidèles de Sainte-Catherine souriaient beaucoup, ils affichaient leur félicité et avançaient nimbés d'un halo de certitude.

Leur certitude, voilà ce qui avait attiré Rupert à Sainte-Catherine. Lors de sa première année au cabinet d'avocats, rongé par le doute, il avait connu Tom Innes, avocat lui aussi – un homme ouvert, amical, dont la vie sociale était solidement organisée autour de Sainte-Catherine. Tom connaissait toutes les réponses et, quand il ne connaissait pas la réponse, il savait où la chercher. Rupert n'avait encore jamais rencontré un homme aussi heureux que Tom. Lui qui, à cette époque, croyait ne plus jamais pouvoir être heureux, il s'était jeté avec une sorte de désespoir dans la vie de Tom, dans la religion, dans le mariage. Maintenant, l'existence de Rupert était bien réglée, elle avait un sens, et il s'en réjouissait. Depuis trois ans, il était marié et heureux avec Francesca, vivait dans une maison confortable, et sa carrière se déroulait de façon satisfaisante.

Tout le monde ignorait son passé, tout le monde ignorait l'existence d'Allan dans sa vie. Il n'en avait jamais parlé à personne, ni à Francesca, ni à Tom, ni au pasteur, ni même à Dieu.

Tom les attendait à la porte de l'église. Il avait revêtu, comme Rupert et Charlie, un costume de bonne coupe, une chemise de marque, une cravate en soie. Tous les hommes à Sainte-Catherine s'habillaient de la même façon, avaient la même coupe de cheveux et arboraient la même chevalière en or massif ; le week-end, ils enfilaient tous un pantalon et une chemise décontractés – toujours de bonne marque – ou des vêtements de chasse en tweed.

« Rupert ! Content de te voir. Fin prêt pour ta lecture ?

— Absolument.

— Parfait. » Tom sourit à Rupert, et celui-ci sentit un léger frisson lui parcourir l'échine – le même frisson qu'il avait ressenti la première fois qu'il avait rencontré Tom. « J'espère que tu liras quelque chose lors de la prochaine réunion du groupe d'étude de la Bible de notre cabinet.

— Bien entendu. Que souhaites-tu ?

— Nous en discuterons plus tard. »

Tom sourit à nouveau, puis se tourna vers quelqu'un d'autre ; bêtement, Rupert éprouva une légère déception.

Non loin devant lui, Sue et Francesca embrassaient leurs amies avec effusion, Charlie secouait vigoureusement la main d'un ancien camarade de classe. Partout où il tournait les yeux, Rupert voyait affluer des hommes et des femmes habillés avec élégance.

« J'ai demandé à Jésus, disait une voix derrière lui. J'ai demandé à Jésus et en me réveillant j'avais la réponse parfaitement claire dans ma tête. Alors je suis retourné voir mon client et je lui ai dit...

« — Je ne comprends pas pourquoi ces gens sont incapables de se maîtriser ! déplorait Francesca d'une voix âpre, les yeux légèrement brillants. Toutes ces femmes célibataires, qui n'ont même pas les moyens de subvenir à leurs propres besoins...

— Oui, mais pense au milieu d'où elles viennent, répliqua une femme blonde qui portait une veste Armani et souriait d'un air mielleux. Elles ont besoin de notre aide et de notre soutien, pas de notre condamnation.

— Je sais, mais c'est difficile. »

Francesca, d'un geste inconscient, passa la main sur son ventre plat. Rupert, dans un élan de compassion, la rejoignit et l'embrassa dans le cou.

« Ne t'inquiète pas, murmura-t-il à son oreille. Nous aurons un bébé, tu verras. »

Elle fit volte-face et le regarda dans les yeux. « Et si Dieu ne veut pas que j'aie un bébé ?

— Il le veut, dit Rupert avec toute la conviction dont il était capable. J'en suis certain. »

Francesca soupira, et Rupert éprouva un brusque sentiment de panique. Il ne connaissait pas les réponses. Comment l'aurait-il pu ? Il était revenu au sein de l'Église depuis moins longtemps que Francesca, était moins familiarisé qu'elle avec la Bible, était moins diplômé qu'elle, gagnait même moins d'argent qu'elle, et pourtant elle s'en remettait constamment à lui ; elle tenait à respecter le vœu d'obéissance qu'elle lui avait fait en l'épousant et elle espérait de lui qu'il la guide et la conseille en tout.

La foule se dispersa peu à peu et les gens prirent place sur les bancs ; certains se mirent à genoux, d'autres s'assirent, les yeux fixés devant eux en attendant le début de l'office, tandis que quelques personnes continuaient à bavarder. Beaucoup tenaient déjà à la main des billets de banque flambant neufs pour la quête. La somme d'argent

collectée à Sainte-Catherine lors de chaque office équiva-
lait à peu près au montant réuni en une année dans la
petite église de Cornouailles que fréquentait Rupert quand
il était enfant. Ici, les fidèles pouvaient se permettre de
faire des largesses sans que cela affecte pour autant leur
mode de vie : ils ne se privaient pas d'acheter des voitures
haut de gamme, de consommer des aliments de luxe, de
partir en vacances à l'étranger. C'était le public rêvé pour
des publicitaires, se dit Rupert ; si l'église vendait l'espace
de ses murs à une agence de pub, elle ferait fortune.
Rupert sourit malgré lui : ce genre de remarque était
typique d'Allan.

La voix de Tom l'interrompit dans ses pensées.
« Rupert ! Viens t'asseoir devant. »

Rupert s'installa sur la chaise qui lui était destinée et
regarda l'assemblée qui lui faisait face. Des visages familiers l'observaient, quelques personnes lui souriaient. Il
s'efforça de sourire à son tour, mais tout à coup il fut
gêné devant ces centaines d'yeux qui le scrutaient. Qui
voyaient-ils en lui, tous ces chrétiens ? Qui croyaient-ils
avoir devant eux ? Une frayeur puérile saisit Rupert. Ils
croient tous que je suis comme eux, songea-t-il soudain,
mais ce n'est pas vrai, je suis différent.

La musique commença à se faire entendre, et tout le
monde se leva. Rupert se leva aussi et suivit docilement
des yeux les mots imprimés sur la feuille de papier jaune.
La mélodie du cantique était gaie, les paroles joyeuses et
exaltantes. Mais, loin d'être exalté, il se sentait ronger par
un poison. Incapable de chanter, incapable de se libérer
des pensées qui tournaient en rond dans sa tête, il ne
pouvait que se répéter : Ils croient tous que je suis comme
eux, mais ce n'est pas vrai, je suis différent.

Il avait toujours été différent. Enfant, en Cornouailles,
parce qu'il était le fils du directeur de son école, il s'était

retrouvé à part dès le début ; alors que les autres pères conduisaient des tracteurs et buvaient de la bière, le sien lisait les poètes grecs anciens et flanquait des retenues à ses copains de classe. M. Carr avait été un directeur d'école très apprécié – le plus populaire que l'école avait jamais connu –, mais cela n'avait guère rendu service à Rupert, qui, par nature, était un garçon studieux, peu doué pour le sport et timide. Les garçons se moquaient de lui, les filles l'ignoraient, si bien que, peu à peu, il s'était mis à bégayer et à se replier sur lui-même.

Puis, vers l'âge de treize ans, ses traits enfantins avaient disparu ; Rupert était devenu un jeune homme au physique très séduisant, et la situation avait empiré. Tout à coup, les filles le poursuivaient et lui faisaient des avances, et les garçons le considéraient avec des regards envieux. Parce qu'il était beau, on supposait qu'il pouvait coucher avec toutes les filles qu'il voulait, et que c'était ce qu'il faisait. Presque tous les samedis soir, Rupert emmenait une fille au cinéma, s'installait avec elle au fond de la salle et mettait ostensiblement son bras autour des épaules de l'élue du jour. Le lundi suivant, la fille échangeait avec ses copines des rires hystériques, battait des cils et glissait des allusions. La réputation de Rupert ne cessait de croître. À sa stupéfaction, aucune des filles avec qui il sortait ne dévoilait jamais que ses prouesses sexuelles se limitaient à un baiser d'adieu. Quand il eut atteint l'âge de dix-huit ans, il était sorti avec toutes les filles de son lycée mais était toujours puceau.

Il s'était imaginé qu'à Oxford les choses changeraient, qu'il s'intégrerait, rencontrerait des filles d'un autre style, se sentirait à l'aise dans ce milieu. Bronzé et en pleine forme après un été au bord de la mer, il avait aussitôt attiré les regards. Les étudiantes affluaient autour de lui

– des filles intelligentes, charmantes, tout à fait le genre dont il rêvait.

Mais, maintenant qu'il les avait trouvées, il n'en voulait pas. Il ne parvenait pas à désirer ces filles sophistiquées, ces intellectuelles sérieuses. C'étaient les hommes qui le fascinaient à Oxford. Les hommes. Il les détaillait à la dérobée pendant les cours, les observait dans la rue, les approchait dans les pubs : des étudiants en droit, élégants avec leurs gilets de soie, des étudiants français aux cheveux courts, chaussés de Doc Martens, des membres de la compagnie théâtrale qui se réunissaient au pub après le spectacle, encore maquillés, et qui par jeu s'embrassaient sur la bouche.

Parfois l'un des comédiens remarquait les regards que Rupert leur jetait et l'invitait à se joindre à eux. À plusieurs reprises, on lui avait fait des propositions sans ambiguïté, mais chaque fois il avait reculé, fou de peur. Il ne pouvait admettre qu'il était attiré par les hommes. Il ne pouvait reconnaître son homosexualité. Il ne le pouvait tout simplement pas.

À la fin de sa première année à Oxford, il était toujours puceau et plus solitaire que jamais. Il ne faisait partie d'aucun groupe, n'avait pas de liaison amoureuse, ni avec un homme ni avec une femme. À cause de son physique si séduisant, ses camarades de fac prenaient sa timidité pour de la distance, lui prêtaient une confiance en soi et une assurance qu'il ne possédait pas, supposaient que sa vie sociale se déroulait en dehors de l'université ; résultat : ils ne s'occupaient pas de lui. Si bien qu'à la fin du troisième trimestre Rupert passait la plupart de ses soirées seul dans sa chambre à boire du whisky.

Puis on l'envoya, pour une séance de travaux dirigés, à Allan Kepinski, un chercheur américain. Ils discutèrent du *Paradis perdu* de Milton et s'animèrent de plus en plus au fur et à mesure que l'après-midi avançait. À la fin de la séance, Rupert était tout échauffé par leur discussion passionnée et par l'atmosphère électrique qui s'était établie entre eux. Allan était penché vers Rupert et leurs visages se touchaient presque.

Alors, sans un mot, Allan se pencha davantage et effleura de ses lèvres celles de Rupert, dont le corps fut parcouru par une excitation intense. Il ferma les yeux ; il désirait une seule chose : qu'Allan continue à l'embrasser et se serre davantage contre lui. Avec douceur et tendresse, Allan prit Rupert dans ses bras, se laissa glisser avec lui sur le tapis, et lui ouvrit les portes d'une vie nouvelle.

Après, Allan expliqua à Rupert à quels risques exactement il s'était exposé en faisant le premier pas.

« Tu aurais pu m'envoyer tout droit en prison, dit-il de sa voix légèrement ironique, en caressant les cheveux ébouriffés de Rupert. Ou du moins m'obliger à rentrer dans mon pays par le premier avion. Draguer les étudiants n'est pas vraiment conforme à la déontologie.

— Au diable la déontologie ! » répliqua Rupert en se renversant en arrière. Un soulagement immense, un extraordinaire sentiment de libération l'envahit. « Mon Dieu, c'est incroyable ! Je n'aurais jamais imaginé… »

Allan sourit, amusé. « Non, je sais. »

Cet été-là resta gravé dans la mémoire de Rupert comme une période totalement grisante. Il passa toutes les vacances avec Allan ; il ne faisait qu'un avec lui, partageait ses repas avec lui, dormait avec lui, l'aimait et le respectait. À ses yeux, personne d'autre ne comptait, personne d'autre n'existait.

Milly n'éveilla pas le moins du monde son intérêt ; Allan, en revanche, l'aimait bien, il la trouvait charmante à cause de sa naïveté, et son innocent bavardage l'amusait.

Mais, pour Rupert, ce n'était qu'une fille stupide, une écervelée comme tant d'autres, qui lui faisait perdre son temps et lui volait une partie de l'attention d'Allan.

« Rupert ? » La femme assise à côté de lui le poussait du coude et il se rendit compte que le cantique était terminé. Il se redressa brusquement et s'efforça de reprendre ses esprits.

Mais évoquer Milly l'avait déstabilisé, maintenant il ne pouvait penser à rien d'autre. « Milly d'Oxford », s'était-elle présentée au téléphone ce soir-là. Une vague de colère et de peur le parcourut au souvenir de ce nom dans la bouche de sa femme. Qu'est-ce qui lui prenait, de téléphoner ainsi dix ans après ? Comment s'était-elle procuré son numéro ? Ne comprenait-elle pas que tout avait changé ? Qu'il n'était pas homosexuel ? Que toute cette histoire n'avait été qu'une terrible méprise ?

« Rupert ! C'est à toi ! » souffla sa voisine, et il revint à lui d'un seul coup. Il posa avec soin sa feuille imprimée jaune, prit sa bible, se leva, puis il s'avança lentement jusqu'au lutrin, plaça sa bible dessus et fit face à l'assemblée.

« Je vais vous lire un passage de l'Évangile selon saint Matthieu, dont le thème est le reniement. Comment pouvons-nous vivre en paix avec nous-mêmes si nous renions celui que nous aimons sincèrement ? »

Il ouvrit la bible avec des mains tremblantes et inspira à fond. *Je lis cela pour Dieu*, se dit-il, *comme tous ceux qui lisent ici, à Sainte-Catherine. Je lis cela pour Jésus.* L'image d'un visage grave – le visage d'un homme trahi – s'imposa à son esprit, et un sentiment de culpabilité familier le traversa. Seulement, ce n'était pas le visage de Jésus qu'il voyait, mais celui d'Allan.

7

Le lendemain matin, Isobel et Milly attendirent que quelques clients investissent la cuisine pour s'esquiver avant qu'Olivia puisse leur demander où elles allaient.

« Bon, dit Isabel en ouvrant les portières de sa voiture. Je crois qu'il y a un rapide pour Londres à huit heures trente, tu devrais pouvoir l'attraper.

— Et si l'autre parle ? s'inquiéta Milly en levant les yeux vers la fenêtre de la chambre d'Alexander, dont les rideaux étaient fermés. S'il révèle tout à Simon pendant mon absence ?

— Il ne le fera pas. Simon a du travail, ce matin, non ? Alexander n'essaiera même pas de le joindre. Et d'ici là, toi au moins tu seras fixée. Allez, monte.

— Je n'ai pas fermé l'œil de la nuit, se plaignit Milly, quand sa sœur démarra. J'étais trop à cran. Depuis dix ans, je croyais être mariée, et maintenant... peut-être que je ne le suis pas !

— Tu n'as aucune certitude pour l'instant.

— Je sais, mais ça paraît logique, non ? Pourquoi Allan aurait-il entamé la procédure de divorce et ne serait-il pas allé jusqu'au bout ? Il l'a sûrement fait.

— Possible.

— Ne sois pas si pessimiste ! Tu as dit toi-même que...

— En effet, et j'espère vraiment que tu es divorcée. Seulement, à ta place, je ne me réjouirais pas avant d'en être sûre.

— Je ne me réjouis pas. Pas encore. Je… j'ai de l'espoir, c'est tout. »

Elles stoppèrent à un feu et regardèrent un groupe d'enfants, en rangs par deux, tous vêtus de duffle-coats rouges, traverser la rue.

« Évidemment, dit Isobel, si ton cher ami Rupert s'était donné la peine de rappeler, tu serais peut-être en contact avec Allan à l'heure qu'il est. Tu saurais à quoi t'en tenir, dans un sens ou dans l'autre.

— Le salaud ! M'ignorer de cette façon ! Il doit bien se douter que j'ai des problèmes, sinon pourquoi lui aurais-je téléphoné ? Comment peut-on être aussi égoïste ?

— La plupart des gens sont égoïstes, crois-en mon expérience.

— Et comment se fait-il qu'il soit marié, tout à coup ?

— C'est ça la réponse, c'est pour cette raison qu'il ne t'a pas rappelée. »

Milly effaça la buée sur sa vitre et observa les gens dans la rue : ils se hâtaient vers leur travail, pataugeant dans la neige qui se transformait en boue sous leurs pieds, et jetaient un coup d'œil au passage sur les vitrines des boutiques encore closes où s'étalaient des affiches agressives annonçant les soldes.

« Que comptes-tu faire, questionna Isobel, si tu découvres que tu es divorcée ?

— Comment ça ?

— Tu le diras à Simon ?

— Je ne sais pas, répondit Milly après un silence. Peut-être que ce ne sera pas indispensable.

— Milly…

— Je suis consciente que j'aurais dû lui parler dès le début. J'aurais dû tout lui avouer depuis des mois et régler le problème à ce moment-là. Seulement je ne l'ai pas fait ; je ne peux pas revenir en arrière, il est trop tard.

— Et alors ? Tu peux très bien le lui dire maintenant.

— Mais c'est complètement différent, aujourd'hui ! Nous nous marions dans trois jours. Les choses se passent pour le mieux, pourquoi tout gâcher à cause de... de ça ? »

Isobel garda le silence.

« Tu penses probablement que je devrais le lui avouer malgré tout, reprit Milly peu après. Tu considères sans doute qu'on ne doit pas avoir de secrets pour quelqu'un qu'on aime.

— Non. En fait, je ne le pense pas. » Milly regarda sa sœur avec surprise. Isobel détourna les yeux et se cramponna au volant. « On peut très bien aimer quelqu'un et lui cacher quelque chose.

— Pourtant...

— Si ce quelque chose risque de le troubler inutilement. S'il s'agit d'un secret qu'il n'a pas besoin de connaître. Il y a des secrets qu'il vaut mieux taire.

— Par exemple ? À quoi fais-tu allusion ?

— À rien.

— Tu as un secret ? »

Isobel se tut. Milly scruta avec attention le visage de sa sœur et tenta de déchiffrer son expression. Tout à coup, elle fut frappée par une évidence.

« Tu es malade, c'est ça ? dit-elle, horrifiée. Seigneur, tout s'explique. Voilà pourquoi tu es si pâle. Tu as une terrible maladie et tu ne veux pas qu'on le sache ! Tu penses qu'il vaut mieux ne rien nous dire ! Qu'est-ce que tu attends ? De mourir ?

— Milly ! répliqua Isobel d'un ton sec. Je ne vais pas mourir. Je ne suis pas malade.

— Alors, quel est ton secret ?

— Je n'ai jamais dit que j'en avais un. Je parlais en général. Nous y sommes. » Elle gara la voiture sur le parking de la gare, ouvrit sa portière et descendit sans un regard pour Milly.

Milly la suivit à contrecœur. À l'instant où elle pénétrait dans le hall de la gare, un train démarrait, un autre arrivait, et une foule de voyageurs commença à affluer vers la sortie – des gens insouciants, heureux, qui saluaient leurs amis avec de grands gestes ; des gens pour qui le mot « mariage » était synonyme de bonheur et de fête.

« Mon Dieu, murmura-t-elle en rattrapant Isobel. Je n'ai pas envie d'y aller. Je n'ai pas envie de savoir. Je voudrais oublier toute cette histoire.

— Il faut que tu le fasses, tu n'as pas le choix. » Isobel changea subitement de couleur. « Achète ton billet, dit-elle dans un souffle. Je reviens tout de suite. »

Et, sous les yeux stupéfaits de sa sœur, elle se précipita vers les toilettes. Milly la regarda s'éloigner, puis se tourna vers l'employée du guichet.

« Un aller-retour Londres pour la journée, s'il vous plaît. »

Qu'avait donc Isobel, bon sang ? Si elle n'était pas malade, quelque chose ne tournait pas rond, c'était certain. Elle ne pouvait pas être enceinte, elle n'avait pas de petit ami.

Isobel réapparut. « Bon. Tu as ton billet ?

— Tu es enceinte ! s'exclama Milly. C'est ça ? »

Isobel recula comme sous l'effet d'une gifle. « Non.

— Si, c'est évident !

— Ton train part dans une minute, tu vas le rater.

« — Tu es enceinte, et tu ne me le disais pas ! Quand même, Isobel, tu aurais pu m'en parler ! Je vais être tante !

— Non, riposta Isobel d'un ton brusque. Tu ne le seras pas. »

Milly la dévisagea sans comprendre. Puis elle réalisa avec horreur ce que sa sœur insinuait.

« Non ! Tu ne peux pas faire ça ! Tu ne peux pas ! Tu n'y penses pas sérieusement, n'est-ce pas ?

— Je ne sais pas. Je ne sais pas, OK ? » fit Isobel d'une voix presque hystérique. Elle avança de deux pas vers Milly, lui étreignit les mains, puis recula, tel un animal en cage.

« Isobel…

— Ton train va partir. Vas-y ! Vite !

— Je prendrai le suivant.

— Non ! Il ne te reste pas assez de temps. File ! »

Milly dévisagea Isobel en silence pendant quelques secondes. Jamais, jusque-là, elle n'avait vu sa sœur avoir l'air vulnérable, et cela la mettait mal à l'aise.

« D'accord, dit-elle enfin. J'y vais.

— Bonne chance.

— On parlera de… de ça quand je reviendrai.

— Peut-être. »

Quand Milly se retourna pour lui faire un signe d'adieu, Isobel avait déjà disparu.

À son retour, Isobel trouva sa mère qui l'attendait dans la cuisine.

« Où est Milly ?

— À Londres pour la journée.

— À Londres ? Et pourquoi diable ?

— Acheter un cadeau pour Simon. »

Isobel attrapa une boîte de biscuits, sous le regard insistant d'Olivia.

« Ah bon ? Pourquoi Londres ? Elle pouvait très bien le faire ici.

— Elle avait envie d'aller à Londres. Ça pose un problème ?

— Oui, répliqua Olivia avec humeur. Évidemment ! Tu réalises quel jour on est ?

— Oui. » Isobel mordit avec délice dans un sablé. « Jeudi.

— Exactement ! Plus que deux jours, et il me faut encore régler une foule de détails. Milly était censée m'aider. Elle ne réfléchit à rien !

— Laisse-la souffler, elle a l'esprit absorbé par tant de choses.

— Moi aussi, figure-toi ! Je dois m'occuper des imprimés supplémentaires pour l'office, vérifier le plan de table et, pour couronner le tout, la tente vient d'arriver. Qui va m'accompagner pour la voir ? »

Un silence s'installa. Isobel engloutit un autre sablé.

« C'est bon, soupira-t-elle. J'irai avec toi. »

Simon et Harry marchaient dans Parham Place, une large avenue qui respirait la richesse et le raffinement ; à cette heure matinale, les habitants de ce quartier chic – membres de professions libérales ou industriels de haut vol – se rendaient à leur travail. Au passage des deux hommes, une jolie jeune femme brune, qui montait dans sa voiture, sourit à Simon. Un peu plus loin, des ouvriers du bâtiment, assis sur le seuil d'un immeuble, buvaient du thé brûlant.

« Nous y voici, dit Harry en s'arrêtant devant un escalier en pierre qui menait à une porte peinte en bleu vif. Tu as les clés ? »

Simon grimpa les marches sans un mot et enfonça la clé dans la serrure. Il pénétra dans un hall spacieux et ouvrit une seconde porte, sur la gauche.

« Vas-y, entre », lui dit Harry.

Sitôt le seuil franchi, Simon se rappela pourquoi Milly et lui avaient eu le coup de foudre pour cet appartement : non seulement il était vaste, avec des murs blancs et de très hauts plafonds, mais il y avait du plancher dans toutes les pièces. Aucun des appartements qu'ils avaient visités n'approchait de celui-ci ; aucun n'était à un prix aussi prohibitif.

« Il te plaît ? questionna Harry.

— Il est super. » Simon caressa le dessus d'une cheminée. « Super », répéta-t-il, incapable de trouver d'autres mots.

L'appartement était magnifique, parfait. Milly adorerait y vivre. Pourtant, Simon se sentait plein de rancœur.

« Belle hauteur sous plafond », commenta Harry. Il ouvrit un placard en bois sculpté, jeta un coup d'œil à l'intérieur, le referma. Puis il se dirigea vers la fenêtre et ses pas résonnèrent sur le plancher nu. « Jolis volets en bois, dit-il en tapant dessus d'un air approbateur.

— Oui, ils sont super. »

Tout était super. Impossible de déceler le moindre défaut.

« Il vous faudra acheter des meubles adéquats. Auras-tu besoin d'aide pour cela ? s'enquit Harry en regardant son fils.

— Non, je te remercie.

— Bon, en tout cas, j'espère que tu aimes cet appartement.

— Il est très beau, acquiesça Simon avec froideur. Milly va l'adorer.

— Tant mieux. Où est-elle, aujourd'hui ?

— À Londres, pour une mystérieuse mission. Je crois qu'elle a l'intention de m'acheter un cadeau.

— Que de cadeaux ! fit Harry d'un ton léger. Vous allez être très gâtés.

— Je l'amènerai ici ce soir, si ça ne pose pas de problème.

— Aucun. C'est ton appartement, fais comme tu veux. »

Ils sortirent de la pièce principale. Le couloir était large et clair. La plus grande des deux chambres donnait sur le jardin, une porte-fenêtre ouvrait sur un petit balcon en fer forgé.

« Vous n'avez pas besoin de plus de deux chambres. Vous n'envisagez pas d'avoir des enfants tout de suite, dit Harry avec une nuance interrogative dans la voix.

— Oh non, nous avons du temps devant nous, Milly n'a que vingt-huit ans. »

Harry appuya sur un interrupteur et l'ampoule nue suspendue au plafond jeta une lumière vive dans la pièce. « Il vous faudra des abat-jour, ou un plafonnier.

— Oui. » Simon dévisagea son père. « Tu penses que nous devrions avoir des enfants tout de suite ?

— Non ! Absolument pas.

— Vraiment ? C'est pourtant ce que tu as fait.

— Je sais. Ç'a été notre erreur. »

Simon se raidit.

« J'ai été une erreur, n'est-ce pas ? Le résultat d'une erreur humaine ?

— Tu sais bien que je n'ai pas voulu dire ça, répliqua Harry, agacé. Arrête d'être aussi susceptible.

— Difficile de réagir autrement, quand tu me dis que je n'ai pas été désiré.

— Bien sûr que si, tu as été désiré. Tu es juste arrivé un peu trop tôt.

— Désolé de m'être pointé sans avoir été invité, s'entêta Simon, furieux. Mais je n'avais pas tout à fait le choix, il me semble, ce n'était pas à moi de décider du moment de mon arrivée !

— Écoute, Simon, tout ce que j'ai voulu dire, c'est que…

— Je sais ! » Simon s'approcha de la fenêtre et fixa des yeux le jardin enneigé. Il s'efforça de contrôler sa voix. « Je dérangeais, n'est-ce pas ? Et je continue à déranger.

— Simon…

— Eh bien, rassure-toi, je ne te dérangerai pas davantage. » Simon se retourna, tremblant de rage. « Merci beaucoup, mais l'appartement, tu peux te le garder ! Milly et moi, on se débrouillera tout seuls. »

Il jeta les clés sur le parquet ciré et fonça vers la porte.

« Simon ! cria Harry, en colère. Cesse de faire l'imbécile !

— Désolé d'avoir été en travers de ton chemin durant toutes ces années. Mais samedi je m'en vais et tu ne seras plus jamais obligé de me revoir. Ce sera sûrement un soulagement, pour toi comme pour moi. »

Sur ces mots, Simon claqua la porte et Harry resta là, à contempler le trousseau de clés qui scintillait au soleil.

Le bureau de l'état civil – une salle vaste et claire, avec de la moquette verte – comportait des rangées entières de registres, alignés sur des étagères modernes en bois de hêtre, et classés en trois parties : naissances, mariages, décès. La section des mariages était de loin la plus fréquentée ; tandis qu'elle se frayait timidement un chemin vers les étagères, Milly fut tout à coup entourée de gens qui sortaient des registres, puis les remettaient en place, griffonnaient des notes sur un bout de papier, parlaient entre eux à voix basse. Sur le mur, une affiche indiquait : *Nous pouvons vous aider à reconstituer votre arbre généalogique.* Deux dames d'un certain âge compulsaient un registre des années 1800. « Charles Forsyth ! s'exclama l'une d'elles. Mais s'agit-il bien du nôtre ? » Personne n'avait l'air anxieux ou coupable, chacun semblait avoir trouvé le moyen d'occuper la matinée de façon agréable.

Sans oser regarder quiconque dans les yeux, Milly se dirigea vers les registres les plus récents, en saisit un et hésita ; l'espace d'un instant, elle fut remplie d'un fol espoir mais, soudain, le nom lui sauta aux yeux : *Havill, Melissa G.-Kepinski. Oxford.*

Le découragement l'envahit. Elle n'avait pu s'empêcher de croire, en dépit de toute raison, que son mariage avec Allan avait échappé aux mailles de la légalité. Mais il avait bel et bien été enregistré, il figurait là, noir sur blanc, et n'importe qui pouvait le voir. Quelques minutes d'égarement, à la mairie d'Oxford, avaient abouti à cette preuve durable, à cette trace malheureuse qui ne disparaîtrait jamais. Milly contempla la page du registre, incapable d'en détacher son regard, jusqu'à ce que les mots se mettent à danser devant ses yeux.

« On peut vous fournir un certificat, vous savez. » Une voix enjouée la fit sursauter et elle cacha aussitôt le nom avec sa main. Un jeune homme aimable portant un badge se tenait devant elle. « Nous procurons des certificats de mariage. Il est possible de les faire encadrer, c'est une belle idée de cadeau.

— Non, je vous remercie. » La suggestion de l'employé faillit déclencher un rire hystérique chez Milly. Elle jeta un dernier coup d'œil sur son nom, puis referma le registre d'un coup sec, comme si elle voulait, par ce geste, annihiler les lignes compromettantes. « En fait, je recherche la liste des divorces.

— Alors vous n'êtes pas au bon endroit ! fit remarquer le souriant jeune homme. Il faut que vous alliez à Somerset House. »

Jamais Isobel n'avait vu de tente aussi gigantesque – une tente qui se gonflait au vent de façon spectaculaire, une espèce d'énorme champignon blanc, si imposant que les voitures et les camionnettes paraissaient minuscules à côté.

« Ben dis donc ! s'écria Isobel. Combien a coûté ce truc ?

— Tais-toi, lui intima Olivia, gênée. On pourrait t'entendre.

— Je suis sûre qu'ils savent tous combien elle vaut », répliqua Isobel en observant le défilé d'hommes et de femmes qui entraient sous la tente et en ressortaient, affairés, décidés, chargés pour la plupart de caisses, de câbles et de planches.

« Là, expliqua Olivia avec un geste, il y aura un passage qui reliera la tente à l'arrière de Pinnacle Hall. Et des vestiaires.

— Impressionnant ! Ça ressemble un peu à un cirque.

— Figure-toi que nous avions pensé louer un éléphant.

— Un éléphant ?

— Pour emmener les mariés.

— Ils ne seraient pas allés bien loin sur un éléphant, commenta Isobel en riant.

— À la place, ils auront un hélicoptère. Ne le dis pas à Milly, c'est une surprise.

— Waouh ! Un hélicoptère !

— Tu es déjà montée en hélicoptère ?

— Oui, plusieurs fois. C'est plutôt éprouvant pour les nerfs.

— Moi, jamais. » Olivia poussa un petit soupir et Isobel s'esclaffa.

« Tu veux prendre la place de Milly ? Je suis persuadée que ça ne dérangerait pas Simon.

— Arrête tes bêtises ! fit Olivia d'un ton sec. Viens, allons voir à l'intérieur. »

Toutes deux foulèrent le sol couvert de neige, s'approchèrent de la tente et soulevèrent un pan de toile.

« Oh là là ! s'exclama Isobel. Cela a l'air encore plus immense que vu de dehors ! »

Une intense activité régnait à l'intérieur : les uns transportaient des chaises, d'autres installaient des appareils de chauffage, certains s'occupaient des lumières.

« Ce n'est pas si énorme que ça, objecta Olivia d'un ton hésitant. Une fois les tables et les chaises en place, ce sera très intime. Enfin, peut-être pas exactement intime…

— En tout cas, je tire mon chapeau à Harry ! C'est quelque chose !

— Nous avons apporté notre contribution, nous aussi, rétorqua Olivia avec humeur. Plus que tu n'imagines. De toute façon, Harry a les moyens.

— Je n'en doute pas.

— Et il aime beaucoup Milly.

— Je sais. » Isobel jeta un coup d'œil autour d'elle et fit la moue. « Quand même…

— Quoi ?

— Je ne sais pas… Tous ces préparatifs, tout cet argent… juste pour une journée.

— Qu'y a-t-il de mal à ça ?

— Rien, rien. Je suis certaine que ce sera très réussi. »

Olivia dévisagea sa fille.

« Isobel, qu'est-ce qui t'arrive ? Tu n'es pas jalouse de Milly, au moins ?

— Si, probablement, répliqua Isobel d'un ton léger.

— Tu pourrais être mariée, si tu voulais ! Mais tu as choisi de rester célibataire.

— On ne m'a jamais demandée en mariage.

— Là n'est pas la question.

— Si, justement. Là est la question. » Isobel sentit soudain avec horreur les larmes lui monter aux yeux. Qu'est-ce qui lui prenait, bon sang ? Elle se détourna sans laisser le temps à sa mère d'ajouter autre chose et se dirigea vers le fond de la tente. Olivia, qui n'avait pas remarqué son trouble, la suivit.

« Ici, on posera les plateaux chargés de nourriture, expliqua-t-elle, tout excitée. Et là, on placera les cygnes.

— Les cygnes ?

— Il y aura des cygnes sculptés dans la glace, et remplis d'huîtres.

— Non ! » Le rire d'Isobel résonna sous la tente. « Qui a eu cette idée ?

— Harry. Pourquoi ?

— Pour rien. Je trouve ça d'une ringardise...

— C'est ce que j'ai dit, mais Harry m'a répondu que, de toute manière, les réceptions de mariage sont toujours ringardes, alors autant mettre le paquet.

— Il va se retrouver sur la paille, une fois qu'il aura dépensé sa fortune pour régaler d'huîtres ses invités.

— Bien sûr que non ! Cesse de dire des sottises.

— D'accord, d'accord. En réalité, je suis sûre que ce sera un très beau mariage. » Isobel contempla l'immense tente et, pour la énième fois depuis le début de la matinée, elle se demanda où en étaient les démarches de sa sœur à Londres. « Ce sera pour Milly une journée inoubliable.

— Elle ne le mérite pas, grommela Olivia. Partir comme ça à la capitale ! Il ne reste plus que deux jours, tu te rends compte ? Deux jours !

— Oui, je m'en rends compte. Et elle aussi, crois-moi. »

Quand Milly atteignit le Strand, un soleil hivernal avait fait son apparition et une vague d'optimisme la parcourut. Dans quelques minutes elle serait fixée, d'une manière ou d'une autre. Tout à coup, elle eut la certitude que la réponse correspondrait à son attente. Elle serait enfin débarrassée du fardeau qui pesait sur ses épaules depuis dix ans. Enfin elle serait libre.

Elle avançait d'un pas nonchalant, le vent soulevait légèrement ses cheveux, le soleil lui caressait le visage.

« Excusez-moi », dit une jeune femme derrière elle. Milly se retourna. La fille lui sourit. « Je travaille dans un salon de coiffure de Covent Garden et nous recherchons des modèles, cela vous intéresserait ? »

Milly frissonna de plaisir.

« Je suis désolée, répondit-elle à regret, mais je suis très prise. Je me marie samedi.

— Vraiment ? Toutes mes félicitations ! Vous serez une mariée ravissante.

— Merci, dit Milly en rougissant. Excusez-moi, je suis pressée, j'ai quelques problèmes à régler.

— Bien sûr, je comprends parfaitement. Tous les petits détails de dernière minute.

— En effet. Tous les petits détails de dernière minute. »

Lorsqu'elle pénétra dans Somerset House et trouva le département qui l'intéressait, son moral remonta encore d'un cran. L'employé en charge des jugements de divorce – un homme rond et jovial, aux yeux pétillants – possédait un ordinateur très rapide.

« Vous avez de la chance, souligna-t-il. Tous les dossiers depuis 1981 sont informatisés. Avant, il fallait faire les recherches selon l'ancienne méthode. Mais vous étiez encore au berceau, à cette époque ! ajouta-t-il avec un clin d'œil. Si vous voulez bien patienter un instant... »

Milly lui adressa un sourire ravi. Elle songeait déjà à ce qu'elle ferait sitôt qu'elle aurait eu confirmation de son divorce : elle prendrait un taxi, filerait au magasin Harvey Nichols, monterait directement au cinquième étage et s'offrirait un cocktail au champagne. Ensuite, elle téléphonerait à Isobel, et après...

Le bip de l'ordinateur la tira de ses pensées. L'employé scruta l'écran avec attention.

« Non, dit-il, surpris. Je ne trouve rien. »

Milly sentit un poids dans sa poitrine.

« Quoi ? murmura-t-elle, la gorge serrée. Comment cela ?

— Aucun jugement définitif de divorce n'a été enregistré », répondit l'homme qui recommença à taper sur son clavier ; l'ordinateur émit un nouveau bip et l'employé fronça les sourcils. « Pas durant cette période, ni pour ces noms-là.

— Mais il a dû être enregistré ! Forcément !

— J'ai essayé à deux reprises. Vous êtes sûre de l'orthographe des noms ?

— Absolument certaine.

— Et vous êtes sûre que le demandeur a sollicité un jugement définitif de divorce ? » Milly le regarda avec des yeux ronds. Elle ne comprenait rien à ce qu'il racontait.

« Non, pas vraiment.

— Six semaines après la prononciation du jugement provisoire de divorce, le demandeur doit solliciter un jugement définitif.

— Ah, je vois.

149

— Vous avez obtenu le jugement provisoire, n'est-ce pas ? »

Milly considéra l'employé d'un air ahuri et remarqua qu'il l'observait soudain avec curiosité. Un sentiment de panique la gagna.

« Oui, oui, bien sûr, s'empressa-t-elle de répondre. Tout était en ordre. Je… je m'en vais vérifier ce qui s'est passé.

— Si vous avez besoin d'un conseil sur le plan juridique…

— Non, merci. Vous avez été très aimable, merci beaucoup. »

Au moment où elle s'apprêtait à sortir, une voix l'appela.

« Madame Kepinski ? »

Elle fit volte-face, le visage blême.

« Ou bien dois-je dire madame Havill ? » L'employé s'avança vers elle en souriant. « Voici une brochure qui explique tous les détails de la procédure.

— Merci. C'est très gentil à vous. »

Elle lui adressa un sourire éclatant, fourra le fascicule dans sa poche et sortit du bureau, la panique au ventre, au bord de l'évanouissement. Elle ne s'était pas trompée : Allan était un salaud, un égoïste, un type sans scrupule, et il l'avait laissée dans un sacré pétrin.

Une fois dans la rue, elle se mit à marcher à l'aveuglette, incapable de penser à autre chose qu'à la peur qui s'insinuait dans son cerveau. Elle se retrouvait au point de départ, mais sa situation était pire qu'avant, infiniment plus précaire. Une image surgit dans sa tête, celle du sourire malveillant d'Alexander – un sourire carnassier. Elle se figura également Simon, qui l'attendait à Bath sans se douter de rien. L'idée de ces deux hommes présents dans la même ville la rendait malade. Qu'allait-elle bien pouvoir faire ?

Elle avisa un pub et, sans réfléchir davantage, s'y engouffra. Elle s'installa au bar et commanda un gin-tonic. Sitôt avalé, elle en commanda un autre, puis un autre encore. Peu à peu, sous l'effet de l'alcool, sa nervosité se calma, son corps se décontracta, ses jambes cessèrent de trembler. Dans la chaleur et l'odeur de bière de ce pub, elle se sentait anonyme, le monde réel était loin. Plus rien n'existait, à part le goût âpre du gin, la sensation de l'alcool dans son estomac, la saveur salée des amandes disposées sur le comptoir dans des coupelles en métal.

Elle demeura là, sans penser à rien, une demi-heure durant, au milieu du flot ininterrompu des clients qui entraient et sortaient. Les femmes la dévisageaient avec curiosité, les hommes tentaient d'accrocher son regard ; mais elle ne prêtait attention à personne. Puis, au bout d'un moment, elle éprouva une sensation de faim et une vague nausée ; elle vida son verre, attrapa son sac et sortit. Dehors, elle vacilla légèrement et se demanda où aller. C'était l'heure du déjeuner et les trottoirs étaient noirs de monde ; les gens marchaient vite, hélaient des taxis, envahissaient les boutiques, les cafés, les sandwicheries. Les cloches d'une église sonnèrent dans le lointain et, quand Milly les entendit, elle en eut les larmes aux yeux. Qu'allait-elle faire ? Elle n'osait même pas y songer.

Elle contemplait la foule à travers une sorte de brouillard ; elle aurait tant voulu être l'un d'entre eux, par exemple cette jeune fille rieuse qui mangeait un croissant, ou cette dame paisible qui montait dans le bus, ou bien…

Milly se figea sur place. Elle cligna des yeux plusieurs fois, essuya ses larmes, regarda de nouveau. Le visage qu'elle venait d'apercevoir avait déjà disparu, noyé dans la masse. Prise de panique, elle avança d'un pas rapide, en observant les passants autour d'elle. Au début elle ne vit rien que des inconnus : des femmes en manteaux de couleurs vives, des hommes en costumes sombres, des avocats encore coiffés de leurs perruques. Elle se frayait avec impatience un chemin au milieu de cette cohue et se répétait fébrilement qu'elle avait dû se tromper, faire erreur sur la personne. Mais son cœur s'arrêta soudain de battre. L'homme avait réapparu, il marchait sur le trottoir d'en face et parlait avec un autre homme. Il semblait plus âgé que dans le souvenir de Milly, et plus enveloppé, mais c'était lui, sans aucun doute possible. Lui, Rupert.

À sa vue, une bouffée de haine sauvage s'empara d'elle. Comment osait-il se promener tranquillement dans les rues de Londres, heureux, content de lui ? Comment pouvait-il rester indifférent aux angoisses qui l'anéantissaient ? Elle était plongée dans le désarroi le plus total à cause de lui – de lui et d'Allan –, et il n'en avait même pas conscience.

Le cœur battant, elle traversa la rue en courant, sans prêter attention aux klaxons furieux des taxis ni aux regards surpris qu'on lui jetait. Deux minutes plus tard, elle arrivait à hauteur des deux hommes. Elle fixa un instant avec des yeux haineux la nuque de Rupert et ses cheveux blond doré, puis lui donna une tape vigoureuse dans le dos.

« Rupert ! Rupert ! » Il se retourna et la dévisagea avec amabilité, sans la reconnaître.

« Désolé, je ne…

— C'est moi, dit-elle d'une voix glaciale, cinglante. Milly. Milly d'Oxford.

— Quoi ? » Le sang se retira du visage de Rupert. Il recula d'un pas.

« Oui, c'est bien moi. Je suppose que tu croyais ne plus jamais me revoir. Je me trompe, Rupert ? Tu pensais que j'avais disparu de ta vie pour toujours.

— Ne dis pas de bêtises, voyons, répliqua-t-il d'un ton enjoué, tout en jetant un coup d'œil gêné à son ami. Tu vas bien, au fait ?

— Si je vais bien ? Je ne pourrais pas aller plus mal. Merci de ta sollicitude. Et merci de m'avoir rappelée, hier soir, j'ai beaucoup apprécié.

— Je n'ai pas eu le temps. » Il lui lança un regard meurtrier. « Et maintenant, je suis très occupé. » Il se tourna vers son ami. « On y va, Tom ?

— Certainement pas ! s'indigna Milly, hors d'elle. Tu ne vas nulle part. Tu vas m'écouter !

— Je n'ai pas le temps…

— Eh bien, prends-le ! Ma vie est fichue, tout ça par ta faute. Ta faute et celle d'Allan Kepinski. Seigneur ! Tu réalises le mal que vous m'avez fait, tous les deux ? Tu réalises dans quel pétrin je suis, à cause de vous ?

— Rupert, intervint Tom. Peut-être que Milly et toi, vous devriez avoir une petite conversation ?

— Je ne sais pas de quoi elle parle, répliqua Rupert, furieux. Elle est folle.

— Raison de plus, affirma Tom avec douceur. Voilà une âme réellement en détresse. Peut-être peux-tu lui venir en aide. » Il sourit à Milly. « Êtes-vous une ancienne amie de Rupert ?

— Oui, riposta Milly d'un ton sec. Nous nous sommes connus à Oxford. N'est-ce pas, Rupert ?

— Bon, écoute, dit Tom à son ami. Je te propose de faire la lecture à ta place, et toi, tu vas discuter avec Milly. » Il se tourna vers la jeune femme. « Peut-être qu'une prochaine fois vous nous accompagnerez ?

— Oui, répondit Milly, qui ignorait totalement de quoi il parlait. Pourquoi pas ?

— Ravi de vous avoir rencontrée, dit Tom en lui serrant la main. À un de ces jours, peut-être, à Sainte-Catherine.

153

— Avec plaisir.

— Parfait ! Je te passerai un coup de fil, Rupert. »

Tom parti, Milly et Rupert se dévisagèrent.

« Espèce de garce ! marmonna Rupert entre ses dents. Tu cherches à briser ma vie, ou quoi ?

— Briser ta vie ? s'écria Milly, abasourdie. Briser *ta* vie ? Tu te rends compte de ce que tu m'as fait ? Tu t'es servi de moi !

— Tu l'as bien voulu, lâcha Rupert avec brusquerie, et il fit mine de s'éloigner. Si tu n'étais pas d'accord, tu n'avais qu'à refuser.

— J'avais dix-huit ans ! Je ne connaissais rien à rien ! J'ignorais qu'un jour je voudrais me marier avec un autre homme, un homme que j'aimerais vraiment…

— Et alors ? fit sèchement Rupert en se retournant. Tu as obtenu le divorce, non ?

— Non ! » Milly éclata en sanglots. « Non, je ne suis pas divorcée ! Et je ne sais pas où est Allan ! Et je me marie samedi !

— Je suis censé faire quoi ?

— Il faut que je retrouve Allan ! Où est-il ?

— Je l'ignore, répondit Rupert, qui se remit en marche. Je ne peux rien faire pour toi. Maintenant, laisse-moi tranquille. »

Milly le regarda et sentit la rage l'aveugler.

« Tu ne peux pas t'en aller comme ça ! hurla-t-elle. Il faut que tu m'aides ! » Elle se mit à courir derrière lui, il accéléra le pas. « Il faut que tu m'aides, Rupert ! » Elle réussit, au prix d'un immense effort, à l'attraper par un pan de sa veste et elle l'obligea à s'arrêter.

« Lâche-moi ! protesta-t-il, furieux.

— Écoute-moi ! » Elle le regarda dans les yeux. « Je vous ai rendu service, à Allan et à toi. Je vous ai rendu un

154

grand, un énorme service. Ce coup-ci, c'est ton tour de m'en rendre un petit. Tu me le dois bien. »

Elle ne le quittait pas des yeux, guettant dans le regard de Rupert le reflet des pensées qui se bousculaient en lui. Elle vit son expression changer peu à peu. Il poussa un soupir et se passa la main sur le front.

« D'accord, dit-il enfin. Allons ailleurs. Il faut qu'on parle. »

8

Ils entrèrent dans un pub de Fleet Street, un établissement ancien, avec un escalier en colimaçon qui menait au
sous-sol, des boiseries sombres sur les murs, et de
nombreuses petites niches. Rupert commanda une
bouteille de vin et deux assiettes de fromage, et ils s'installèrent à une table dans un coin discret. Rupert s'assit
pesamment, ingurgita une bonne rasade de vin et
s'enfonça dans son siège. Milly l'observa ; sa colère s'était
un peu apaisée et elle pouvait le détailler calmement.
Quelque chose n'allait pas, lui sembla-t-il : Rupert était
toujours très beau et séduisant, mais il avait le teint plus
rouge qu'autrefois, le visage plus empâté, et sa main tremblait lorsqu'il reposa son verre. Dix ans plus tôt, songeait
Milly, c'était un jeune homme d'une grâce et d'une beauté
éclatantes, aujourd'hui il avait l'air plus vieux que son âge.
Quand leurs regards se croisèrent, elle lut dans les yeux de
Rupert un fond de tristesse.

« Je ne peux pas rester longtemps, dit-il. Je suis très
pris. Eh bien, que me veux-tu ?

— Tu as une mine épouvantable, Rupert, souligna Milly
avec franchise. Es-tu heureux ?

— Très heureux, je te remercie. »

Il saisit son verre et le vida presque entièrement. Milly prit une expression dubitative.

« Tu es sûr ?

— Milly, nous sommes ici pour parler de toi, pas de moi, répliqua-t-il d'un ton impatient. Quel est ton problème, exactement ? »

Milly le dévisagea en silence, puis s'adossa à sa chaise.

« Mon problème ? dit-elle d'un ton léger. Eh bien, mon problème, c'est que je me marie samedi avec un homme que j'aime profondément. Ma mère a organisé un mariage grandiose, le plus beau mariage qu'on puisse imaginer, le plus romantique, un mariage parfait jusque dans les moindres détails. » Milly vrilla Rupert de son regard. « Les moindres détails, sauf un : je suis toujours mariée à ton ami Allan Kepinski. »

Rupert fronça les sourcils. « Je ne comprends pas. Pourquoi n'es-tu pas divorcée ?

— Demande à Allan ! Il était censé s'en occuper.

— Et il ne l'a pas fait ?

— Il a entamé la procédure. J'ai reçu des papiers par la poste, j'ai signé les formulaires et je les lui ai retournés. Ensuite, je n'en ai plus entendu parler.

— Et tu n'as effectué aucune démarche ?

— Personne n'était au courant, personne ne m'a jamais rien demandé, cela paraissait sans importance.

— Le fait que tu étais mariée paraissait sans importance ? »

Milly nota l'expression incrédule de Rupert.

« Ne commence pas à rejeter la responsabilité sur moi ! protesta-t-elle. Ce n'est pas ma faute !

— Tu attends l'avant-veille de ton mariage pour t'enquérir de ton divorce et tu affirmes que ce n'est pas ta faute !

— Je ne pensais pas que j'aurais besoin de m'enquérir de mon divorce, riposta Milly, hors d'elle. J'étais tranquille, personne ne savait rien, personne ne soupçonnait rien.

— Que s'est-il donc passé ?

— Maintenant, quelqu'un est au courant. Quelqu'un qui nous avait vus à Oxford, et qui aujourd'hui menace de parler.

— Je vois.

— Ne me regarde pas comme ça ! D'accord, je sais que j'aurais dû faire quelque chose, mais Allan aussi. Il avait dit qu'il s'occuperait de tout et je lui ai fait confiance ! Je vous ai fait confiance à tous les deux, je vous croyais mes amis.

— Nous l'étions, murmura Rupert après un silence.

— Foutaises ! s'écria Milly, les joues en feu. Vous vous êtes servis de moi pour obtenir ce que vous vouliez et, sitôt que j'ai eu le dos tourné, vous m'avez oubliée. Tu n'as jamais écrit, jamais téléphoné ! Tu n'as pas reçu les lettres que je t'ai envoyées ?

— Si... Je suis désolé... J'aurais dû répondre, mais... j'ai vécu des moments difficiles.

— Allan, lui au moins, m'a écrit, mais toi, tu ne t'en es même pas donné la peine ! Pourtant, j'ai continué à croire en toi. Seigneur, quelle idiote j'étais !

— Nous étions tous des idiots. Écoute, Milly, pour autant que cela sert à quelque chose, je te présente mes excuses. Sincèrement, j'aurais voulu que rien de tout cela n'arrive. Rien... »

Milly observa Rupert ; il jetait autour de lui des regards éperdus et la sueur perlait à son front.

« Rupert, que s'est-il produit ? Comment se fait-il que tu sois marié ?

— Je suis marié, voilà tout.

— Mais tu étais gay, tu étais amoureux d'Allan.

— Non. Je me suis trompé. Je… c'était une erreur.

— Mais vous étiez faits l'un pour l'autre.

— Non ! Ce n'est pas vrai. Toute cette histoire était un malentendu, tu me crois, oui ou non ?

— Oui, bien sûr. Simplement, vous alliez si bien ensemble… Et… quand est-ce que tu t'es rendu compte ?

— Rendu compte de quoi ?

— Que tu étais hétéro ?

— Milly, je n'ai pas envie de parler de ça, OK ? » Rupert attrapa son verre d'une main tremblante et avala une gorgée de vin.

Milly haussa les épaules et s'enfonça dans son siège. Elle regarda distraitement le mur à sa gauche ; quelqu'un avait commencé, au crayon, un jeu de morpion et l'avait abandonné en cours de route – la partie ne pouvait aboutir qu'à une impasse, constata-t-elle.

« Tu as beaucoup changé, depuis Oxford, dit tout à coup Rupert. Tu es devenue une vraie femme. Je ne t'aurais jamais reconnue.

— J'ai dix ans de plus.

— Ce n'est pas seulement ça. Il y a aussi… je ne sais pas, ta coiffure, tes vêtements. Je n'aurais pas cru que tu te transformerais de cette façon.

— De quelle façon ? Qu'est-ce qui cloche ? interrogea Milly, sur la défensive.

— Rien ! Tu es plus… élégante que je n'aurais imaginé. Plus raffinée.

— Eh bien, je suis comme ça maintenant, voilà tout. » Elle lui lança un regard dur. « Tout le monde a le droit de changer, non ?

— Oui, admit Rupert en rougissant. Je te trouve… superbe. Parle-moi de ce type que tu vas épouser.

160

— Il s'appelle Simon Pinnacle, annonça Milly, et elle guetta le changement d'expression de Rupert.

— A-t-il un lien de parenté avec...

— C'est son fils. »

Rupert écarquilla les yeux. « Sérieusement ? Le fils de Harry Pinnacle ?

— Lui-même. Je te le disais bien, ce sera le mariage du siècle.

— Et personne ne se doute de rien ?

— Personne. »

Rupert dévisagea Milly, poussa un soupir, puis sortit de sa poche un petit calepin relié de cuir et un stylo.

« Bon. Dis-moi exactement à quel stade en est ton divorce ?

— Je l'ignore. Comme je te l'ai expliqué, j'ai reçu des papiers par la poste, j'ai signé un formulaire et je l'ai renvoyé.

— En quoi consistaient précisément ces papiers ?

— Comment le saurais-je ? s'écria Milly, exaspérée. Tu es capable, toi, de distinguer un document légal d'un autre ?

— Je suis juriste. Mais je comprends ton point de vue. » Il reposa son carnet et regarda la jeune femme. « Il faut que tu parles avec Allan.

— J'en suis bien consciente, seulement j'ignore où il habite. Tu le sais, toi ? »

Une expression douloureuse passa sur les traits de Rupert.

« Non.

— Mais tu peux le savoir ? »

Rupert se tut. Milly fixa sur lui un regard perplexe.

« Rupert, il faut que tu m'aides ! Tu es mon seul lien avec lui. Où est-il allé après Oxford ?

— À Manchester.

— Pourquoi a-t-il quitté Oxford ? Ils ne voulaient plus de lui ?

— Bien sûr que si. Bien sûr que si, ils voulaient de lui.

— Alors pourquoi…

— Parce que nous avons rompu, lâcha Rupert d'une voix saccadée. Il est parti parce que nous nous sommes séparés.

— Oh ! fit Milly, décontenancée. Je suis désolée. Est-ce que… cela a eu lieu quand tu t'es rendu compte que… que tu n'étais pas…

— Oui.

— Et c'était à quel moment ?

— À la fin de l'été. En septembre », répondit Rupert dans un souffle.

Milly le dévisagea avec incrédulité.

« L'été où je vous ai rencontrés ? L'été où je me suis mariée ?

— Oui.

— Deux mois après mon mariage avec Allan, vous avez rompu ?

— Oui. Écoute, j'aimerais mieux ne pas…

— Tu veux dire que vous n'êtes restés ensemble que deux mois ? J'ai gâché ma vie pour vous permettre de rester ensemble deux mois ? » Milly hurlait presque. « Deux mois ?

— Oui !

— Espèce de salopard ! » Dans un accès de rage, elle lui flanqua son verre de vin à la figure. « Espèce de salopard ! » répéta-t-elle, tandis que le liquide rouge sombre dégoulinait sur le visage de Rupert, tel du sang, et formait des taches sur sa belle chemise blanche. « J'ai enfreint la loi pour toi, je me retrouve encombrée d'un premier mari dont je n'ai rien à faire, et tout ça pour que tu changes d'avis au bout de deux mois ! »

Ils se turent pendant quelques minutes. Rupert, paralysé, le visage toujours dégoulinant de vin, regardait Milly d'un air hébété.

« Tu as raison, dit-il enfin d'une voix brisée. J'ai tout foutu en l'air, ta vie, la mienne. Quant à Allan... »

Milly, mal à l'aise, se racla la gorge. « Est-ce qu'il...

— Il m'aimait, murmura Rupert comme pour lui-même. C'est ce que je n'ai pas compris à l'époque. Il m'aimait.

— Je suis désolée, Rupert, dit Milly, embarrassée. Désolée pour le vin et... pour tout.

— Ne t'excuse pas ! répliqua Rupert avec véhémence. Ne t'excuse pas ! » Il la regarda dans les yeux. « Écoute, Milly, je trouverai Allan pour toi, et je m'occuperai de ton problème de divorce. Seulement, je ne pourrai pas régler ça pour samedi, c'est matériellement impossible.

— Je m'en doute.

— Que vas-tu faire ?

— Je l'ignore, dit Milly après un long silence. Je ne peux pas annuler le mariage maintenant. Impossible d'infliger ça à ma mère, et aux autres.

— Tu comptes te marier quand même ? » Milly haussa les épaules. « Et cette personne qui menace de parler ?

— Je... je la ferai taire, d'une manière ou d'une autre.

— Es-tu consciente, dit Rupert en baissant la voix, que tu vas te rendre coupable de bigamie ? C'est contraire à la loi.

— Merci de m'avertir, riposta Milly d'un ton sarcastique. Au point où j'en suis ! » Elle le dévisagea sans rien dire. « À ton avis, j'ai des chances de ne pas être poursuivie ?

— Je l'espère. Tu songes sérieusement à te marier malgré tout ?

— Je ne sais pas. Franchement, je n'en sais rien. »

Un peu plus tard, quand la bouteille de vin fut vide, Rupert alla chercher au bar deux tasses de café noir infect. À son retour, Milly le détailla : il s'était nettoyé le visage mais sa chemise et sa veste étaient toujours parsemées d'éclaboussures de vin.

« Tu ne vas pas pouvoir retourner au travail cet après-midi, remarqua-t-elle.

— En effet. Tant pis, cela n'a pas d'importance. » Rupert tendit une tasse de café à Milly et se rassit. Un silence s'installa.

« Rupert ?

— Oui ?

— Ta femme est au courant, pour toi et Allan ? »

Il fixa sur elle des yeux injectés de sang.

« À ton avis ?

— Pourquoi ? Tu as peur qu'elle ne comprenne pas ?

— C'est le moins qu'on puisse dire, reconnut Rupert avec un rire bref.

— Mais pourquoi ? Si elle t'aime...

— Tu comprendrais, toi ? Imagine que ton Simon vienne te raconter qu'il a eu autrefois une liaison avec un homme, tu comprendrais ?

— Oui, je crois, dit Milly avec une légère hésitation. Du moment qu'on en discute en toute sincérité.

— Non ! éclata Rupert d'un ton cinglant. Je peux t'assurer que non ! Tu refuserais de comprendre, tout comme Francesca.

— Tu ne lui laisses aucune chance. C'est ta femme, Rupert, sois franc avec elle !

— Franc ! C'est toi qui me conseilles d'être franc !

— Oui, justement. J'aurais dû être franche avec Simon depuis le début, j'aurais dû tout lui avouer. Nous aurions éclairci le problème de mon divorce ensemble et tout se serait arrangé. Alors que maintenant... me voilà dans de beaux draps ! » Milly se tut et avala une gorgée de café. « Si j'avais la possibilité de revenir en arrière et d'avouer la vérité à Simon, je n'hésiterais pas. Toi, tu peux encore le faire, Rupert, il te reste une chance de parler honnêtement avec Francesca avant... avant que la situation ne commence à se dégrader.

— Ce n'est pas la même chose, objecta Rupert, réticent.

— Si. Il s'agit là aussi d'un secret, et tous les secrets finissent par se savoir. Si tu ne le lui révèles pas, elle le découvrira d'une manière ou d'une autre.

— Non.

— Si ! Elle pourrait parfaitement le découvrir ! Tu as envie de prendre ce risque ? Dis-le-lui, Rupert ! Dis-le-lui !

— Me dire quoi ? » interrogea une voix féminine.

Milly se retourna brusquement, comme sous l'effet d'une gifle. Une jolie jeune femme aux cheveux roux clair, habillée de façon élégante mais dépourvue d'originalité, se tenait près de leur table en compagnie de Tom, l'ami de Rupert.

« Me dire quoi ? répéta-t-elle d'un ton aigu, tandis que son regard passait sans cesse de Rupert à Milly. Qu'est-ce qui t'est arrivé, Rupert ?

— Francesca... Ne t'inquiète pas, c'est... juste du vin.

— Salut, Rupe ! lança Tom, décontracté. On pensait bien te trouver ici.

— Ainsi, voilà Milly, dit la femme en dévisageant Rupert avec des yeux perçants. Tom m'a raconté que tu avais rencontré une ancienne amie. Milly d'Oxford. Le plus drôle, c'est que tu m'avais affirmé ne pas vouloir lui parler, à cette Milly d'Oxford, tu m'avais demandé d'ignorer ses appels, tu m'avais assuré qu'elle était cinglée.

— Cinglée ? se récria Milly, indignée.

— Je ne voulais pas lui parler ! Je ne veux pas lui parler. » Rupert jeta à Milly un regard plein de détresse.

165

« Bon, fit aussitôt Milly, je crois qu'il vaut mieux que je parte. » Elle se leva et attrapa son sac à main. « Enchantée de vous avoir rencontrée, dit-elle à Francesca. Franchement, je suis juste une vieille copine.

— C'est vrai ? interrogea Francesca, ses yeux bleu pâle sondant son mari. Alors, qu'est-ce que tu avais à me dire, Rupert ?

— Au revoir, Rupert, lança Milly. Au revoir, Francesca.

— Qu'est-ce que tu avais à me dire, Rupert ? Hein ? Quant à vous… » Elle se tourna vers Milly. « Vous, vous restez ici !

— J'ai un train à prendre. Il faut vraiment que j'y aille. Désolée. »

Sans regarder Rupert, Milly traversa la salle, monta à toute allure l'escalier en colimaçon et sortit du pub. Une fois dans la rue, à l'air frais, elle s'aperçut qu'elle avait oublié son briquet sur la table, et songea que c'était un faible prix à payer pour sa liberté.

Assise dans la cuisine du 1, Bertram Street, Isobel cousait un ruban bleu sur une jarretière en dentelle. En face d'elle, Olivia confectionnait un nœud savant avec un morceau de soie rose vif ; de temps à autre, elle jetait un coup d'œil mécontent à Isobel. À un certain moment, elle posa son ouvrage et se leva pour remplir la bouilloire.

« Comment va Paul ? questionna-t-elle d'un ton enjoué.

— Qui ?

— Paul, le médecin. Tu le vois souvent ?

— Ah, lui… Non, je ne l'ai pas vu depuis plusieurs mois, je ne suis sortie avec lui que trois ou quatre fois.

— Dommage. Il était charmant, et bel homme, en plus.

— Oui. Simplement, ça n'a pas marché entre nous.

— Oh, ma chérie, je suis désolée.

— Moi pas. C'est moi qui ai rompu.

— Mais pourquoi ? s'écria Olivia, agacée. Qu'est-ce qui n'allait pas avec lui ?

— Si tu tiens à le savoir, il s'est révélé un peu bizarre.

— Bizarre ? Bizarre comment ?

— Bizarre, c'est tout.

— Farfelu ?

— Non, pas farfelu ! Bizarre. Écoute, maman, je n'ai pas envie d'en dire plus.

— Bon, bon, moi je le trouvais sympathique. Très sympathique, même. »

Isobel se tut mais son aiguille transperçait sauvagement le tissu.

« J'ai rencontré Brenda White l'autre jour, dit Olivia en versant l'eau bouillante dans la théière. Sa fille se marie en juin.

— Ah oui ? Elle travaille toujours pour Shell ?

— Je l'ignore. Tu sais, elle a rencontré son mari à une soirée organisée dans un restaurant chic de Londres pour les jeunes cadres. Ce genre de soirée est très à la mode, de nos jours. Il y avait, paraît-il, une foule d'hommes intéressants.

— Je n'en doute pas.

— Brenda pourrait obtenir le numéro, si tu le souhaites.

— Non merci.

— Ma chérie, tu ne te donnes aucune chance ! »

Isobel posa son aiguille et regarda sa mère.

« C'est toi qui ne me donnes aucune chance ! répliqua-t-elle d'un ton cassant. Tu me traites comme si je n'avais pas d'autre fonction dans la vie que de me dégoter un mari. Et mon travail ? Et mes amis ?

— Et les enfants ? »

Isobel devint cramoisie.

167

« J'aurai peut-être un enfant sans mari, dit-elle après un silence. C'est ce que font beaucoup de femmes, aujourd'hui.

— Arrête de raconter des bêtises ! Un enfant a besoin d'une vraie famille. » Olivia posa la théière sur la table, se rassit et ouvrit son cahier à couverture rouge. « Bon, que me reste-t-il à faire ? »

Isobel contempla la théière sans esquisser un geste. C'était une théière ventrue décorée de canards, en usage dans la famille depuis l'époque à laquelle remontaient ses plus anciens souvenirs ; elle se revoyait petite, côte à côte avec Milly, au goûter, ingurgitant des tartines de confiture. *Un enfant a besoin d'une vraie famille.* C'était quoi, une vraie famille, bon sang ?

« Tu sais quoi ? dit Olivia, l'air surprise. Je crois que j'ai fini pour aujourd'hui, j'ai tout coché sur ma liste.

— Parfait, tu vas avoir enfin une soirée à toi.

— Je devrais peut-être vérifier avec l'assistante de Harry...

— Ne vérifie rien du tout, tu as déjà vérifié cinquante mille fois. Bois tranquillement ton thé et repose-toi.

— Seigneur ! soupira Olivia en se calant dans son siège. Je dois avouer qu'il y a eu des moments où j'ai bien cru que tout ne serait pas prêt à temps pour le mariage.

— Eh bien, tout est prêt maintenant, et je te conseille d'occuper ta soirée à quelque chose d'amusant, pas à établir la liste des cantiques ou à coudre des fanfreluches sur des chaussures. Quelque chose pour ton plaisir. » Isobel fit les gros yeux à Olivia, et toutes deux commençaient à pouffer de rire lorsque le téléphone sonna.

« J'y vais, dit Olivia.

— Si c'est Milly, passe-la-moi.

— Allô, ici le 1, Bertram Street, annonça Olivia en tirant la langue à Isobel. Oh, bonjour, monsieur le

chanoine, comment allez-vous ? Oui… oui. Euh…. non. »
Elle changea subitement de ton et Isobel leva la tête.
« Non, je ne vois pas de quoi il s'agit, je n'en ai aucune
idée. Oui, cela vaudrait peut-être mieux. Dans ce cas, nous
vous attendons. »

Olivia raccrocha, l'air perplexe, et regarda Isobel.

« C'était le chanoine Lytton.

— Qu'est-ce qu'il voulait ?

— Il va venir nous voir. Je ne comprends pas.

— Pourquoi ? Que se passe-t-il ?

— Je n'en sais rien. Il dit qu'on lui a communiqué des
informations, et il aimerait en discuter avec nous.

— Des informations ? » Isobel sentit son cœur s'accélérer. « Quelles informations ?

— Je l'ignore. Cela concerne Milly. Il n'a pas précisé. »

9

Assis au salon, Rupert et Francesca se dévisageaient sans rien dire. Sur les conseils de Tom, ils avaient tous les deux pris leur après-midi. Dans le taxi qui les avait ramenés chez eux, ils étaient restés silencieux ; Francesca jetait de temps à autre à son mari un regard perplexe et meurtri, Rupert gardait la tête baissée et se demandait ce qu'il allait faire : inventer une histoire ou avouer la vérité à son épouse.

Dans le second cas, comment réagirait-elle ? Serait-elle furieuse ? folle de douleur ? révoltée ? Elle lui dirait peut-être qu'elle avait toujours su qu'il était différent des autres. Peut-être s'efforcerait-elle de comprendre. Mais comment pourrait-elle comprendre ce qu'il ne comprenait pas lui-même ?

« Bon... », fit Francesca. Elle fixa sur Rupert un regard interrogateur et il détourna la tête ; dehors, il entendait des chants d'oiseaux, des bruits de moteurs, les pleurs d'un enfant – des sons de l'après-midi auxquels il n'était pas habitué. Il éprouvait un malaise à se retrouver chez lui à cette heure de la journée, sous le regard tendu et anxieux de sa femme.

« Je pense que nous devrions prier », dit tout à coup celle-ci.

Rupert releva la tête, abasourdi. « Quoi ?

— Avant de discuter, cela nous aiderait de prier ensemble.

— Je ne crois pas que ça m'aiderait. »

Rupert jeta un coup d'œil du côté du bar et évita une fois de plus le regard de Francesca.

« Rupert, qu'est-ce qui ne va pas ? Pourquoi es-tu si bizarre ? Tu es amoureux de Milly ?

— Non !

— Mais tu as eu une liaison avec elle autrefois à Oxford.

— Non.

— Non ? Tu n'es jamais sorti avec elle ?

— Non. » C'en était presque comique… « Non, je ne suis jamais sorti avec Milly. Pas dans ce sens-là.

— Pas dans ce sens-là ? Qu'est-ce que ça signifie ?

— Tu fais fausse route, Francesca. » Rupert esquissa un sourire. « Écoute, si on oubliait tout ça ? Milly est une ancienne copine, point.

— J'aimerais pouvoir te croire, mais manifestement il y a quelque chose.

— Il n'y a rien.

— Alors, de quoi sommes-nous en train de parler ? Je suis ta femme, Rupert ! s'écria Francesca avec véhémence. Tu dois être loyal envers moi. Si tu as un secret, j'ai le droit de le connaître. »

Rupert regarda Francesca : elle avait les yeux qui brillaient légèrement et ses mains étaient crispées sur ses genoux. Elle portait la montre de luxe qu'il lui avait offerte pour son anniversaire – une montre qu'ils avaient choisie ensemble, avant d'aller au théâtre. Rupert gardait de cette journée le souvenir de moments heureux, de plaisirs tranquilles, sans danger.

« Je ne veux pas te perdre, dit-il soudain. Je t'aime. J'aime vivre avec toi. J'aimerai les enfants que nous aurons.

— Mais ? Quel est le mais ? »

Rupert la dévisagea en silence. Que lui répondre ? Par où commencer ?

« Tu as des ennuis ? Tu me caches quelque chose ? Rupert ! s'écria-t-elle, de plus en plus inquiète.

— Non, je n'ai pas d'ennuis. Seulement, je suis…

— Quoi ? fit-elle d'une voix impatiente. Qu'est-ce que tu es ?

— Bonne question. » La tension montait en lui et il sentit les traits de son visage se durcir.

« Quoi ? répéta Francesca. Que veux-tu dire ? »

Rupert serra les poings et respira à fond. Impossible de reculer, maintenant.

« Quand j'étais à Oxford… » Il marqua une pause. « … il y avait un homme.

— Un homme ? »

Il regarda Francesca dans les yeux. Celle-ci attendait la suite, sans soupçonner un seul instant à quoi son mari voulait en venir.

« J'ai eu une relation avec lui. Une relation intime. »

Rupert se tut, sans cesser de fixer Francesca dont le visage n'exprimait toujours rien. Après un temps qui parut interminable à Rupert, elle enregistra enfin ce qu'il venait de dire et en tira la déduction qui s'imposait. Au moment où le déclic se fit dans son cerveau, elle écarquilla les yeux, puis les referma à demi, à la manière d'un chat. Elle avait compris. Rupert l'observait avec appréhension et tentait de deviner sa réaction.

« Je ne comprends pas, s'écria-t-elle enfin d'une voix que l'anxiété rendait agressive. Tu racontes n'importe quoi, ça ne rime vraiment à rien ! » Elle se leva du canapé et défroissa sa jupe. « J'ai eu tort de douter de toi, mon chéri, dit-elle en évitant le regard de Rupert. Excuse-moi, je ne devrais pas me montrer méfiante à ton égard. Tu as le droit de voir qui tu veux, bien sûr. Oublions tout ça. »

Rupert la dévisagea avec stupeur. Parlait-elle sérieusement ? Avait-elle réellement l'intention de continuer comme avant ? de faire comme si de rien n'était ? de laisser de côté les terribles questions qui devaient déjà la tourmenter ? Redoutait-elle à ce point les réponses qu'elle risquait d'entendre ?

« Je vais préparer du thé, d'accord ? proposa-t-elle avec une gaieté forcée. Il y a des scones dans le congélateur, on va se régaler.

— Arrête, Francesca. Tu as entendu ce que j'ai dit, ne désires-tu pas en savoir davantage ? » Il se leva et la saisit par le poignet. « Tu as entendu ce que j'ai dit, répéta-t-il.

— Rupert ! fit-elle avec un rire bref. Lâche-moi ! Je… j'ignore de quoi tu parles. Je me suis excusée d'avoir douté de toi, que veux-tu de plus ?

— Je veux… » Il serra plus fort le poignet de Francesca. « Je veux tout t'avouer », affirma-t-il avec la certitude soudaine que c'était bien, en effet, ce qu'il souhaitait.

« Tu m'as tout avoué, rétorqua Francesca. Je comprends parfaitement. C'était un malentendu stupide.

— Je ne t'ai rien avoué. » Il ressentait tout à coup la nécessité absolue de parler, de se décharger de son fardeau. « Francesca…

— Pourquoi ne pas oublier toute cette histoire ? questionna-t-elle, au bord de la panique.

— Parce que ce ne serait pas honnête !

— Eh bien, peut-être que je n'ai pas envie d'être honnête ! »

Elle avait le visage en feu et jetait autour d'elle des regards éperdus, tel un animal pris au piège.

174

Fiche-lui la paix, se disait Rupert. *Tais-toi. Laisse-la tranquille*. Mais son besoin de parler était impératif ; maintenant qu'il avait commencé, il ne pouvait se contenir plus longtemps.

« Tu n'as pas envie d'être honnête ? lui reprocha-t-il, honteux de lui-même. Tu veux m'obliger à mentir ? C'est cela que tu veux, Francesca ? »

Il la vit changer d'expression : un combat se livrait en elle pour concilier ses terreurs personnelles et la loi de Dieu.

« Tu as raison, reconnut-elle enfin. Excuse-moi. » Elle lui lança un regard plein d'appréhension, puis baissa la tête en signe de soumission. « Que souhaites-tu me confier ? »

Arrête, se répétait Rupert. Arrête avant de la rendre terriblement malheureuse.

« J'ai eu une liaison avec un homme. »

Il se tut et attendit la réaction de Francesca – un cri, un sursaut. Mais elle resta silencieuse, immobile, la tête toujours baissée.

« Il s'appelait Allan. » Rupert marqua une pause. « Je l'aimais. »

Il observait Francesca et retenait son souffle. Tout à coup elle releva la tête. « Tu as inventé ça de toutes pièces.

— Quoi ?

— J'en suis sûre. Tu te sens coupable à propos de cette fille, Milly, alors tu as imaginé cette histoire absurde pour détourner mes soupçons.

— Non, Francesca, il ne s'agit pas d'une histoire inventée, mais de la vérité.

— Non, protesta Francesca en secouant la tête.

— Si.

— Non ! »

— Si, Francesca ! hurla Rupert. Si, c'est vrai, j'ai eu une liaison avec un homme. Il s'appelait Allan, Allan Kepinski. »

Après un long silence, Francesca le regarda dans les yeux. Elle était décomposée.

« Tu as vraiment…

— Oui.

— Tu as réellement…

— Oui. Oui », répéta Rupert. Il éprouvait à la fois douleur et soulagement – comme si on avait arraché une épine profondément enfoncée dans sa chair, apaisant ainsi sa souffrance mais laissant sa peau à vif, ensanglantée. « J'ai eu des relations sexuelles avec lui. » Il ferma les yeux. « Nous avons fait l'amour. » Des souvenirs surgirent brusquement dans sa mémoire : il était allongé dans l'obscurité avec Allan, il frémissait de plaisir au contact de sa peau, de ses lèvres, de sa langue.

« Je refuse d'en entendre davantage, murmura Francesca. Je ne me sens pas très bien. » Rupert ouvrit les yeux et la vit se lever et se diriger d'un pas chancelant vers la porte ; elle était toute pâle et ses mains tremblaient en agrippant la poignée de la porte. Il fut submergé par un immense sentiment de culpabilité.

« Je regrette, Francesca. Je te demande pardon.

— Ce n'est pas à moi qu'il faut dire ça ! répliqua-t-elle d'une voix étranglée. C'est à Dieu que tu dois demander pardon.

— Francesca…

— Tu dois prier le Seigneur pour qu'Il t'accorde Son pardon. Je vais… » Elle s'interrompit et reprit son souffle. « Je vais prier, moi aussi.

— Ne pourrions-nous pas parler ? implora Rupert. Ne pourrions-nous pas au moins en discuter ? » Il se leva à son tour et avança vers elle.

« Non ! hurla-t-elle quand la main de Rupert effleura son bras. Ne me touche pas ! » Ses yeux le dévisageaient avec un éclat fiévreux, elle était pâle comme un linge.

« Je ne...

— N'approche pas de moi !

— Mais...

— Tu m'as fait l'amour ! dit-elle dans un souffle. Tu m'as touchée ! Tu... »

Sa voix se brisa et elle eut un haut-le-cœur.

« Francesca...

— J'ai envie de vomir », avoua-t-elle, et elle sortit précipitamment de la pièce.

Rupert, resté près de la porte, entendit sa femme monter l'escalier en courant et s'enfermer dans la salle de bains. Il tremblait de tous ses membres. Le dégoût qu'il avait lu sur le visage de Francesca lui donnait envie de rentrer sous terre. Sa femme s'était écartée de lui comme s'il avait la peste, comme si le mal qui était en lui risquait de suinter par les pores de sa peau et de la contaminer, elle aussi. Il se faisait l'effet d'être un paria, un intouchable.

Il eut soudain l'impression qu'il allait s'effondrer et se mettre à pleurer. Les jambes en coton, il se dirigea vers le bar et attrapa une bouteille de whisky. Au moment où il dévissait le bouchon de la bouteille, il aperçut son reflet dans la glace : ses yeux étaient injectés de sang, ses joues en feu, et son visage exprimait la peur et la tristesse. Il avait l'air malade, physiquement et moralement.

Prie, avait dit Francesca. *Prie pour ton pardon.* Rupert crispa les mains sur la bouteille de whisky. Il tenta de prier. *Seigneur, pardonnez-moi.* Mais le cœur n'y était pas. La volonté non plus. Il n'avait pas envie de se repentir. Il n'avait pas envie de se racheter. Il était un misérable pécheur et cela lui était égal.

Dieu me hait, songeait Rupert en contemplant son reflet dans le miroir. *Dieu n'existe pas*, songeait-il aussi. Les deux affirmations semblaient également plausibles.

Francesca redescendit un peu plus tard ; elle s'était brossé les cheveux, rafraîchi le visage, et avait enfilé un jean et un pull. Rupert était assis sur le canapé avec sa bouteille de whisky ; il en avait vidé la moitié, la tête lui tournait mais il était toujours aussi malheureux.

« J'ai parlé avec Tom, annonça Francesca. Il va venir tout à l'heure. »

Rupert sursauta. « Tom ?

— Je lui ai tout raconté. Il a dit de ne pas s'inquiéter, il a connu d'autres cas semblables au tien.

— Je n'ai pas envie de voir Tom.

— Il est désireux de nous aider !

— Je ne veux pas qu'il sache ! Il s'agit d'une affaire privée ! » Rupert sentait la panique le gagner. Il imaginait Tom le considérant avec un mélange de pitié et de dégoût. Tom serait révulsé. Tout le monde serait révulsé.

« Il est désireux de nous aider, répéta Francesca, avant d'ajouter, d'un ton différent qui surprit Rupert : Et, mon chéri… je voudrais m'excuser. J'ai eu tort de réagir si mal. Je me suis affolée, c'est tout, Tom a dit que c'est absolument normal. Il a dit… » Francesca se tut et se mordit la lèvre. « Quoi qu'il en soit, nous pourrons surmonter cette épreuve. Avec du soutien et des prières…

— Francesca… »

Elle l'interrompit d'un geste de la main. « Non, attends. » Elle avança lentement vers lui. « Tom a dit que je dois essayer de ne pas laisser mes sentiments personnels entraver notre… notre amour charnel. Je n'aurais pas dû te rejeter. J'ai fait passer mes émotions d'abord, et c'était égoïste de ma part. Je le regrette et je te demande pardon. » Elle se rapprocha encore un peu plus de Rupert, jusqu'à se trouver à quelques centimètres de lui. « Je n'ai pas à me refuser à toi, chuchota-t-elle. Tu as parfaitement le droit de me toucher, tu es mon mari, et j'ai promis devant Dieu de te chérir, de t'obéir et de me donner à toi. »

Rupert la regarda fixement, trop abasourdi pour parler. Puis il avança la main et la posa doucement sur le bras de Francesca. Une expression de dégoût apparut sur le visage de la jeune femme, mais elle soutint le regard de Rupert, comme si elle était décidée à supporter ce contact, comme si elle n'avait pas le choix.

« Non ! s'écria Rupert et il retira brusquement sa main. Je ne ferai pas une chose pareille, ce n'est pas bien ! Tu n'es pas l'agneau du sacrifice, Francesca, tu es un être humain !

— Je veux restaurer notre couple, dit Francesca d'une voix tremblante. Tom a dit...

— Tom a dit que si nous couchons ensemble, tout ira bien, c'est ça ? fit Rupert, sarcastique. Tom a dit : Allonge-toi et pense à Jésus.

— Rupert !

— Je ne permettrai pas que tu te soumettes de la sorte, Francesca. Je t'aime ! Je te respecte !

— Si tu m'aimais et si tu me respectais, éclata soudain Francesca, pourquoi m'avoir menti ? » Sa voix se brisa. « Pourquoi m'as-tu épousée, sachant ce que tu étais ?

— Francesca, je suis toujours moi ! Je suis toujours Rupert !

— Non ! Pas pour moi ! » Les yeux de Francesca se remplirent de larmes. « Je ne te vois plus, toi ; tout ce que je vois, c'est... » Elle eut un frisson de dégoût. « Cela me rend malade rien que d'y penser. »

Rupert la contempla d'un air malheureux.

« Que veux-tu que je fasse ? dit-il finalement. Souhaites-tu que je parte ?

— Non », répondit-elle aussitôt. « Non. » Elle hésita. « Tom a suggéré...

— Quoi ?

— Il a suggéré... une confession publique, à l'office du soir. Si tu confesses tes péchés devant l'assemblée des fidèles et devant Dieu, dans ce cas tu pourras peut-être redémarrer une nouvelle vie, sans plus de mensonges ni de péchés. »

Rupert la dévisagea. Tout son être résistait à la proposition qu'elle venait d'énoncer.

« Tom estime que tu ne réalisais peut-être pas complètement le mal que tu as fait, poursuivit Francesca. Mais une fois que tu en auras pris conscience et que tu te seras sincèrement repenti, alors nous pourrons recommencer à zéro. Ce sera une renaissance pour nous deux. » Elle essuya ses larmes et leva les yeux sur son mari. « Qu'en penses-tu, Rupert ?

— Je ne vais pas me repentir, répliqua-t-il, presque malgré lui.

— Quoi ? » Elle lui lança un regard horrifié.

« Je ne vais pas me repentir », répéta-t-il. Il serra les poings et reprit : « Je n'ai pas l'intention de déclarer publiquement que ce que j'ai fait était mal.

— Mais...

— J'aimais Allan, et il m'aimait. Ce que nous avons fait n'était ni mauvais ni honteux. C'était... » Les larmes lui montèrent subitement aux yeux. « C'était une belle et tendre histoire d'amour. Quoi que la Bible en dise.

— Tu le penses vraiment ?

— Oui. Je voudrais pouvoir dire le contraire, pour toi comme pour moi, mais je le pense vraiment. » Rupert

180

regarda Francesca droit dans les yeux. « Je ne regrette pas ce que j'ai fait.

— Tu es malade, alors ! Malade ! Tu as eu des rapports avec un homme, et tu prétends que c'est beau ! Mais c'est répugnant !

— Francesca…

— Et moi ? » Sa voix monta d'un cran. « Chaque fois que nous étions au lit, tous les deux, tu aurais préféré être avec lui ?

— Non, absolument pas !

— Mais tu as dit que tu l'aimais !

— Oui. Seulement, à l'époque, je ne l'avais pas compris. Francesca, je suis sincèrement désolé. »

Elle le fixa des yeux en silence un certain temps, puis recula et chercha un siège à tâtons.

« Je ne comprends pas, dit-elle dans un souffle. Tu es réellement homosexuel ? Tom a dit que non, il dit que beaucoup de jeunes gens se fourvoient, au départ.

— Qu'est-ce qu'il en sait ? » riposta Rupert. Il était comme pris au piège, acculé.

« Eh bien ? insista Francesca. Es-tu homosexuel ? »

Un long silence s'ensuivit.

« Je l'ignore », répondit enfin Rupert. Il s'écroula lourdement sur le canapé et enfouit sa tête dans ses mains. « J'ignore ce que je suis. »

Quand, peu après, Rupert releva la tête, Francesca avait disparu. On entendait toujours le gazouillis des oiseaux dehors et le ronron des moteurs au loin. Tout était pareil. Rien n'était pareil.

Il contempla ses mains qui tremblaient, et la chevalière que Francesca lui avait offerte à l'occasion de leur mariage. Il se remémora soudain le sentiment de bonheur qu'il avait éprouvé ce jour-là, le soulagement qu'il avait ressenti au moment où de simples phrases avaient fait de lui un membre légitime de la communauté des gens mariés. En sortant de l'église, Francesca à son bras, il avait eu l'impression d'avoir enfin trouvé sa place, et d'être normal. C'était précisément ce qu'il désirait ; il ne voulait pas être homosexuel, ni faire partie d'une minorité, il voulait simplement être comme tout le monde.

Tout s'était déroulé ainsi qu'Allan l'avait prédit. Allan avait parfaitement compris ce qui se produisait en Rupert. Il avait vu, au cours des dernières semaines, les sentiments de Rupert glisser de l'ardeur à l'embarras ; il avait observé patiemment les tentatives de Rupert pour le quitter – Rupert le laissait tomber plusieurs jours de suite, puis succombait avec plus de passion encore qu'auparavant. Allan lui avait apporté sympathie, soutien et compréhension, et Rupert, en retour, avait fui Allan.

Les premiers signes de sa défection s'étaient manifestés au début du mois de septembre. Rupert et Allan marchaient dans une grande rue d'Oxford, pas tout à fait main dans la main, mais ils se frôlaient, parlaient tout près l'un de l'autre, échangeaient des sourires d'amoureux. Puis quelqu'un avait crié le nom de Rupert.

Rupert avait aperçu avec étonnement, sur le trottoir d'en face, Ben Fisher, un garçon qui était une classe au-dessous de lui au collège. Il s'était alors souvenu d'une lettre dans laquelle son père, quelques semaines plus tôt, exprimait le souhait que son fils vienne passer une partie des vacances auprès de lui, et annonçait avec satisfaction qu'un autre élève de leur modeste collège de Cornouailles allait bientôt rejoindre Rupert à Oxford.

« Ben ! » s'exclama Rupert, et il traversa aussitôt la rue. « J'ai appris que tu arrivais. Bienvenue ! »

« — J'espère que tu me feras connaître l'endroit… et rencontrer de jolies filles, ajouta Ben avec des yeux qui pétillaient. Tu dois les avoir toutes après toi, espèce de tombeur ! » Puis il tourna la tête avec curiosité vers Allan, resté de l'autre côté de la rue. « Qui est-ce ? Un ami ? »

Rupert sentit son cœur s'accélérer ; avec une panique soudaine, il se vit dans le regard des gens de chez lui – ses amis, ses professeurs, son père.

« Lui ? dit-il après un silence. Oh, personne. Juste un des profs. »

Le lendemain soir, il alla avec Ben dans un bar, but beaucoup de tequila, flirta outrageusement avec deux jolies Italiennes. Quand il rentra, Allan l'attendait dans sa chambre.

« La soirée a été bonne ? s'enquit-il avec gentillesse.

— Oui », répondit Rupert, incapable de le regarder dans les yeux. « J'étais avec… avec des amis. » Il se déshabilla rapidement, se coucha et ferma les yeux quand Allan vint contre lui ; il chassa de son esprit toute pensée, tout sentiment de culpabilité, et s'abandonna au plaisir.

Mais, le lendemain, il retrouva Ben et, cette fois, se força à embrasser l'une des filles qui lui tournaient autour tels des papillons attirés par la lumière. La fille répondit avec empressement à ses avances et encouragea ses caresses ; à la fin de la soirée, elle l'invita chez elle.

Il la déshabilla avec des gestes lents et maladroits, s'inspirant de scènes de films et espérant que sa conquête, manifestement expérimentée, l'aiderait. Il s'en sortit plutôt bien ; les cris de la fille étaient-ils réels ou feints, il l'ignorait et s'en fichait. Au matin, il se réveilla lové contre ce corps féminin à la peau douce et à l'odeur inhabituelle. Il embrassa l'épaule de la jeune femme, ainsi qu'il le faisait toujours avec Allan, et se risqua à lui effleurer les seins. Surpris, il constata qu'il était excité ; il avait envie de la caresser, de l'embrasser, de lui faire l'amour. Il était normal. Il pouvait être normal.

« Es-tu en train de t'éloigner de moi ? lui demanda Allan, quelques jours plus tard, alors qu'ils déjeunaient ensemble. As-tu besoin de prendre un peu de distance ?

— Non ! répliqua Rupert, avec précipitation. Tout va bien. »

Allan le dévisagea en silence et posa sa fourchette sur la table.

« Ne cède pas à la panique. » Il prit la main de Rupert, qui la retira. Allan tressaillit. « Ne renonce pas à quelque chose qui pourrait être merveilleux, simplement parce que tu as peur.

— Je n'ai pas peur !

— Si, bien sûr. Tout le monde a peur. J'ai peur.

— Toi ? Et pourquoi diable ?

— J'ai peur, dit Allan d'une voix lente, parce que j'observe ton comportement et je sais ce que cela signifie pour moi. Tu tentes de me fuir, de te débarrasser de moi. D'ici peu, tu détourneras les yeux quand tu me croiseras dans la rue. Exact ? »

Allan considéra Rupert avec des yeux interrogateurs – des yeux qui attendaient un démenti. Mais Rupert ne dit rien. Ce n'était pas nécessaire.

À partir de ce jour, la situation se dégrada rapidement. Ils eurent une dernière conversation dans le bar désert de Keble College, huit jours avant la rentrée.

« Je ne peux pas... », marmonna Rupert, guindé, mal à l'aise, avec un coup d'œil du côté du serveur indifférent. « Je ne suis pas... » Il s'interrompit pour avaler une rasade de whisky. « Tu comprends. » Il leva sur Allan un regard implorant, puis détourna les yeux.

« Non, répondit Allan d'un ton calme. Non, je ne comprends pas. Nous étions heureux ensemble.

— C'était une erreur. Je ne suis pas homosexuel.

— Tu n'es pas attiré par moi ? questionna Allan en le fixant des yeux. C'est ce que tu affirmes ? Tu n'es pas attiré par moi ? »

Rupert regarda Allan, avec l'impression d'un déchirement profond à l'intérieur de lui-même. Dans un pub, Ben l'attendait en compagnie de deux jolies filles ; ce soir, il coucherait certainement avec l'une des deux. Pourtant, il désirait Allan plus que n'importe quelle femme au monde.

« Non, lâcha-t-il enfin. Non.

— Parfait, dit Allan d'une voix altérée par la colère. Mens-moi, mens-toi à toi-même. Marie-toi, aie un enfant. Joue à être hétérosexuel. Mais tu sais très bien que tu ne l'es pas, et je le sais également.

— Je le suis, répliqua timidement Rupert et, devant le regard de mépris d'Allan, il regretta aussitôt ses paroles.

— OK, fit Allan, puis il vida son verre et se leva.

— Ça va aller ? s'inquiéta Rupert en le regardant.

— Épargne-moi ta pitié ! riposta Allan avec force. Non, ça ne va pas aller. Mais je survivrai.

— Je suis désolé. »

Allan n'ajouta pas un mot. Rupert le vit s'éloigner et sortir du bar. Pendant quelques instants, il éprouva une vive douleur puis, après deux autres verres de whisky, il se sentit un peu mieux. Il alla retrouver Ben au pub, comme convenu, but plusieurs bières et pas mal de whisky. Plus tard, dans la nuit, après avoir fait l'amour avec la plus jolie des deux filles amenées par Ben, il demeura longtemps éveillé, à se répéter qu'il était normal, qu'il était revenu dans le droit chemin, qu'il était heureux. Et il réussit presque à s'en persuader.

« Tom sera là dans quelques minutes. » La voix de Francesca interrompit les pensées de Rupert. Il releva la tête et vit sa femme debout à la porte du salon, avec un plateau sur lequel étaient disposées la théière couleur crème qu'ils avaient choisie pour leur liste de mariage, des tasses, des sous-tasses et une assiette de biscuits au chocolat.

« Francesca, dit Rupert d'un ton las, on ne reçoit pas des amis pour le thé, bon sang. »

Francesca eut l'air surprise et blessée, puis elle prit sur elle et acquiesça. « Tu as peut-être raison, reconnut-elle et elle posa le plateau sur une chaise. C'est sans doute un peu déplacé.

— Toute cette mise en scène est déplacée. » Rupert se leva et se dirigea lentement vers la porte. « Je n'ai pas l'intention de parler à Tom de ma sexualité.

— Mais il veut nous rendre service !

— Non. Ce qu'il veut, c'est contrôler.

— Je ne comprends pas. »

Rupert haussa les épaules. Ils se turent un moment, puis Francesca reprit la parole.

« Je me demandais... » Elle hésita. « Je me demandais si tu ne devrais pas voir un médecin. Nous pourrions peut-être demander au Dr Askew de nous recommander quelqu'un. Qu'en penses-tu ? »

Rupert resta sans voix. Il avait l'impression que Francesca venait de lui assener un coup sur la tête.

« Un médecin ? dit-il enfin, en s'efforçant de garder son calme. Un *médecin* ?

— Je pensais...

— Tu crois que j'ai un problème d'ordre médical ?

— Non ! Je voulais seulement dire... » Elle devint cramoisie. « On pourrait peut-être te donner quelque chose...

— Une pilule antigay ? » Rupert avait du mal à se contenir. Qui était cette femme qu'il avait épousée ? Qui était-ce donc ? « Tu parles sérieusement ?

— C'est juste une idée. »

Rupert considéra quelques instants Francesca puis, sans un mot, il passa devant elle, fonça dans l'entrée et attrapa sa veste sur le portemanteau.

« Rupert ! Où vas-tu ?

— Il faut que je sorte d'ici.

— Mais où vas-tu ? Où ? »

Rupert examina son reflet dans la glace.

« Je vais… à la recherche d'Allan. »

10

Le chanoine Lytton avait demandé que tous les membres de la famille se rassemblent au salon, comme s'il s'apprêtait à démasquer un meurtrier parmi eux.

« Il n'y a que ma mère et moi, avait répliqué Isobel avec dédain. Voulez-vous que nous nous réunissions ? Ou préférez-vous revenir plus tard ?

— Certes non, avait dit le chanoine d'un ton solennel. Je souhaite que nous parlions maintenant. »

Assis sur le canapé, sa soutane poussiéreuse étalée autour de lui, il arborait une expression sévère et menaçante. Je parie qu'il s'exerce devant la glace, pensait Isobel, afin d'effrayer les gamins du catéchisme.

« Je suis venu vous trouver pour une affaire assez grave, annonça-t-il. En bref, j'aimerais m'assurer de l'exactitude ou non d'une information qui m'a été communiquée.

— Par qui ? » interrogea Isobel.

Le chanoine Lytton ignora sa question. « Il est de mon devoir, dit-il en haussant légèrement le ton, en tant que pasteur chargé de célébrer le mariage de Milly et de Simon, de vérifier si Milly, membre de la paroisse de Saint-Édouard-le-Confesseur, est bien célibataire, comme elle l'a déclaré sur le formulaire qu'elle a rempli, ou si en réalité elle ne l'est pas. Je lui poserai moi-même la question

189

à son retour mais, en attendant, je vous saurais gré, à vous qui êtes sa mère, de bien vouloir répondre pour elle. » Sur ces mots, il jeta un regard impérieux à Olivia, qui fronça les sourcils.

« Je ne comprends pas. Vous voulez savoir si Milly et Simon vivent ensemble ? Ce n'est pas le cas, voyez-vous, car ils sont plutôt de la vieille école.

— Là n'était pas ma question. Ma question, plus simplement, est celle-ci : Milly a-t-elle déjà été mariée ?

— Déjà mariée ? » Olivia eut un petit rire surpris. « De quoi parlez-vous ?

— J'ai des raisons de croire...

— Quelqu'un vous a-t-il dit que Milly a été mariée ? » Le chanoine Lytton acquiesça d'un signe de tête. « Eh bien, cette personne ment ! Milly n'a jamais été mariée, voyons ! Comment pouvez-vous croire une chose pareille ?

— Je suis obligé de prendre en compte les accusations de ce genre.

— Quoi ! intervint Isobel. Même si elles viennent de gens complètement cinglés ?

— C'est à moi d'en juger, répondit le pasteur en lui adressant un regard sévère. La personne qui m'a révélé cela était très affirmative, elle a même indiqué être en possession d'une copie du certificat de mariage.

— Qui est cette personne ? demanda Isobel.

— Il ne m'est pas permis de le révéler », déclara le chanoine Lytton en arrangeant les plis de sa soutane.

Il est content de lui, songeait Isobel en l'observant. Il jubile.

« Pure jalousie ! tonna tout à coup Olivia. Certaines personnes sont jalouses de Milly et cherchent à gâcher son mariage. Il doit y avoir un certain nombre de jeunes filles déçues, pas étonnant qu'elles s'en prennent à Milly !

Franchement, monsieur le chanoine, je suis surprise que vous accordiez foi à ce genre d'accusations mensongères.

— Accusations mensongères, peut-être, cependant je souhaite parler à Milly en personne dès son retour, au cas où il y aurait des faits en rapport avec cette affaire dont vous n'auriez pas connaissance.

— Vous sous-entendez que ma fille aurait pu se marier sans me le dire ? protesta Olivia, furieuse. Ma fille n'a aucun secret pour moi ! »

Isobel remua sur son siège. Olivia et le pasteur se tournèrent vers elle.

« Avez-vous quelque chose à dire, Isobel ? s'enquit le chanoine Lytton.

— Non, non, rien, s'empressa-t-elle de répondre.

— Qui Milly aurait-elle épousé, à propos ? questionna Olivia. Le facteur ? »

Il y eut un bref silence. Isobel jeta un coup d'œil au pasteur et s'efforça de dominer sa nervosité.

« Un homme du nom de Kepinski, dit le chanoine Lytton en lisant sur un bout de papier. Allan Kepinski. »

Isobel sentit le découragement l'accabler. Milly n'avait aucune chance.

« Allan Kepinski ? fit Olivia, sceptique. Voilà un nom inventé, à coup sûr ! Toute cette affaire est à l'évidence un canular, monté par un misérable individu obsédé par la chance de Milly. On entend parler tous les jours de ce genre d'histoires. Tu ne crois pas, Isobel ?

— Si, en effet, répondit Isobel d'une voix faiblarde.

— Et maintenant, dit Olivia en se levant, si vous voulez bien m'excuser, monsieur le chanoine, j'ai mille choses à faire et je n'ai pas le temps d'écouter des mensonges au sujet de ma fille. Je vous rappelle que nous avons un mariage samedi !

— J'en suis bien conscient. Néanmoins, il faudra que je discute de cela avec Milly, peut-être plus tard dans la soirée, si cela ne vous dérange pas.

— Vous pouvez parler avec elle autant que vous voudrez, mais je vous préviens, vous perdez votre temps.

— Je reviendrai, déclara le chanoine Lytton d'un ton solennel. Ne vous donnez pas la peine de me raccompagner. »

Dès que la porte se referma derrière lui, Olivia dévisagea Isobel.

« Sais-tu de quoi il parle ?

— Non, bien sûr que non !

— Isobel, tu as joué l'idiote devant le chanoine Lytton, mais tu ne feras pas la même chose avec moi ! Tu sais quelque chose ! De quoi s'agit-il ?

— Écoute, maman, dit Isobel en essayant de paraître calme. Je pense qu'il vaudrait mieux qu'on attende le retour de Milly.

— Pourquoi ? » Olivia la regarda, déconcertée. « Qu'est-ce que tu racontes ? Il n'y a rien de vrai dans les paroles du chanoine Lytton, n'est-ce pas ?

— Je ne dirai rien, affirma Isobel d'un ton ferme. Pas jusqu'à ce que Milly soit rentrée.

— Je ne tolérerai pas que vous me cachiez quelque chose, toutes les deux », s'indigna Olivia.

Isobel soupira. « Je crains que ce ne soit déjà le cas. »

Milly revenait de la gare d'un pas traînant quand une voiture s'arrêta à sa hauteur.

« Bonjour, ma chérie, dit James. Je te ramène ?

— Oh, fit-elle. Oui, merci. »

Elle monta, évita le regard de son père et fixa un point dans l'obscurité. Il fallait qu'elle mette ses idées en ordre, décide ce qu'elle allait faire, échafaude un plan. Durant le trajet en train, elle avait tenté de réfléchir, de trouver une solution rationnelle, sensée. Maintenant, de retour à Bath, à quelques minutes de chez elle, elle nageait encore en pleine incertitude. Pourrait-elle vraiment obliger Alexander à se taire ? On était déjà jeudi soir, le mariage avait lieu samedi : plus qu'une journée à tenir…

« Tu t'es bien amusée à Londres ? »

Milly sursauta. « Oui. J'ai fait les magasins.

— Je vois. As-tu trouvé de belles choses ?

— Oui. » Elle se rendit compte à ce moment-là qu'elle ne portait aucun paquet. « J'ai acheté… des boutons de manchette pour Simon.

— Excellente idée. À propos, il a dit qu'il t'appellerait plus tard, après le travail.

— Très bien. » Elle se sentait malade d'angoisse. Comment réussirait-elle à affronter Simon ? Comment pourrait-elle simplement le regarder dans les yeux ?

Quand ils descendirent de voiture, elle eut brusquement envie de s'enfuir à toutes jambes, de ne plus jamais revoir personne. Mais elle monta les marches du perron derrière son père.

« La voilà ! » cria la voix de sa mère. La porte s'ouvrit et Olivia surgit dans l'entrée. « Milly, dit-elle d'une voix saccadée, furieuse, qu'est-ce que c'est que cette histoire abracadabrante ?

— Quelle histoire ? questionna Milly, pleine d'appréhension.

— L'histoire de ton soi-disant premier mariage. »

Milly crut qu'elle allait s'évanouir. « Qu'est-ce que tu racontes, maman ?

— Qu'y a-t-il ? dit James. Ça va, Olivia ? »

« — Non, ça ne va pas ! Le chanoine Lytton est passé nous voir cet après-midi. » Elle lança un coup d'œil par-dessus son épaule. « N'est-ce pas, Isobel ?

— Oui, il est passé nous voir », confirma Isobel qui émergea du salon et fit un petit signe à sa sœur. Milly la dévisagea, la panique au ventre.

« Qu'a-t-il… ?

— Il nous a débité des propos absurdes au sujet de Milly, déclara Olivia. Il nous a dit qu'elle avait déjà été mariée ! »

Milly resta figée sur place.

« Seule Isobel a l'air de penser que ce n'est pas si absurde que ça, continua Olivia.

— Ah bon ? fit Milly avec un regard meurtrier à sa sœur.

— Maman ! s'exclama Isobel, indignée. Ce n'est pas juste ! Milly, je t'assure que je n'ai rien dit, j'ai suggéré qu'on attende ton retour.

— Oui, dit Olivia. Et maintenant elle est là, alors l'une de vous deux a intérêt à nous expliquer de quoi il s'agit. »

Milly regarda tour à tour ses parents et sa sœur.

« D'accord, dit-elle d'une voix chevrotante. Laissez-moi juste le temps d'enlever mon manteau. »

Un silence s'installa. Milly retira son manteau et son écharpe et les accrocha au portemanteau.

« Peut-être pourrions-nous boire quelque chose, proposa-t-elle.

— Je n'ai pas envie de boire ! riposta sa mère. Je veux savoir ce qui se passe. Milly, le chanoine Lytton a-t-il dit vrai ? As-tu déjà été mariée ?

— Donne-moi une minute, s'il te plaît, je voudrais m'asseoir, implora Milly.

« — Non, je n'attendrai pas une minute de plus ! Réponds-moi : as-tu été mariée, oui ou non ? Oui ou non, Milly ?

— Oui ! hurla Milly. Je suis mariée ! Je suis mariée depuis dix ans ! »

Ses paroles résonnèrent dans le silence. Olivia recula d'un pas et agrippa la rampe de l'escalier.

« Je me suis mariée quand j'étais à Oxford, avoua Milly d'une voix qui tremblait. J'avais dix-huit ans et... et ça ne signifiait rien. Personne ne l'a su. Personne. Et je croyais que personne ne le saurait jamais. Je pensais... » Elle s'interrompit. « Oh, et puis, à quoi bon ? »

Tout le monde se tut. Isobel jeta un coup d'œil inquiet à sa mère : elle était écarlate et semblait sur le point de suffoquer.

« Tu parles sérieusement, Milly ? dit enfin Olivia.

— Oui.

— Tu t'es réellement mariée quand tu avais dix-huit ans ? Et tu croyais vraiment que personne ne l'apprendrait jamais ? »

Milly hocha piteusement la tête.

« Tu n'es qu'une imbécile ! » La voix d'Olivia claqua comme un fouet, et Milly devint subitement pâle. « Une imbécile et une égoïste ! Comment as-tu pu imaginer que personne ne l'apprendrait ? Tu n'as donc rien dans le crâne ? Tu as tout gâché, tu as mis tout le monde dans une situation impossible !

— Ça suffit, intervint James, en colère. Tais-toi, Olivia !

— Je regrette, murmura Milly. Je suis sincèrement désolée.

— Il est trop tard pour être désolée ! poursuivit Olivia. Ça ne sert à rien de regretter, maintenant ! Comment est-ce que tu as pu me faire une chose pareille ?

— Olivia !

« — Je suppose que tu trouvais ça malin, de te marier et de tenir ça secret, hein ? Tu te prenais sûrement pour une adulte, en faisant cela, non ?

— Non, répondit Milly d'un air pitoyable.

— Qui était-ce ? Un étudiant ?

— Un professeur.

— Tu es tombée amoureuse folle de lui, et il t'a promis la lune !

— Non ! répliqua Milly en se rebiffant soudain. Je l'ai épousé pour lui rendre service, parce qu'il avait besoin de rester en Angleterre ! »

Olivia dévisagea sa fille et changea d'expression au fur et à mesure qu'elle comprenait ce que Milly venait de dire.

« Tu as épousé un immigré clandestin ? murmura-t-elle. Un immigré clandestin ? répéta-t-elle un ton plus haut.

— Ne dis pas ça ! protesta Milly.

— Quel genre d'immigré clandestin ? hurla Olivia, hystérique. Il t'a menacée ?

— Maman, pour l'amour du ciel ! intervint Isobel.

— Calme-toi, Olivia, renchérit James. Tu n'arranges pas les choses.

— Et pourquoi aurais-je envie d'arranger les choses ? Tu réalises les conséquences de tout ça ? Il va falloir qu'on annule le mariage !

— Ou du moins qu'on le repousse, corrigea Isobel. Jusqu'à l'arrivée du certificat de divorce, précisa-t-elle avec un petit signe complice à Milly.

— Impossible ! s'écria Olivia, désespérée. Tout est prêt, organisé ! » Elle réfléchit un instant, puis se tourna brusquement vers Milly. « Simon est-il au courant ? »

Milly fit non de la tête, et une lueur apparut dans les yeux de sa mère.

« Dans ce cas, on peut quand même maintenir le mariage, dit Olivia en regardant tour à tour son mari et ses

196

filles. On ne dira rien au chanoine Lytton. Si nous restons tous les quatre muets et gardons la tête haute...

— Maman ! s'exclama Isobel. Il s'agit de bigamie !

— Et alors ?

— Olivia, tu es folle, dit James, écœuré. Il est bien évident qu'on doit annuler le mariage. Et si tu veux mon avis, ce n'est pas plus mal.

— Comment ça, ce n'est pas plus mal ? rugit Olivia. Tu te rends compte de ce que tu dis ? Jamais une chose aussi épouvantable ne s'est produite dans notre famille, et toi tu prétends que ce n'est pas plus mal !

— Franchement, je pense qu'il vaudrait mieux pour nous tous que nous revenions à la normale ! répliqua James avec colère. Cette histoire de mariage a fini par prendre des proportions ridicules. Il n'est question que de ça, à longueur de temps ! Tu n'as que ce mot à la bouche : le mariage, le mariage, le mariage !

— Il a bien fallu que quelqu'un s'en occupe ! glapit Olivia. Est-ce que tu imagines le nombre de choses que j'ai eu à organiser ?

— Oh oui ! riposta son mari, exaspéré. Chaque jour, tu avais mille choses à faire ! Sept mille choses par semaine, tu réalises ce que ça représente ? Bon sang, c'est pire que les préparatifs d'une expédition sur la Lune !

— Tu ne veux pas comprendre, voilà tout.

— La famille entière est obsédée par ce mariage ! J'estime que ça te ferait le plus grand bien, Milly, de redescendre un peu sur terre.

— Comment ça ? murmura Milly, interloquée. Mais j'ai les pieds sur terre.

— Tu vis sur un petit nuage, rétorqua son père. Tu t'es précipitée dans le mariage sans réfléchir à ce que cela implique réellement, sans considérer les autres choix possibles. Je sais que Simon est un jeune homme fort séduisant, que son père est très riche...

— Ça n'a aucun rapport ! affirma Milly, toute pâle. J'aime Simon ! Je veux l'épouser parce que je l'aime !

— C'est ce que tu crois, mais peut-être serait-ce l'occasion pour toi d'attendre un peu, de te colleter avec la réalité, pour une fois. Comme Isobel.

— Comme Isobel, répéta Milly, consternée. Tu veux toujours que je sois comme elle. Isobel la parfaite !

— Mais non, voyons, je n'ai pas voulu dire ça.

— Tu voudrais que je fasse les mêmes choses qu'elle.

— Peut-être. Certaines, du moins.

— Papa..., dit Isobel.

— Eh bien, d'accord ! explosa soudain Milly. Je vais faire comme Isobel : je ne me marierai pas, et je tomberai enceinte ! »

Un silence de plomb s'abattit sur eux quatre.

« Enceinte ? fit Olivia, abasourdie.

— Merci beaucoup, Milly, dit Isobel d'un ton sec, et elle fonça vers la porte.

— Isobel..., chuchota sa sœur, mais Isobel claqua la porte sans regarder derrière elle.

— Enceinte », répéta Olivia.

Elle chercha à tâtons un siège et s'assit.

« Je n'avais pas l'intention de dire ça, marmonna Milly, atterrée par ce qu'elle avait fait. Oublie ce que j'ai dit, s'il te plaît.

— Tu es mariée, et Isobel est enceinte. » Olivia dévisagea Milly. « Elle est vraiment enceinte ?

— Cela ne me regarde pas, répondit Milly, la tête basse. C'est son affaire, je n'aurais rien dû dire. »

La sonnette les fit sursauter.

« C'est sûrement Isobel. » James alla ouvrir la porte, et recula d'un pas. « Ah, c'est vous, Simon. »

Une fois dans la rue, Isobel se mit à marcher à vive allure, sans s'arrêter, sans regarder en arrière, sans savoir où elle allait. Son cœur battait à tout rompre et elle serrait les mâchoires. La neige s'était transformée en boue, une espèce de crachin tombait maintenant, qui lui mouillait les cheveux et lui dégoulinait dans le cou. Pourtant, à chaque pas elle se sentait un peu mieux, elle s'enfonçait un peu plus dans l'anonymat, elle s'éloignait des visages choqués de ses parents.

Tout son corps frémissait de colère. Elle avait l'impression d'avoir été trahie et que sa famille se faisait d'elle une image fausse. Elle était furieuse contre Milly... mais en même temps elle la plaignait trop pour lui en vouloir. Jamais Isobel n'avait assisté à une scène de famille aussi pénible, avec Milly sans défense au milieu de l'arène – pas étonnant si sa sœur avait saisi la première tactique de diversion qui se présentait à son esprit. Isobel comprenait sa sœur, mais cela ne l'empêchait pas d'être furieuse.

Elle ferma les yeux. Elle se sentait vulnérable, à vif, nullement préparée à tout cela. À son retour, ses parents attendraient sûrement qu'elle s'explique, réponde à leurs questions, les rassure et les aide à digérer la stupéfiante nouvelle. À vrai dire, elle ne l'avait pas encore digérée elle-même. Sa grossesse restait pour le moment une notion plutôt abstraite, une situation non voulue, non assimilée, dont elle était incapable de parler. Comment exprimer clairement ses pensées à ce sujet, alors qu'elle ne parvenait plus à distinguer ses émotions de ses sensations physiques. Énergie et optimisme alternaient avec larmes et désespoir, et les nausées n'arrangeaient rien. Quel effet cela fait d'avoir un enfant à l'intérieur de soi ? Milly ne manquerait pas de poser la question, mais Isobel n'avait pas envie d'y répondre, elle n'avait pas envie de se penser comme une femme qui attend un enfant.

Elle s'arrêta à un coin de rue et posa avec précaution la main sur son ventre. Quand elle imaginait ce qu'il y avait à l'intérieur, elle voyait un petit coquillage, ou un escargot, une créature enroulée sur elle-même, à peine humaine, indéterminée, dont la vie n'avait pas réellement commencé – dont la vie risquait, si Isobel en décidait ainsi, de ne jamais se développer. Une douleur à la fois physique et morale s'empara d'elle, et elle se mit à trembler. *Toute la famille*, songea-t-elle, *s'inquiète de savoir si le mariage de Milly pourra avoir lieu ou pas, tandis que moi, je suis toute seule pour essayer de décider si je laisse ou non croître une vie humaine.*

Cette pensée la cloua sur place. Elle était presque accablée par son fardeau, écrasée par la décision qu'il lui faudrait prendre, et elle crut un instant qu'elle allait s'effondrer, en larmes, sur le trottoir. Mais elle se ressaisit, secoua la tête avec impatience, enfonça ses mains dans ses poches et, les dents serrées, continua à marcher.

Simon et Milly étaient assis au salon, dans des fauteuils face à face, comme pour une causerie télévisée.

« Eh bien, dit Simon après un certain temps, de quoi s'agit-il ? »

Milly l'observa en silence. Elle écarta d'une main tremblante une mèche de son visage, ouvrit la bouche et la referma aussitôt.

« Tu m'inquiètes, ma chérie. Parle. Rien ne peut être grave à ce point. Ce n'est pas une question de vie ou de mort, n'est-ce pas ?

— Non.

— Eh bien, alors ? »

Il lui sourit et Milly, un peu soulagée, sourit à son tour.

« Ça ne va pas te faire plaisir.

— Je serai courageux. Vas-y, porte le coup.

— D'accord. » Milly respira à fond. « Le problème est le suivant : on ne peut pas se marier samedi. Nous serons obligés de reporter le mariage.

— Reporter ? dit Simon d'une voix lente. Bon, d'accord. Mais pourquoi ?

— Il y a quelque chose que je ne t'ai pas dit. » Milly se tordit les mains à s'en faire craquer les jointures. « J'ai fait une grosse bêtise quand j'avais dix-huit ans. Je me suis mariée. C'était un faux mariage, qui ne comptait pas. Seulement, le divorce n'a pas été prononcé, je suis donc… je suis toujours mariée. »

Elle regarda Simon à la dérobée. Il semblait perplexe mais pas fâché, et Milly en éprouva un vif soulagement. Après les cris hystériques de sa mère, c'était réconfortant de voir que Simon prenait la nouvelle avec calme. Il ne paniquait pas, ne hurlait pas. Normal, après tout : leur relation n'était pas en cause, il s'agissait juste d'un incident technique.

« Cela signifie que je dois attendre le jugement définitif de divorce afin que nous puissions nous marier. » Elle se mordit la lèvre. « Simon, je suis désolée. »

Il y eut un long silence.

« Je ne comprends pas, dit enfin Simon. C'est une plaisanterie ?

— Non. Si seulement c'en était une ! C'est la vérité, Simon, je suis mariée. »

Elle le regarda d'un air malheureux. Simon l'observa longuement, et la stupéfaction se lut peu à peu sur son visage.

« Tu parles sérieusement ?

— Oui.

— Tu es réellement mariée ?

— Oui, mais ce n'était pas un vrai mariage. » Milly baissa les yeux et s'efforça de maîtriser le tremblement de sa voix. « Il était homosexuel, on a organisé tout ça pour lui permettre de rester en Angleterre. Je t'assure que ce mariage ne représente rien, absolument rien ! Tu comprends, n'est-ce pas ? Tu comprends ? »

Elle releva la tête, vit l'expression de Simon et réalisa avec consternation qu'il ne comprenait pas.

« J'ai commis une erreur, bafouilla-t-elle. Une grosse erreur, je m'en rends compte aujourd'hui. Je n'aurais jamais dû accepter de faire une chose pareille, mais j'étais très jeune, très sotte, et c'était un ami. Ou plutôt, je croyais que c'était un ami, et il avait besoin de mon aide. Rien de plus !

— Rien de plus, répéta Simon d'une voix bizarre. Alors, quoi ? Ce type t'a donné de l'argent ?

— Non ! J'ai fait ça pour lui rendre service.

— Tu t'es mariée… pour rendre service à quelqu'un ? » articula Simon, incrédule.

Milly le regarda avec des yeux inquiets. Les choses tournaient mal, apparemment.

« Cela ne signifiait rien, insista-t-elle. C'était il y a dix ans, j'étais une enfant ! Je sais que j'aurais dû t'en parler avant, je le sais, mais je… » Elle se tut et lui lança un regard désespéré. « Simon, dis quelque chose !

— Que suis-je censé dire ? Que je te présente mes félicitations ? »

Milly accusa le coup. « Non, bien sûr. Simplement… Dis-moi ce que tu penses.

— Je l'ignore. Je ne sais même pas par où commencer. Je n'arrive pas à y croire. Tu m'annonces que tu es mariée à un autre homme, qu'est-ce que je dois en penser ? » Le

202

regard de Simon tomba sur la main gauche de Milly, et sur la bague de fiançailles ; Milly rougit.

« Ce mariage ne comptait pas, il faut que tu me croies !

— Peut-être qu'il ne comptait pas, n'empêche que tu es toujours mariée ! » Simon se leva brusquement et s'approcha de la fenêtre. « Seigneur, Milly ! s'exclama-t-il d'une voix qui tremblait légèrement. Pourquoi ne m'as-tu rien dit ?

— Je ne sais pas, je... » Elle hésita. « Je ne voulais pas tout gâcher.

— Tu ne voulais pas tout gâcher. Alors, tu as attendu l'avant-veille de notre mariage pour m'annoncer que tu es déjà mariée.

— Je pensais que ça n'avait pas d'importance, je me disais...

— Tu estimais que ce n'était pas la peine de me le révéler ? » Simon se retourna tout à coup et dévisagea Milly. « Tu n'avais pas l'intention de m'en parler, jamais ! Je me trompe ?

— Je ne...

— Tu avais l'intention de garder le secret ! De le dissimuler à ton propre mari !

— Non ! Je voulais te le dire !

— Quand ? Lors de notre nuit de noces ? À la naissance de notre premier enfant ? Pour nos noces d'or ? »

Milly ouvrit la bouche, mais aucun son ne sortit. Une peur panique montait en elle. Jamais auparavant elle n'avait vu Simon aussi furieux ; que faire ? Comment désamorcer sa colère ?

« Eh bien, quels autres petits secrets me dissimules-tu ? Des enfants cachés ? Des amants ?

— Non.

— Comment pourrais-je te croire ? » Simon lâcha ces mots d'un ton qui fit frémir Milly. « Comment pourrai-je croire désormais la moindre de tes paroles ?

— Je l'ignore, répondit-elle, désespérée. Il faut que tu me fasses confiance.

— Te faire confiance !

— Je sais, j'aurais dû te parler, j'en suis bien consciente. Mais le fait que je me suis tue ne signifie pas que je te cache autre chose. Simon...

— Il n'y a pas uniquement le fait que tu aies gardé ce secret pour toi. »

Le cœur de Milly se mit à battre la chamade. « Quoi d'autre, alors ? »

Simon se laissa tomber sur un siège et se passa les mains sur le visage.

« Milly... tu as déjà prononcé les vœux du mariage, tu as déjà promis à un autre homme de l'aimer et de le chérir. Imagines-tu ce que je ressens ?

— Mais je n'en pensais pas un seul mot !

— Justement. » La voix de Simon glaça Milly. « Je croyais que tu attachais autant d'importance que moi à ces vœux.

— J'y attache de l'importance, Simon ! Je t'assure !

— Ah oui ? Tu les as profanés, souillés !

— Ne me regarde pas comme ça, je t'en prie, murmura Milly. Je ne suis pas un monstre. J'ai commis une faute, mais je suis toujours la même, rien n'est changé.

— Tout est changé, rétorqua Simon d'une voix éteinte. Pour être franc, reprit-il après un silence pesant, j'ai l'impression de ne plus te reconnaître.

— Eh bien, moi aussi, j'ai l'impression de ne plus te reconnaître ! éclata Milly. Je sais que j'ai bousillé notre mariage, je sais que j'ai tout fichu en l'air, mais ce n'est pas une raison pour jouer les moralisateurs et pour me considérer comme une moins que rien ! Je ne suis pas une criminelle ! Enfin, si, peut-être, sur le plan légal. Mais uniquement parce que j'ai commis une faute, une unique faute ! Si tu m'aimais, tu me pardonnerais ! » Milly éclata en sanglots. « Si tu m'aimais vraiment, tu me pardonnerais.

— Et si toi, tu m'aimais vraiment, cria Simon, désespéré, tu m'aurais avoué que tu étais mariée ! Tu peux raconter ce que tu veux, Milly, si tu m'avais réellement aimé, tu m'aurais dit la vérité ! »

Elle le dévisagea, soudain hésitante. « Pas nécessairement, bredouilla-t-elle.

— Dans ce cas, nous devons avoir des définitions différentes de l'amour. Peut-être ne sommes-nous pas sur la même longueur d'onde depuis le début. » Simon se leva et attrapa son manteau. Milly le regarda, malade d'angoisse.

« Veux-tu dire... veux-tu dire que tu ne désires plus te marier avec moi ?

— Autant que je sache, répliqua Simon avec raideur, tu as déjà un mari. La question est donc purement théorique, non ? » Il s'arrêta sur le seuil de la pièce. « Je vous souhaite à tous deux beaucoup de bonheur.

— Salaud ! » hurla Milly. Des larmes plein les yeux, elle arracha avec rage sa bague de fiançailles mais, au moment où elle voulut la lancer à la figure de Simon, la porte s'était déjà refermée derrière lui.

11

À son retour, Isobel trouva la maison silencieuse ; pas de lumière dans l'entrée, personne au salon. Elle poussa la porte de la cuisine et aperçut sa mère assise dans la pénombre, une bouteille de vin presque vide devant elle, de la musique en sourdine. Quand elle entendit la porte s'ouvrir, Olivia leva vers sa fille un visage livide et bouffi.

« Eh bien, annonça-t-elle d'une voix éteinte, tout est fini.

— Comment ça ?

— Simon et Milly ont rompu.

— Rompu ? Complètement ? Pourquoi ?

— Ils se sont plus ou moins disputés, et Simon a tout annulé, expliqua Olivia en vidant son verre.

— Pour quelle raison ? À cause de ce premier mariage ?

— Je suppose. Elle ne l'a pas dit.

— Où est-elle ?

— Partie chez Esme pour la nuit. Elle a déclaré qu'elle avait besoin de s'éloigner de la maison, et de nous tous.

— Je la comprends. » Isobel, sans enlever son manteau, s'affaissa sur une chaise. « Mon Dieu, pauvre Milly ! Je n'arrive pas à y croire. Qu'a dit Simon exactement ?

— Milly ne m'a rien raconté. Elle ne me dit plus rien depuis quelque temps. » Olivia se resservit du vin. « Apparemment, elle ne me juge plus digne de recevoir ses confidences. »

Isobel leva les yeux au ciel. « Je t'en prie, maman, ne commence pas.

— Dix ans qu'elle est mariée à ce... à cet immigré clandestin, et elle ne m'en a jamais parlé !

— Elle ne pouvait pas t'en parler ! Comment aurait-elle pu, bon sang ?

— Ensuite, une fois dans le pétrin, elle est allée voir Esme. » Olivia leva sur Isobel des yeux injectés de sang. « Esme Ormerod !

— Elle va toujours chez Esme, fit remarquer Isobel.

— Je le sais bien. Elle se réfugie là-bas et, quand elle revient, elle se prend pour la reine de Saba !

— Maman...

— Et puis elle t'a parlé, à toi ! » La voix d'Olivia monta d'un ton. « Pourquoi n'a-t-elle pas eu l'idée de venir me trouver, moi, sa propre mère ?

— Elle ne pouvait pas ! Elle savait comment tu réagirais et, franchement, elle n'avait pas besoin de ça. Il lui fallait l'avis d'une personne calme et raisonnable.

— Je suis incapable d'être raisonnable, c'est ça ?

— Quand il s'agit de ce mariage, oui ! Oui, tu en es incapable !

— Eh bien, de toute façon, il n'y aura plus de mariage, dit Olivia d'une voix altérée. Fini, le mariage, alors peut-être allez-vous de nouveau me faire confiance ? Peut-être allez-vous enfin me traiter comme un être humain.

— Oh, maman, arrête de t'apitoyer sur toi-même ! cria Isobel, soudain exaspérée. Il ne s'agit pas de ton mariage, mais de celui de Milly !

— Je le sais ! protesta Olivia, vexée.

« — Non ! Tu ne penses pas vraiment à Milly et à Simon, tu ne te préoccupes pas de ce qu'ils peuvent ressentir, et en fin de compte ça t'est égal qu'ils soient encore ensemble ou pas. Tout ce à quoi tu penses, c'est aux fleurs qu'il faudra décommander, à ton beau tailleur que personne n'admirera, et au fait que tu ne danseras pas avec Harry Pinnacle ! Le reste, tu t'en fiches pas mal !

— Comment oses-tu me parler ainsi ?

— C'est la vérité, non ? Pas étonnant que papa…

— Pas étonnant que papa quoi ?

— Rien, répondit Isobel, consciente d'avoir dépassé les limites. Je veux juste dire que… je comprends son point de vue, c'est tout. »

Un silence s'installa. Isobel cligna des yeux dans la pénombre. Tout à coup, elle se sentit vidée, à bout de forces, trop épuisée pour discuter.

« Bon, eh bien je crois que je vais monter me coucher, murmura-t-elle en se levant avec peine.

— Attends, dit Olivia. Tu n'as rien mangé.

— Aucune importance, je n'ai pas faim.

— Là n'est pas la question. Il faut que tu manges. »

Isobel haussa les épaules d'un air las.

« Il faut que tu manges, répéta Olivia en croisant le regard de sa fille. Dans ton état, ajouta-t-elle.

— Maman… pas maintenant.

— Nous ne sommes pas obligées d'en discuter, dit Olivia, un peu blessée. Tu n'es pas obligée de me dire quoi que ce soit si tu n'en as pas envie. Tu peux garder tous les secrets que tu veux. »

Isobel, gênée, détourna les yeux.

« Laisse-moi juste te préparer des œufs brouillés.

— D'accord, acquiesça Isobel après un court silence. C'est gentil.

— Et je vais te verser un petit verre de vin.

— Je ne peux pas boire, dit Isobel, prise au dépourvu.

— Pourquoi ? »

Isobel se tut, en proie à des sentiments contradictoires. Elle ne voulait pas boire d'alcool, au cas où elle déciderait de garder l'enfant. Un peu tordu, comme logique…

« Quelles bêtises ! s'écria sa mère. Je buvais trois gins par jour, quand je t'attendais, et tu es normale, non ? Plus ou moins ? »

Isobel sourit malgré elle.

« Bon, je prendrai un verre.

— Moi aussi. Ouvrons une autre bouteille. » Olivia ferma les yeux un instant. « Quelle soirée épouvantable, soupira-t-elle.

— À qui le dis-tu ! » Isobel se rassit. « J'espère que Milly va bien.

— Esme s'occupe d'elle, j'en suis sûre », répliqua Olivia avec un brin d'amertume.

Assise près de la cheminée, dans le salon de sa marraine, Milly tenait à deux mains un bol d'un breuvage chaud et crémeux – du chocolat belge avec une goutte de Cointreau. Esme lui avait fait prendre un bon bain chaud, parfumé d'essences mystérieuses contenues dans des flacons sans étiquettes, et lui avait prêté un peignoir blanc en nid-d'abeilles et des chaussons douillets. Esme peignait les cheveux de Milly avec une brosse ancienne en soies de sanglier. Milly, les yeux rivés sur le feu, sentait le mouvement de la brosse dans ses cheveux, la chaleur des flammes sur son visage, la douceur de sa peau sous le peignoir. Arrivée environ une heure plus tôt chez sa marraine, elle avait fondu en larmes sitôt que la porte s'était ouverte, et avait pleuré de nouveau en prenant son bain, mais là elle ressentait un calme étrange. Elle but une autre gorgée de chocolat et ferma les yeux.

« Ça va mieux ? s'enquit Esme à voix basse.

— Oui, beaucoup mieux.

— Parfait. »

L'un des lévriers couchés près du feu se leva, s'approcha de Milly et posa la tête sur ses genoux.

« Tu avais raison, murmura Milly en caressant le chien. Tu avais raison, je ne connais pas Simon et il ne me connaît pas. La situation est désespérée. »

Esme se tut mais continua à la coiffer.

« Je sais que tout est ma faute, reprit Milly, j'en ai bien concience. Ce premier mariage, les conséquences désastreuses, c'est moi qui en suis responsable. Mais Simon s'est comporté comme si je l'avais fait exprès, il n'a même pas essayé de voir les choses de mon point de vue.

— Typiquement masculin, commenta Esme. Les femmes se mettent en quatre pour prendre en compte les opinions des autres. Les hommes, eux, prêtent l'oreille une minute, puis retournent à leurs occupations et font comme si de rien n'était.

— Il n'a même pas prêté l'oreille une minute. Il n'a pas écouté du tout.

— Pas étonnant. Encore un de ces hommes intransigeants.

— Je me sens complètement idiote, dit Milly en éclatant en sanglots. Comment ai-je pu avoir un jour l'idée de l'épouser ? Il m'a dit que j'avais profané les vœux du mariage, et qu'il ne pourrait plus jamais croire une seule de mes paroles. Il m'a regardée comme si j'étais un monstre !

— Je sais, fit Esme d'un ton apaisant.

— Pendant tout le temps de notre relation, poursuivit Milly en essuyant ses larmes, Simon et moi n'avons pas

vraiment appris à nous connaître. Simon ignore complètement qui je suis en réalité ! Comment peut-on épouser
quelqu'un qu'on ne connaît pas ? Comment est-ce
possible ? Nous n'aurions jamais dû nous fiancer. Depuis
le début, c'était seulement... » Elle s'interrompit, frappée
par une pensée subite. « Tu te rappelles quand il m'a
demandée en mariage ? Il avait tout prévu, tout organisé à
son idée : il m'a conduite à ce banc, dans le jardin de son
père, et il avait une bague en diamants dans sa poche, il
avait même placé une bouteille de champagne dans une
souche d'arbre !

— Ma chérie...

— Mais tout cela, ce n'était pas pour moi, c'était pour
lui, rien que pour lui. Il ne pensait pas à moi, déjà à cette
époque.

— Exactement comme son père », dit Esme, une pointe
d'amertume dans la voix. Milly la dévisagea avec surprise.

« Tu connais Harry ?

— Je l'ai connu autrefois, mais je ne le vois plus depuis
longtemps.

— J'ai toujours pensé que Harry était un homme gentil,
mais en réalité je n'en sais rien du tout. Je me suis bien
complètement trompée au sujet de Simon, non ? » Milly,
une fois de plus, fut secouée de sanglots, et Esme cessa de
lui brosser les cheveux.

« Pourquoi ne vas-tu pas te coucher, ma chérie ? Tu es
fatiguée, à bout de nerfs, tu as besoin d'une bonne nuit de
sommeil. Tu t'es levée de bonne heure ce matin, tu as fait
l'aller et retour à Londres, tu as eu une rude journée.

— Je serai incapable de dormir. » Milly leva vers sa
marraine un visage baigné de larmes ; on aurait dit une
enfant.

« Tu dormiras, affirma calmement Esme. J'ai mis un petit quelque chose dans ton chocolat, cela ne devrait pas tarder à agir.

— Oh », fit Milly. Elle contempla le fond de sa tasse et but ce qui restait. « Tu drogues tous tes invités ?

— Seulement les privilégiés », répliqua sa marraine avec un sourire serein.

Après avoir fini ses œufs brouillés, Isobel poussa un soupir et se renversa sur son siège.

« C'était délicieux. Merci. »

N'obtenant pas de réponse, elle se tourna vers sa mère. Olivia était penchée au-dessus de son verre de vin, les yeux fermés.

« Maman ? »

Olivia battit des paupières et ouvrit les yeux.

« Tu as terminé, dit-elle, un peu hébétée. Tu en veux d'autres ?

— Non merci. Écoute, pourquoi ne montes-tu pas te coucher ? Tu auras beaucoup à faire demain matin. »

Olivia dévisagea Isobel d'un air hagard puis, au bout d'un moment, se ressaisit brusquement.

« Oui, acquiesça-t-elle, tu as raison. » Elle soupira. « Tu sais, l'espace d'un instant, j'avais oublié.

— Va te coucher, je ferai la vaisselle.

— Mais tu…

— Je me sens très bien et, de toute façon, j'ai envie de me préparer une tasse de thé.

— Bon, eh bien, bonne nuit.

— Bonne nuit. »

Isobel observa sa mère tandis que celle-ci quittait la pièce, puis elle se leva et remplit la bouilloire. Appuyée contre l'évier, elle contemplait la rue plongée dans le silence et l'obscurité quand tout à coup elle entendit le bruit d'une clé dans la serrure de la porte d'entrée.

« Milly ? C'est toi ? »

Juste après, la porte de la cuisine s'ouvrit, livrant passage à un jeune homme étrange. L'inconnu avait une veste en jean et portait un grand sac ; il paraissait plus débraillé que la plupart des clients. Isobel l'examina avec curiosité puis comprit soudain de qui il s'agissait. Une rage folle s'empara d'elle ; ainsi, c'était lui, Alexander, la cause du désastre !

« Bonjour, dit le photographe avec un sourire insouciant, et il posa son sac par terre. Je suppose que vous êtes Isobel, celle qui parle toutes les langues et possède tous les talents.

— Je me demande comment vous osez remettre les pieds ici, rétorqua Isobel avec un effort pour maîtriser sa voix. Vous avez un sacré culot.

— J'ai ce courage, oui. » Alexander s'approcha d'elle. « On ne m'avait pas dit que vous étiez belle, en plus.

— Fichez le camp !

— Voilà qui n'est pas très aimable.

— Aimable ! Vous vous attendez à ce que je sois aimable, après ce que vous avez fait à ma sœur ?

— Ainsi, vous êtes au courant de son petit secret ? dit Alexander, toujours avec le sourire.

— Le monde entier est au courant de son petit secret, grâce à vous !

— Comment cela ? interrogea le jeune homme d'un air innocent. Il est arrivé quelque chose ?

— Laissez-moi réfléchir, riposta Isobel, sarcastique. Est-il arrivé quelque chose ? Ah oui : le mariage a été annulé. Mais vous le savez sans doute déjà. »

Alexander la dévisagea avec surprise.

« Vous plaisantez.

— Non, je ne plaisante pas ! Le mariage n'aura pas lieu. Félicitations, vous avez atteint votre but, vous avez foutu en l'air la vie de Milly, sans compter le reste de la famille.

— Seigneur Dieu ! murmura Alexander, embarrassé. Écoutez, je n'ai jamais eu l'intention…

— Ah non, vraiment ? cria Isobel, hors d'elle. Eh bien, vous auriez dû réfléchir avant d'ouvrir la bouche ! Vous vous attendiez à quoi ?

— Pas à ça ! Pas à ça, mon Dieu ! Pourquoi a-t-elle annulé le mariage, bon sang ?

— Ce n'est pas elle qui l'a annulé, c'est Simon.

— Quoi ! Mais pour quelle raison ?

— Ça les regarde, vous ne croyez pas ? Disons que si personne n'avait évoqué son premier mariage, il ne se serait rien produit. Si seulement vous n'aviez pas parlé… Mais à quoi bon ? Vous n'êtes qu'un psychopathe.

— Non ! se récria le photographe. Seigneur, je n'ai jamais souhaité l'annulation de ce mariage ! Je voulais juste…

— Qu'est-ce que vous vouliez ?

— Rien ! Juste… faire bouger un peu les choses.

— Vous êtes complètement nul ! Vous n'êtes qu'un crétin, un imbécile et un lamentable idiot ! » Isobel jeta un coup d'œil au sac d'Alexander. « Ne vous imaginez tout de même pas que vous allez passer la nuit ici.

— Mais ma chambre est réservée !

— Elle ne l'est plus depuis ce soir, figurez-vous ! cria Isobel, en flanquant un coup de pied dans le sac. Vous vous rendez compte de ce que vous avez fait à notre famille ? Ma mère est en état de choc, ma sœur en pleurs…

— Écoutez, je m'excuse, je suis désolé, dit Alexander en ramassant son sac. Je regrette que le mariage de votre

215

sœur soit annulé, mais vous ne pouvez pas m'en rendre responsable !

— Eh bien, si, justement. » Isobel ouvrit la porte de l'entrée. « Allez, dehors !

— Mais je n'ai rien fait ! protesta le photographe, furieux. J'ai seulement voulu plaisanter.

— Parler au pasteur, vous appelez ça plaisanter ? »

Avant qu'Alexander ait eu le temps de répondre, Isobel avait déjà claqué la porte derrière lui.

Olivia monta l'escalier avec lenteur, en proie à une morne tristesse. La tension du début de la soirée était retombée, et elle se sentait lasse, déçue, au bord des larmes. Tout était fini. Le but auquel elle consacrait tous ses efforts depuis plusieurs semaines lui avait été brusquement ôté, laissant un grand vide à la place.

Personne ne comprendrait jamais à quel point elle s'était investie dans le mariage de Milly. Sans doute cela avait-il été son erreur. Peut-être aurait-elle dû se tenir en retrait, abandonner la tâche au personnel calmement efficace de Harry, et apparaître simplement le jour de la cérémonie, vêtue avec élégance et manifestant un intérêt poli. Olivia poussa un soupir. Jamais elle n'aurait pu faire cela, jamais elle n'aurait supporté de voir quelqu'un d'autre organiser le mariage de sa fille. Voilà pourquoi elle avait rassemblé ses forces, s'était mise au travail, avait passé un nombre d'heures incalculable à réfléchir, prévoir, organiser. Et maintenant elle ne verrait jamais le fruit de son labeur.

La voix accusatrice d'Isobel résonnait encore à ses oreilles. Olivia se rendait compte qu'à un moment donné elle avait dû être en décalage avec les autres membres de la famille et qu'on lui avait reproché de vouloir tout régenter. James avait peut-être raison : c'était devenu une obsession.

Mais elle avait seulement désiré que tout soit parfait pour Milly, et pour eux. Désormais, personne ne réaliserait le travail qu'elle avait accompli, personne ne verrait le résultat de ses efforts. Ils ne goûteraient pas la joie et le bonheur de la merveilleuse fête organisée par ses soins, ils se souviendraient uniquement de la folle agitation des préparatifs.

Elle s'arrêta devant la porte de la chambre de Milly, qui était entrebâillée, et entra presque malgré elle. La robe de mariée était toujours suspendue dans sa housse contre la porte de l'armoire. Il suffisait à Olivia de fermer les yeux pour revoir l'expression de Milly le jour où elle l'avait enfilée pour la première fois. C'était la septième robe qu'elle essayait, et toutes deux avaient su immédiatement qu'elles avaient enfin trouvé la bonne. Elles étaient restées muettes devant le reflet de Milly dans la glace et, quand Olivia avait croisé le regard de sa fille, elle avait murmuré : « Je crois que nous allons prendre celle-ci, n'est-ce pas, ma chérie ? »

On avait pris les mesures de Milly, et la robe avait été fabriquée à Nottingham ; au cours des dernières semaines, il y avait eu plusieurs essayages et on l'avait retouchée jusqu'à ce qu'elle soit parfaitement adaptée à la silhouette de Milly. Et maintenant elle ne la porterait jamais... Olivia ne put s'empêcher d'ouvrir la housse et d'en sortir un pan de la robe en lourd satin rehaussé de minuscules perles irisées ; c'était vraiment une robe splendide. Olivia soupira et, avant de sombrer dans les larmes et la mélancolie, elle commença à remonter la fermeture Éclair de la housse.

James, qui passait dans le couloir, aperçut sa femme en train de contempler tristement la robe de mariée de Milly. Soudain très agacé, il pénétra à son tour dans la chambre.

« Bon sang, Olivia ! s'écria-t-il avec rudesse. Le mariage est annulé ! Annulé ! Tu n'as donc pas compris ? »

217

Olivia sursauta et, avec des mains tremblantes, tenta de refermer la housse.

« Bien sûr que si, répondit-elle. Je...

— Tu t'apitoyais sur toi-même, dit James d'un ton sarcastique. Tu te lamentais sur ce mariage que tu avais si parfaitement organisé et qui n'aura pas lieu. »

La housse refermée, Olivia se retourna vers son mari.

« Pourquoi te comportes-tu comme si tout était ma faute, James ? demanda-t-elle tout bas. Pourquoi est-ce moi la coupable, soudain ? Je n'ai pas poussé Milly à se marier, je ne l'ai pas forcée à faire un mariage en grande pompe. C'est elle qui l'a voulu ! Moi, je n'ai fait que l'organiser pour elle, de mon mieux.

— L'organiser pour toi, plutôt !

— Peut-être. En partie. Et alors, qu'y avait-il de mal à cela ?

— Oh, laisse tomber. On ne vit pas sur la même planète, toi et moi.

— Je ne te comprends pas, James. Tu n'étais pas heureux que Milly se marie ?

— Je n'en sais rien, marmonna son mari et, d'une démarche raide, il s'approcha de la fenêtre. Le mariage... qu'est-ce que le mariage peut bien apporter à une jeune femme comme Milly ?

— Le bonheur, répliqua Olivia après un court silence. Une vie heureuse avec Simon. »

James se retourna et la dévisagea avec une expression étrange.

« Tu penses que le mariage apporte le bonheur ?

— Oui, bien sûr !

— Eh bien, tu dois être plus optimiste que moi. » Il s'appuya contre le radiateur, rentra la tête dans les épaules et posa sur Olivia un regard insondable.

« Que veux-tu dire, James ? De quoi parles-tu ?

218

— À ton avis ? »

Un silence pesant s'installa entre eux.

« Regarde-nous, dit James. Nous sommes un vieux couple. Est-ce que nous nous rendons heureux l'un l'autre, est-ce que nous nous soutenons l'un l'autre ? Cela fait des années que nous nous sommes éloignés.

— Mais non ! s'écria Olivia, alarmée. Nous avons été très heureux ensemble !

— Nous avons été heureux séparément. Tu as ta vie et j'ai la mienne, tu as tes amis et j'ai les miens. Le mariage, ce n'est pas cela.

— Nous ne menons pas des vies séparées, répliqua Olivia, qui commençait à s'affoler.

— Allons, reconnais-le ! Tu t'intéresses davantage à tes clients qu'à moi !

— Non, se défendit-elle en rougissant.

— Si. Ils passent d'abord, et moi après. Ainsi que le reste de la famille.

— Ce n'est pas juste ! protesta Olivia. C'est pour la famille que je prends des clients, pour nous payer des vacances et nous offrir quelques petits plaisirs, tu le sais très bien !

— Peut-être y a-t-il des choses plus importantes. »

Olivia observa son mari d'un air perplexe.

« Tu veux que je laisse tomber le *bed and breakfast*, c'est ça ?

— Non ! fit James avec impatience. J'aimerais juste...

— Quoi ? »

Après un long silence, James poussa un soupir. « Je suppose, murmura-t-il, que j'aimerais juste sentir que tu as besoin de moi.

— J'ai besoin de toi, dit Olivia d'une petite voix.

« — Vraiment ? » James esquissa un sourire. « Olivia, quand t'es-tu confiée à moi pour la dernière fois ? Quand m'as-tu demandé mon avis pour la dernière fois ?

— Tu ne t'intéresses à rien de ce que j'ai à dire ! Chaque fois que je te parle de quelque chose, ça t'ennuie ; tu te mets à regarder par la fenêtre, ou tu te plonges dans ton journal. Tu te comportes comme si rien de ce que je dis n'avait d'importance. Et d'ailleurs, toi non plus tu ne te confies jamais à moi !

— J'essaie, mais tu ne m'écoutes même pas ! Tu ne parles que du mariage : le mariage par-ci, le mariage par-là. Et avant, c'était autre chose. Tu parles sans arrêt et tu ne m'écoutes pas, ça me rend fou ! »

Tous deux se turent un moment.

« Je sais que je suis trop bavarde, admit Olivia. Mes amies me le reprochent. "Mets-la en sourdine, Olivia, laisse parler les autres." Et je la mets en sourdine. Mais toi, tu ne m'as jamais rien dit, j'ignore si ça t'est égal ou pas. »

D'un air las, James se passa la main sur le visage. « Possible. Peut-être que j'ai dépassé le stade où ça m'ennuie. Tout ce que je sais… » Il hésita. « … c'est que je ne peux pas continuer comme ça. »

Ses paroles résonnèrent dans la pièce comme un coup de tonnerre. Le sang se retira du visage d'Olivia, et elle sentit une peur atroce lui tordre l'estomac.

« James, dit-elle sans lui laisser le temps de poursuivre. Je t'en prie, pas ce soir. »

Il la dévisagea et fut saisi : elle était devenue livide, ses lèvres tremblaient et ses yeux étaient emplis d'effroi.

« Olivia…

— Si tu as quelque chose à me dire… alors, je t'en supplie, ne me le dis pas ce soir. » Elle recula vers la porte, sans oser regarder son mari dans les yeux. « Pas ce soir, répéta-t-elle en saisissant la poignée de la porte. Ce soir, je… je serais incapable d'en supporter davantage. »

Assis à son bureau, au cabinet d'avocats, Rupert contemplait par la fenêtre la nuit sombre et silencieuse. Devant lui, une liste de numéros de téléphone – certains barrés ou corrigés, d'autres récemment notés. Cela faisait deux heures qu'il parlait au téléphone avec des gens à qui il n'aurait jamais cru reparler un jour : un vieil ami d'Allan, de Keble College, maintenant à Christ Church ; un de ses anciens collègues, qui travaillait aujourd'hui à Birmingham ; des connaissances plus ou moins oubliées, des amis d'amis, des noms sur lesquels il était incapable de mettre un visage. Personne ne savait où était Allan.

Le dernier coup de fil, pourtant, lui avait redonné espoir : il s'était entretenu avec un professeur d'anglais de Leeds, qui avait connu Allan à Manchester.

« Il a quitté Manchester subitement, lui indiqua le professeur.

— C'est ce que j'ai cru comprendre, dit Rupert, à qui cette information avait déjà été communiquée trois ou quatre fois. Avez-vous une idée de l'endroit où il est allé ? »

Après quelques secondes de réflexion, le professeur répondit : « Exeter. Oui, c'est cela, Exeter. Je m'en souviens parce que, environ un an après son départ, il m'a écrit pour me demander de lui envoyer un livre. L'adresse était à Exeter, d'ailleurs je l'ai peut-être notée dans mon agenda.

— Pourriez-vous… pensez-vous que…, balbutia Rupert, qui osait à peine y croire.

— J'ai trouvé, dit le professeur. Saint David's House.

— S'agit-il d'une université ?

— Je n'en ai jamais entendu parler. Peut-être est-ce une nouvelle résidence universitaire. »

Rupert avait aussitôt appelé les renseignements. À présent, les yeux rivés sur le numéro qu'il avait griffonné, il décrocha avec lenteur le combiné, composa les chiffres. Peut-être Allan serait-il toujours là-bas, peut-être répondrait-il lui-même au téléphone. Le cœur de Rupert se mit à battre plus fort, ses mains devinrent moites ; il était malade d'appréhension.

« Allô, ici Saint David's House, répondit une voix masculine jeune.

— Allô, fit Rupert en serrant le combiné de toutes ses forces. J'aimerais parler à Allan Kepinski, s'il vous plaît.

— Une seconde, je vous prie. »

Après un long silence, Rupert entendit au bout du fil une autre voix jeune et masculine.

« Vous vouliez parler à Allan ?

— Oui.

— Puis-je savoir qui le demande ?

— Mon nom est Rupert.

— Rupert Carr ?

— Oui. » La main de Rupert se crispa sur le récepteur. « Allan est-il là ?

— Allan a quitté Saint David's House il y a cinq ans. Il est retourné aux États-Unis.

— Oh », fit Rupert, surpris.

Pas un instant l'idée qu'Allan ait pu rentrer dans son pays ne lui avait effleuré l'esprit.

« Êtes-vous à Londres, Rupert ? s'enquit le jeune homme. Serait-il possible que nous nous rencontrions ? Allan a laissé une lettre pour vous.

— Vraiment ? Pour moi ? »

Rupert se sentit tout à coup fou de joie. Il n'était pas trop tard, Allan voulait encore de lui. Il l'appellerait, il s'envolerait pour les États-Unis s'il le fallait, et ensuite...

Soudain un bruit à la porte attira son attention ; il releva brusquement la tête et aperçut Tom, debout sur le seuil. Rupert piqua un fard.

« Au "Mangetout", dans Drury Lane, à midi, précisa le jeune homme au bout du fil. Je porterai un jean noir. Je m'appelle Martin, à propos.

— Bien, répondit Rupert précipitamment. Au revoir, Martin. »

Il raccrocha et regarda Tom. Un sentiment d'humiliation l'envahit.

« Qui est Martin ? questionna Tom d'un ton enjoué. Un ami à toi ?

— Va-t'en, répondit Rupert. Laisse-moi seul.

— J'ai vu Francesca. Elle est complètement bouleversée, comme tu peux l'imaginer. » Tom, décontracté, s'assit sur le bureau de Rupert et attrapa un presse-papiers en cuivre. « Ton petit éclat l'a pas mal perturbée.

— En revanche, ce n'est pas le cas pour toi, répliqua Rupert, agressif.

— Non, en effet. J'ai déjà rencontré ce genre de situation. Tu n'es pas seul, Rupert, ajouta Tom avec un sourire. Je suis avec toi. Francesca désire que je reste auprès de toi. Nous allons tous t'aider.

— M'aider à quoi ? À me repentir ? À me confesser en public ?

— Je comprends ta colère. C'est une forme de honte.

— Non ! Je n'ai pas honte !

— Quoi que tu aies fait dans le passé, cela peut être effacé. Tu peux repartir à zéro. »

Rupert dévisagea Tom. Il pensa à sa maison, à sa vie avec Francesca, à son existence aisée, heureuse – tout ce qu'il pourrait retrouver à condition de mentir juste sur un seul point.

« Je ne peux pas. Je ne peux tout simplement pas. Je ne suis pas celui que vous croyez, tous. J'ai aimé un homme. J'étais pleinement consentant. Je l'ai aimé.

— D'un amour platonique…

— Non ! cria Rupert. D'un amour charnel ! Tu ne comprends pas, Tom ? J'ai aimé un homme sexuellement.

— Tu as commis des actes avec lui.

— Oui.

— Des actes qui, tu le sais, font horreur au Seigneur.

— Nous n'avons fait de tort à personne ! protesta Rupert avec véhémence. Nous n'avons rien fait de mal !

— Rupert ! s'exclama Tom en se levant. Tu entends ce que tu dis ? Bien sûr que tu t'es fait du tort à toi-même, le plus grand tort possible. Tu as commis le péché sans doute le plus abominable au monde ! Tu peux toutefois l'effacer, mais uniquement si tu te repens, si tu reconnais ta faute.

— Ce n'était pas une faute, dit Rupert d'une voix tremblante. C'était beau.

— Aux yeux du Seigneur, affirma Tom avec froideur, c'était répugnant. Répugnant !

— C'était de l'amour ! » Rupert se leva et fixa Tom dans les yeux. « Tu ne comprends pas ça ?

— Je crains que non.

— Tu ne comprends pas que deux hommes puissent s'aimer ?

— Non ! »

Rupert se pencha en avant avec lenteur, jusqu'à ce que son front touche presque celui de Tom.

« Cette idée te fait horreur ? murmura-t-il. Ou seulement peur ? »

Tom recula sur la pointe des pieds.

« Ne t'approche pas de moi ! cria-t-il, les traits tordus par le dégoût.

— Ne t'inquiète pas, je m'en vais.

— Où ?

— Ça t'intéresse ? Ça t'intéresse vraiment ? »

Il y eut un silence. Rupert, les mains tremblantes, ramassa ses papiers et les fourra dans sa mallette. Tom l'observait sans bouger.

« Tu sais que tu es damné, dit-il, au moment où Rupert attrapait son manteau. Tu es condamné à l'enfer.

— Je le sais », déclara Rupert et, sans regarder derrière lui, il ouvrit la porte et sortit.

12

Isobel se réveilla avec la nausée et une migraine épouvantable. Elle s'efforça de rester parfaitement immobile, de garder son calme et de faire en sorte que l'esprit l'emporte sur la matière, jusqu'au moment où une brusque envie de vomir la propulsa hors de son lit et l'obligea à courir à la salle de bains.

« J'ai la gueule de bois », dit-elle à son reflet dans la glace – qui n'avait pas l'air convaincu. Elle se rinça la bouche, s'assit sur le rebord de la baignoire et mit la main contre son front. Le bébé dans son ventre avait un jour de plus, il était un peu plus développé que la veille ; peut-être possédait-il déjà des mains, des orteils. Garçon ou fille, c'était une personne, un petit être qui grandissait en elle, aspirait à vivre.

Elle eut un haut-le-cœur et mit la main devant la bouche. L'irrésolution la troublait profondément, elle était incapable de prendre une décision, d'avancer des arguments. Une lutte se livrait entre sa raison et des désirs qu'elle n'avait jamais soupçonnés en elle ; chaque jour son esprit fléchissait davantage. La décision qui lui avait paru évidente au début l'était moins désormais, la logique à laquelle elle s'était jusqu'alors conformée semblait s'écrouler sous un déluge d'émotions irrationnelles.

Isobel se leva, tituba un peu et gagna lentement le palier. Elle entendit du bruit dans la cuisine et descendit se faire du thé. James, habillé pour le bureau, se tenait debout près du poêle et lisait le journal.

« Bonjour, lança-t-il. Tu veux une tasse de thé ?

— Volontiers. » Isobel s'assit à la table et examina ses mains. Quand son père eut posé la tasse devant elle, elle avala une gorgée et fit la grimace. « Je crois que je vais ajouter un peu de sucre.

— Tu n'en prends pas d'habitude, s'étonna James.

— Non. Peut-être est-ce différent, maintenant. » Isobel mit deux sucres dans son thé, remua, but avec délice le liquide chaud et sucré, et le sentit se répandre dans tout son corps.

« Ainsi, Milly avait raison, fit James.

— Oui, acquiesça Isobel, les yeux rivés sur le contenu de sa tasse. Milly avait raison.

— Et le père ? »

Elle se tut.

« Je vois. » James se racla la gorge. « As-tu décidé ce que tu vas faire ? Je suppose qu'il est un peu trop tôt ?

— En effet. Je n'ai encore pris aucune décision. » Isobel releva la tête et regarda son père. « Tu penses sans doute que je ne devrais pas le garder, n'est-ce pas ? Tourner la page et poursuivre ma brillante carrière.

— Pas forcément. Sauf si...

— Ma carrière si excitante, reprit Isobel avec amertume. Ma vie passionnante, avec voyages en avion, séjours en hôtels de luxe, hommes d'affaires étrangers qui me draguent parce que je suis seule. »

James observa sa fille avec surprise.

« Tu n'aimes pas ton métier ? Je croyais – on croyait tous – que tu l'aimais.

— D'une manière générale, je l'aime. Mais parfois je me sens seule, parfois je suis fatiguée, parfois j'ai envie de tout laisser tomber. Comme la plupart des gens, en fait. Parfois, j'aimerais m'être mariée, avoir eu trois enfants et vivre une vie heureuse de divorcée.

— Je n'imaginais pas du tout cela, ma chérie. Je croyais que cela te plaisait d'être une *career woman*.

— Je ne suis pas une *career woman*, protesta Isobel avec force. Je suis une personne qui a un métier.

— Je ne voulais pas dire que…

— Si ! Tu penses que seule ma carrière compte pour moi ! Tu as oublié les autres parties de moi-même !

— Non, pas du tout.

— Si. Moi-même, je les oublie fréquemment. »

Ils se turent. Isobel saisit le paquet de corn flakes, jeta un coup d'œil à l'intérieur, soupira, le reposa. James finit son thé et attrapa sa mallette.

« Excuse-moi, mais il faut que je parte.

— Tu vas quand même travailler aujourd'hui ?

— Je n'ai pas trop le choix. Il se passe pas mal de choses au bureau, en ce moment ; si je ne me montre pas, je pourrais bien ne pas retrouver ma place demain.

— Vraiment ? fit Isobel, interloquée.

— Pas vraiment, non. » James esquissa un sourire. « N'empêche qu'il faut que je sois présent.

— Je suis désolée, je ne me doutais de rien.

— À vrai dire… tu ne pouvais pas le savoir : je n'ai pas été très bavard à ce sujet.

— Je suppose qu'il y avait suffisamment de problèmes à la maison.

— En effet ! »

Isobel sourit à son père. « Je parie que tu es bien content d'échapper à tout ça, en fin de compte.

— Je n'échappe à rien du tout. J'ai déjà eu Harry Pinnacle au téléphone ce matin, il a demandé à me voir à l'heure du déjeuner. Sans doute pour discuter du coût de ce fiasco. » James fit une grimace. « Harry Pinnacle claque des doigts et tout le monde doit se tenir au garde-à-vous.

— Eh bien, bonne chance. »

Juste avant de sortir de la pièce, James s'arrêta.

« Avec qui te serais-tu mariée et aurais-tu eu tes trois enfants, à propos ?

— Je n'en sais rien. Voyons... avec qui est-ce que je suis sortie ? Dan Williams, peut-être. »

Son père poussa un grognement.

« Je suis sûre que tu as fait le bon choix, ma chérie. » Il s'interrompit soudain. « Le... le bébé n'est pas...

— Non. » Isobel ne put s'empêcher de rire. « Ne t'inquiète pas, il n'est pas de lui. »

Simon se réveilla en miettes ; il avait mal à la tête, les yeux lui brûlaient, un étau lui serrait la poitrine. Un rai de lumière passait à travers les rideaux et des odeurs de feu de bois et de café fraîchement moulu montaient du rez-de-chaussée. Mais rien ne pouvait calmer sa douleur, sa déception et, par-dessus tout, son sentiment d'échec.

Les paroles rageuses qu'il avait lancées à Milly la veille au soir résonnaient encore dans sa tête comme s'il venait de les prononcer cinq minutes plus tôt – telle une scène apprise, une scène que, d'une certaine façon, il aurait pu prédire. Un chagrin mêlé de honte s'abattit sur lui, et il enfouit sa tête dans l'oreiller. Pourquoi n'avait-il rien vu venir ? Comment avait-il pu s'imaginer qu'il serait heureux en amour ? Pourquoi était-il incapable d'admettre qu'il était un raté total ? Il avait échoué lamentablement en affaires, et maintenant il avait échoué aussi en amour. Son père, lui, au moins – songeait Simon avec rancœur –, avait conduit sa fiancée jusqu'à l'autel, elle ne l'avait pas laissé tomber deux jours avant la date du mariage.

Il revit le visage de Milly, la veille – un visage rougi, baigné de larmes, profondément malheureux et, l'espace d'un instant, il se sentit fléchir. Une fraction de seconde, il eut envie d'appeler Milly, de lui dire qu'il l'aimait toujours, qu'il voulait toujours l'épouser. Il embrasserait ses lèvres gonflées, la prendrait dans ses bras, lui ferait l'amour ; il s'efforcerait d'oublier tout ce qui appartenait au passé. Il était tenté, très tenté même, en vérité.

Mais il ne pouvait pas faire cela. Comment pourrait-il épouser Milly, désormais ? L'entendre prononcer des vœux par lesquels elle s'était déjà engagée envers un autre homme ? Passer le reste de sa vie à se demander quels autres secrets elle lui cachait peut-être ? Il ne s'agissait pas d'une cassure aisément réparable, mais d'un abîme qui avait modifié en profondeur l'ordre des choses, et transformé leur relation en quelque chose que Simon ne reconnaissait plus.

Malgré lui, il se rappela le soir d'été où il avait demandé Milly en mariage. Elle avait eu une attitude en tout point parfaite : elle avait un peu pleuré, un peu ri, s'était extasiée devant la bague qu'il lui avait offerte. Mais qu'avait-elle pensé réellement ? L'avait-elle trouvé ridicule ? Avait-elle jamais pris au sérieux leur projet de mariage ? Partageait-elle un seul de ses idéaux ?

Des images contradictoires de Milly assaillaient l'esprit de Simon et il tentait désespérément de concilier ce qu'il savait à son sujet aujourd'hui avec les souvenirs qu'il avait d'elle durant leurs fiançailles. D'un côté elle était belle, douce, charmante ; de l'autre elle était indigne de confiance, cachottière, malhonnête. Le pire, c'est qu'elle ne semblait même pas réaliser la gravité de ce qu'elle avait fait, comme si être mariée à un autre homme était une peccadille qu'on pouvait balayer d'un revers de main, tout bonnement ignorer.

Colère et souffrance se mêlaient en lui. Il s'assit dans le lit et s'efforça de remettre ses idées en ordre, de penser à autre chose. Puis il se leva, ouvrit les rideaux et, sans un regard pour la vue qui s'offrait à lui, il s'habilla rapidement. Il se jetterait à corps perdu dans le travail, décida-t-il. Il prendrait un nouveau départ et surmonterait cette épreuve. Cela nécessiterait sans doute du temps, mais il s'en remettrait.

Il descendit à toute allure l'escalier et se rendit dans la salle du petit déjeuner. Harry était assis à la table et disparaissait derrière un journal.

« Bonjour, lança-t-il.

— Bonjour », répondit Simon, sur la défensive, prêt à déceler la moindre nuance de moquerie dans la voix de son père. Mais son père l'observait avec une expression sincèrement préoccupée.

« Eh bien, vas-tu m'expliquer ce qui se passe ?

— Le mariage est annulé.

— C'est ce que j'ai cru comprendre, mais pourquoi ? À moins que tu préfères ne rien me dire ? »

Sans un mot, Simon se servit du café. La veille au soir, il était rentré fou de rage, trop furieux et trop humilié pour parler à quiconque. Ce matin, il se sentait toujours humilié, toujours furieux, toujours enclin à garder pour lui la trahison de Milly ; mais, d'un autre côté, la souffrance était dure à supporter seul.

« Elle est déjà mariée. »

Harry posa brusquement son journal sur la table.

« Déjà mariée ? Avec qui, bon sang ?

— Un Américain homosexuel qu'elle a rencontré il y a dix ans. Il voulait rester en Angleterre, alors elle l'a épousé pour lui rendre service. Pour lui rendre service !

— Eh bien, il vaut mieux ça, commenta Harry. Je croyais que tu voulais dire qu'elle était réellement mariée. Dans ce cas, où est le problème ? Ne peut-elle pas obtenir le divorce ?

— Où est le problème ? » Simon regarda son père avec stupéfaction. « Le problème, c'est qu'elle m'a menti, et que désormais je ne pourrai plus la croire ! Elle n'est pas celle que je croyais, elle n'est pas la Milly que j'ai connue. »

Harry le dévisagea un moment en silence.

« C'est pour ça ? dit-il enfin. C'est l'unique raison de cette rupture ? Parce que Milly a épousé un filou il y a dix ans ?

— Ce n'est pas suffisant ?

— Certainement pas ! Je croyais qu'il se passait quelque chose de vraiment grave entre vous deux.

— Mais c'est le cas ! Elle m'a menti !

— Pas étonnant, si tu réagis de cette façon.

— Et comment devrais-je réagir, selon toi ? Notre relation était fondée sur la confiance. Maintenant, je ne peux plus me fier à elle, c'est fini.

— Simon, pour qui te prends-tu, bon sang ? L'archevêque de Canterbury ? Qu'importe si elle t'a menti ? Elle a fini par t'avouer la vérité, non ?

— Seulement parce qu'elle y a été obligée.

— Et alors ?

— Alors, tout était parfait jusque-là ! s'écria Simon, désespéré. Tout était parfait, et voilà, tout est fichu.

— Oh, sois un peu adulte ! répliqua Harry avec une véhémence qui ébranla Simon. Pour une fois dans ta vie, cesse de te conduire comme un sale gosse trop gâté. Cette relation parfaite n'est pas aussi parfaite que tu l'imaginais, et alors ? Cela signifie-t-il que tu doives la ficher en l'air ?

— Tu ne comprends pas.

— Je comprends très bien : tu veux un couple parfait, une femme parfaite, des enfants parfaits, et éblouir le reste du monde avec ton bonheur parfait ! Mais comme tu as découvert une faille, cela t'est insupportable. Eh bien, supporte-le, Simon, supporte-le, parce que le monde comporte beaucoup de failles. Et, franchement, ta relation avec Milly était aussi harmonieuse que possible.

— Qu'est-ce que tu en sais ? hurla Simon en se levant d'un bond. As-tu la moindre idée de ce qu'est une relation harmonieuse ? Pourquoi devrais-je écouter une seule de tes paroles ?

— Parce que je suis ton père, nom de Dieu !

— À qui le dis-tu ! », riposta Simon, hargneux.

Il renversa sa chaise d'un coup de pied, tourna les talons et sortit de la pièce d'un pas rageur. Harry le regarda s'éloigner et jura entre ses dents.

À neuf heures du matin, on sonna à la porte. Isobel, qui venait juste de descendre à la cuisine, fronça les sourcils et alla ouvrir. Une camionnette blanche était garée devant la maison, et un homme entouré de plusieurs cartons à gâteau se tenait sur le seuil.

« Je viens livrer une pièce montée au nom de Havill.

— Oh, mon Dieu ! » Isobel, perplexe, jeta un coup d'œil vers les cartons, puis se pencha, souleva le couvercle d'un des emballages et aperçut un pétale de rose en sucre glacé. « Écoutez, dit-elle en se relevant. Je regrette, mais il y a un petit changement.

— Ce n'est pas la bonne adresse ? interrogea le livreur, qui vérifia le bon de commande. 1, Bertram Street.

— Si, si, c'est la bonne adresse. »

Isobel aperçut la camionnette et, d'un seul coup, se sentit déprimée. Cette journée aurait dû se dérouler dans la joie, l'effervescence, l'excitation des préparatifs de dernière minute...

« Le problème, c'est que nous n'avons plus besoin de cette pièce montée. Pouvez-vous la remporter ?

— Trimbaler tout ça dans ma camionnette jusqu'à ce soir ? » Le livreur eut un rire sarcastique. « Sûrement pas !

— Mais nous n'en avons plus l'utilité.

— Désolé, ma petite dame, mais ce n'est pas mon problème. Vous l'avez commandée, si vous désirez la retourner, voyez ça directement avec la maison. Maintenant, si vous voulez bien signer ici (il lui tendit un stylo), je vais chercher le reste des cartons.

— Le reste ? Il y en a combien, pour l'amour du ciel ?

— Dix en tout, répondit l'homme après avoir consulté le bon. Y compris les plateaux et accessoires.

— Dix, répéta Isobel, atterrée.

— C'est une grosse pièce montée.

— En effet. Surtout pour quatre personnes. »

Au moment où Olivia descendit l'escalier, elle put voir les dix cartons à gâteau empilés dans un coin de l'entrée.

« Je ne savais pas quoi en faire », expliqua Isobel en sortant de la cuisine. Elle examina sa mère et eut un coup au cœur. Olivia était à la fois très maquillée et d'une pâleur mortelle ; elle s'agrippait à la rampe comme si elle craignait de s'effondrer d'un instant à l'autre.

« Tu te sens bien, maman ? s'inquiéta Isobel.

— Ça va aller, déclara sa mère d'un ton bizarrement enjoué. Je n'ai pas beaucoup dormi.

— Aucun de nous n'a beaucoup dormi, je pense, nous devrions tous aller nous recoucher.

— Oui, mais ce n'est pas possible. » Olivia adressa à sa fille un sourire tendu. « Nous devons annuler le mariage, passer des coups de fil ; j'ai préparé la liste des gens à appeler.

— Maman, je sais que c'est très dur pour toi…

— Pas plus pour moi que pour n'importe qui d'autre, riposta Olivia en redressant la tête. Pourquoi serait-ce plus dur pour moi ? Après tout, ce n'est pas la fin du monde, il s'agissait juste d'un mariage !

— Un mariage… Franchement, j'ai du mal à imaginer que ce genre de choses puisse exister. »

Vers le milieu de la matinée, Esme frappa à la porte de Milly.

« Tu es réveillée ? Isobel est au bout du fil.

— Oh », fit Milly, un peu hébétée. Elle s'assit dans le lit et écarta les cheveux de son visage. Sa tête était lourde et sa propre voix lui était étrangère. La jeune femme esquissa un sourire à l'intention de sa marraine, mais elle avait la sensation que la peau de son visage était sèche et flétrie, et qu'une partie de son cerveau ne fonctionnait pas. Que se passait-il, et d'ailleurs que faisait-elle chez Esme ?

« Je t'apporte le téléphone sans fil », dit sa marraine avant de sortir de la pièce.

Milly se renversa sur l'oreiller et contempla le plafond couleur pistache. Pourquoi éprouvait-elle cette impression de vertige, d'irréalité ? Brusquement, la mémoire lui revint.

Le mariage était annulé. Milly tourna cette idée plusieurs fois dans sa tête et attendit le retour de la douleur et des larmes. Mais, ce matin-là, ses yeux étaient secs, son esprit calme, les émotions à vif de la veille s'étaient émoussées avec le sommeil. Elle se sentait plus ahurie que bouleversée, plus troublée que folle de chagrin. Elle avait du mal à croire que ce grand mariage, ce mariage qu'elle avait tant désiré, n'aurait pas lieu. Comment cela se faisait-il ? Comment le noyau même de sa vie pouvait-il tout simplement disparaître ? C'était comme si elle avait escaladé une montagne dont le sommet s'était soudain dérobé ; elle s'agrippait aux rochers et, complètement désorientée, scrutait le bord du gouffre.

« Tiens, dit Esme en lui tendant le combiné. Tu veux du café ? »

Milly acquiesça d'un signe de tête et saisit le téléphone.

« Allô, fit-elle d'une voix rauque.

— Allô, répondit Isobel. Tu vas bien ?

— Oui, enfin je crois.

— Tu n'as pas de nouvelles de Simon ?

— Non. Pourquoi ? Est-ce qu'il… ?

— Non, non. Je me demandais juste. Au cas où.

— J'ai dormi, je n'ai parlé à personne. »

Il y eut un silence. Milly observa sa marraine qui ouvrait les rideaux et les attachait avec des embrasses torsadées. Il faisait une belle journée, froide et ensoleillée. Esme sourit à Milly et sortit sans bruit de la chambre.

« Isobel, je suis vraiment désolée de t'avoir mise dans une telle situation.

— Oh, ne t'inquiète pas pour ça, ce n'est pas grave.

— J'étais tellement secouée, je… tu comprends…

— Bien sûr, j'aurais fait exactement la même chose à ta place.

— Non, tu te maîtrises infiniment mieux que moi.

— De toute façon, ne te tracasse pas, cela n'a pas posé de problème.

— Ah bon ! Maman ne t'a pas fait la morale toute la journée ?

237

— Elle n'en a pas eu le loisir. Nous sommes tous très occupés.

— Ah bon. À quoi ? s'étonna Milly.

— À annuler le mariage, répondit tristement sa sœur après un silence.

— Oh, murmura Milly, tandis qu'un étau lui serrait la poitrine. Oui, bien sûr, je comprends.

— Je suis désolée, Milly, je pensais que tu avais réalisé.

— Je réalise. Il faut annuler, évidemment.

— C'est en partie pour ça que j'appelais. Je sais que le moment est particulièrement mal choisi pour te demander cela, mais y a-t-il d'autres personnes à avertir, à part celles dont le nom est inscrit dans le cahier rouge ?

— Je l'ignore. Qui avez-vous déjà appelé ?

— Environ la moitié de nos invités. Jusqu'aux Madison. De leur côté, les secrétaires de Harry s'occupent de décommander les invités des Pinnacle.

— Eh bien, commenta Milly, les larmes aux yeux. Vous n'avez pas perdu de temps.

— On ne pouvait pas se le permettre, certaines personnes étaient sans doute sur le départ, il fallait les prévenir avant qu'elles se mettent en route.

— Bien sûr. » Milly poussa un soupir. « Bien sûr. Je suis idiote. Alors, comment vous y prenez-vous ?

— On suit la liste du cahier rouge. Tout le monde est… très gentil.

— Qu'est-ce que vous leur dites ?

— Que tu es malade. On n'a rien trouvé d'autre.

— Les gens vous croient ?

— Je l'ignore. Certains, oui. »

Un silence s'installa.

« Bon, dit enfin Milly. Si je pense à quelqu'un, je t'appellerai.

— Quand reviens-tu ?

— Aucune idée. »

Milly ferma les yeux et imagina sa chambre, avec des cadeaux et des cartes de vœux partout, la valise pour le voyage de noces ouverte par terre, la robe de mariée dans sa housse, semblable à un fantôme enveloppé d'un linceul...

« Pas encore. Pas avant que..., poursuivit-elle.

— Je comprends, c'est normal. Eh bien, je viendrai te rendre visite quand j'aurai terminé.

— Isobel... Merci pour tout.

— Pas de problème. J'espère que tu me rendras la pareille, un de ces jours.

— Naturellement. » Milly esquissa un sourire. « Tu peux compter sur moi. »

Elle raccrocha et aperçut sa marraine debout à la porte, un plateau dans les mains, qui la considérait d'un air pensif.

« Voilà le café, annonça Esme. Pour fêter ça.

— Fêter ? s'exclama Milly, stupéfaite.

— Tu l'as échappé belle. » Esme s'approcha du lit, une tasse en porcelaine dans chaque main. « Tu as échappé au mariage.

— Je ne vois pas les choses de cette façon.

— Non, bien entendu. Pas pour le moment. Mais ça viendra. Réfléchis, Milly, tu n'es plus liée à personne, tu peux faire ce que tu veux, tu es une femme indépendante !

— Peut-être, répondit Milly en fixant d'un air malheureux sa tasse de café. Peut-être.

— Il ne faut pas broyer du noir. N'y pense pas. Bois ton café, regarde une émission sympa ou un film à la télévision, et ensuite je t'emmène déjeuner quelque part. »

Le restaurant était vaste et désert, à part quelques hommes seuls qui lisaient des journaux en buvant du café. Rupert, gêné, embrassa du regard les lieux. Lequel de ces hommes était Martin ? Un jean noir, avait-il dit. Mais presque tout le monde ici portait un jean noir. Rupert se sentait trop élégant, avec son costume et sa chemise de luxe.

Après avoir quitté le cabinet, la veille au soir, il avait déambulé au hasard dans les rues de Londres puis, à l'aube, il avait pris une chambre dans un hôtel minable. Il était resté toute la nuit éveillé, les yeux fixés sur le plafond plein de taches. Il avait pris son petit déjeuner dans un café et était rentré chez lui en taxi. Tel un voleur, il s'était introduit avec précaution dans la maison, priant pour que Francesca soit déjà partie. Il s'était douché, rasé, changé, puis il s'était préparé du café qu'il avait bu debout dans la cuisine en contemplant le jardin. Ensuite, il avait mis sa tasse dans le lave-vaisselle, avait jeté un coup d'œil à la pendule et avait pris son attaché-case. Gestes familiers, automatismes de la routine – l'espace d'un instant, il avait presque cru que la vie continuait comme avant.

Mais sa vie n'était plus comme avant, et ne le serait plus jamais. Dans un déchirement douloureux, son âme s'était ouverte et la vérité s'en était échappée ; à présent il lui fallait décider de ce qu'il allait en faire.

« Rupert ? » Interrompu dans ses pensées, il tourna la tête et aperçut, à une table proche, un jeune homme en jean noir, aux cheveux coupés ras, avec une seule boucle d'oreille – un homosexuel, de toute évidence. Rupert ne put réprimer un frisson et se dirigea vers lui avec circonspection.

« Bonjour, comment allez-vous ? dit-il d'un ton guindé.

— Nous nous sommes parlé au téléphone, précisa le jeune homme d'une voix douce et mélodieuse. Je suis Martin.

— Enchanté », répondit Rupert en serrant son attaché-case contre lui. Tout à coup, il se sentit pétrifié : là, en face de lui, exposé aux regards de tous, il voyait un double de lui-même, un double de son côté secret, caché – son homosexualité révélée au monde.

Rupert s'assit et éloigna légèrement sa chaise de la table.

« C'est très aimable à vous d'être venu jusqu'à Londres, dit-il avec raideur.

— Pas du tout, j'y monte au moins une fois par semaine. Et s'il s'agit de quelque chose d'important...

— Oui. » Rupert se concentra sur le menu. Dès que Martin lui aurait remis la lettre d'Allan, et si possible un numéro où le joindre, il partirait aussitôt. « Je crois que je vais prendre un café, dit-il sans regarder le jeune homme. Un double express.

— J'attendais votre appel. Allan m'a beaucoup parlé de vous. J'espérais toujours qu'un jour ou l'autre vous vous mettriez à sa recherche.

— Que vous a-t-il dit ? » interrogea Rupert en relevant la tête avec lenteur.

Martin haussa les épaules. « Tout. »

Rupert devint cramoisi. Il reposa la carte sur la table et dévisagea Martin ; il redoutait de se sentir humilié, mais le jeune homme le considérait avec gentillesse et compréhension. Rupert se racla la gorge.

« Quand l'avez-vous rencontré ?

— Il y a six ans.

— Étiez-vous... très lié avec lui ?

— Oui, très.

— Je vois.

— Non, je ne pense pas. » Martin marqua un silence. « Nous n'étions pas amants. J'étais son accompagnant.

— Oh, fit Rupert, déconcerté. Était-il...

— Il était malade », précisa Martin en le fixant droit dans les yeux.

Rupert réalisa tout à coup l'horreur de cette nouvelle inattendue. Sans prévenir, la sentence tombait : il avait péché, et maintenant il recevait sa punition ; il avait commis des actes abominables, il allait souffrir d'une maladie abominable.

« Le sida, dit-il d'une voix calme, sans regarder Martin.

— Non. » La voix de Martin était teintée d'un soupçon de mépris. « Pas le sida. La leucémie. Il était atteint de leucémie. »

Rupert leva les yeux ; Martin l'examinait avec tristesse. Il eut soudain l'impression d'être entré dans un cauchemar. Un sentiment de vertige le saisit.

« Hélas, dit Martin, Allan est mort il y a quatre ans. »

13

Un long silence s'installa. Le serveur s'approcha, Martin passa la commande, tandis que Rupert, les yeux fixés devant lui, tentait de contenir sa douleur. Il avait l'impression que quelque chose s'était déchiré en lui, que tout son être n'était que chagrin et culpabilité. Allan était mort. Allan avait disparu. Il arrivait trop tard.

« Ça va ? » s'inquiéta Martin.

Incapable de parler, Rupert fit oui de la tête.

« Je crains de ne pas pouvoir vous dire grand-chose à propos de sa mort. Cela s'est passé aux États-Unis. Ses parents sont venus le chercher et l'ont ramené chez eux. J'ai cru comprendre que sa fin a été très paisible.

— Ses parents ! dit Rupert d'une voix brisée. Il les haïssait.

— Ils avaient fini par comprendre. Tout a changé, bien sûr, quand Allan est tombé malade. J'ai rencontré ses parents, lorsqu'ils sont venus. Des gens bien, compatissants. Vous les connaissiez ?

— Non, je ne les ai jamais rencontrés. »

Rupert ferma les yeux et imagina le couple âgé qu'Allan lui avait décrit ; il se représenta Allan transporté dans une ville qu'il avait toujours détestée, afin d'y mourir. Un profond sentiment de tristesse l'envahit, et il faillit éclater en sanglots.

« Ne pensez pas cela, lui dit Martin.

— Quoi ?

— Ce que vous êtes en train de penser, ce que tout le monde pense : Si seulement j'avais su qu'il allait mourir. Bien sûr que vous auriez agi différemment. Bien sûr. Mais vous ne saviez pas, vous ne pouviez pas savoir.

— Qu'est-ce que... qu'a-t-il dit à mon sujet ?

— Il disait qu'il vous aimait, et il supposait que vous l'aimiez aussi. Mais il n'était plus en colère. » Martin se pencha en avant et saisit la main de Rupert dans la sienne. « C'est important que vous compreniez cela, Rupert. Allan n'était pas fâché contre vous. »

Le serveur revint avec les cafés.

« Merci », dit Martin sans lâcher la main de Rupert. Ce dernier surprit le regard du garçon et se raidit malgré lui.

« Désirez-vous autre chose ?

— Non, merci. » Rupert croisa le regard amical du garçon et rougit d'embarras. Il mourait d'envie de fuir, de se cacher, de tout renier ; pourtant, il se força à laisser sa main dans celle de Martin, comme s'il s'agissait de quelque chose de naturel.

« Je sais que c'est dur pour vous, dit Martin, dès que le serveur se fut éloigné. Sur tous les plans.

— C'est le moins qu'on puisse dire. Je suis marié. »

Martin hocha la tête. « C'est ce qu'Allan pensait.

— Je suppose qu'il me méprisait, murmura Rupert, le nez dans sa tasse de café. Je suppose que vous me méprisez, vous aussi.

— Non. Vous ne comprenez pas. Allan *espérait* que étiez marié. Il espérait que vous étiez avec une femme, plutôt que...

— Plutôt qu'avec un homme ? »

244

Rupert releva la tête. Martin acquiesça.

« Il se torturait pour savoir s'il devait vous contacter ou non. Il ne voulait pas semer le trouble si vous étiez heureux avec une femme, mais il n'avait pas envie non plus de découvrir que vous étiez avec un autre homme. Il voulait croire, au cas où vous auriez changé d'avis, que c'était vers lui que vous seriez revenu d'abord.

— C'est ce que j'aurais fait, évidemment, dit Rupert d'une voix tremblante. Il le savait. Il me connaissait. Personne d'autre ne m'a jamais connu aussi bien que lui.

— Votre femme…

— Ma femme ! Ma femme ne me connaît pas ! On s'est rencontrés, on a dîné plusieurs fois ensemble, on est partis en vacances ensemble, et on s'est mariés. Je la vois environ une heure par jour, et encore. Avec Allan, c'était…

— Plus intense. »

Rupert ferma les yeux. « C'était chaque jour, chaque nuit, chaque heure, chaque minute. Nous partagions tout, tout le temps, nos craintes, nos espoirs, la moindre de nos pensées. »

Il y eut un long silence. Quand Rupert rouvrit les yeux, Martin sortait une lettre de sa sacoche.

« Allan a laissé cela pour vous, au cas où vous vous seriez manifesté.

— Merci. »

Rupert prit l'enveloppe et la contempla un moment. Son nom était écrit dessus, tracé de la belle écriture d'Allan. Il entendait presque la voix d'Allan qui lui parlait. Il cligna des yeux plusieurs fois et rangea la lettre dans son attaché-case. « Avez-vous un téléphone portable ?

— Oui, bien sûr.

— Quelqu'un d'autre doit être mis au courant. » Il composa un numéro, écouta un instant, puis éteignit le téléphone. « Occupé.

« — À qui avez-vous l'intention de le dire ?

— À Milly. La jeune fille qu'il avait épousée pour pouvoir rester en Grande-Bretagne. »

Martin fronça les sourcils.

« Allan m'a parlé de Milly. Mais elle doit être au courant, il lui avait écrit.

— En tout cas, elle n'a jamais reçu sa lettre. Elle ne sait rien. » Rupert composa de nouveau le numéro. « Et il faut qu'elle soit informée. »

Isobel raccrocha et se passa la main dans les cheveux.

« C'était tante Jane, annonça-t-elle. Elle voulait savoir ce que nous allons faire du cadeau qu'elle a envoyé. »

La jeune femme se renversa sur son siège et jeta un regard vers la table de la cuisine, entièrement recouverte de listes de noms, de carnets d'adresses, d'annuaires téléphoniques, le tout maculé de ronds de café et de miettes de sandwiches. Des boîtes à chaussures remplies de brochures et de catalogues s'entassaient sur une chaise ; de l'une d'elles sortait une photo en noir et blanc sur papier glacé, d'une autre un bout de dentelle. Isobel avait devant elle un sachet-échantillon de dragées de couleurs pastel. Elle en attrapa une poignée.

« Quand je pense au temps qu'il faut pour préparer un mariage, marmonna-t-elle. Des mois et des mois de travail. Et il suffit de quelques secondes pour tout détruire, tel un château de cartes. » Elle croqua les dragées et fit la grimace. « Oh là là, elles sont redoutables, je vais me casser les dents.

— Je suis vraiment navrée, Andrea, disait Olivia, qui parlait sur son téléphone portable. Oui, je me rends compte que Derek a acheté un habit exprès pour l'occasion. Transmets-lui mes excuses, s'il te plaît... Oui, tu as

246

peut-être raison, un costume de ville aurait fait aussi bien l'affaire. » Il y eut un silence et sa main se crispa sur le combiné. « Non, ils n'ont pas encore fixé une nouvelle date. Oui, je te préviendrai... Eh bien, s'il veut le rapporter au magasin, à lui de décider. Oui, au revoir. »

Olivia déconnecta le téléphone, cocha un nom sur sa liste et attrapa le cahier rouge. « Bon, à qui le tour ?

— Pourquoi ne pas t'accorder une petite pause ? suggéra Isobel. Tu as l'air vannée.

— Non, ma chérie, il vaut mieux que je continue. Il faut que ce soit fait, non ? » Elle sourit à sa fille. « On ne peut pas rester les bras croisés et pleurer sur notre sort.

— Non, bien sûr. » Isobel s'étira. « Ouille, j'ai mal à la nuque à force d'être tout le temps au bout du fil. »

À cet instant, le téléphone sonna une fois de plus. Isobel regarda sa mère, fit une grimace et décrocha.

« Allô ? Oh, bonjour. Oui, c'est exact, hélas. Oui, je ne manquerai pas de lui transmettre vos amitiés. D'accord. Au revoir. » La communication terminée, elle laissa le combiné décroché. « Quel besoin ont-ils, tous, d'appeler pour lui souhaiter un prompt rétablissement ? Ils savent bien qu'elle n'est pas malade !

— On aurait peut-être dû inventer une autre excuse.

— De toute façon, ils devinent la vérité. Et tante Jane qui veut qu'on lui retourne immédiatement son cadeau : elle va à un autre mariage dans quinze jours et compte le réutiliser. J'ai bien envie de lui répondre qu'on l'a fichu à la poubelle tellement il est moche !

— Non, répliqua Olivia en fermant les yeux. Nous devons nous conduire avec calme et dignité.

— Tu crois ? » Isobel dévisagea sa mère. « Ça va, maman ? Tu as l'air bizarre.

— Je vais bien, répondit Olivia dans un souffle.

— Bon, bon, fit Isobel, l'air dubitatif, avant de consulter sa liste. Ah, j'ai eu aussi un appel de la fleuriste. Elle a suggéré, puisque le bouquet de Milly est déjà prêt, de le faire sécher et de le conserver en souvenir.

— En souvenir ?

— Je sais. » Isobel ne put s'empêcher de rire. « Les gens sont incroyables !

— En souvenir... Comme si on risquait d'oublier ! »

Isobel observa sa mère à la dérobée. Olivia avait les yeux brillants de larmes.

« Maman...

— Désolée, ma chérie. » Une larme coula sur la joue d'Olivia, qui sourit bravement. « Je suis stupide.

— Je sais à quel point ce mariage te tenait à cœur, dit Isobel en prenant la main de sa mère. Mais il y en aura un autre, ne t'inquiète pas.

— Ce n'est pas seulement ça, murmura Olivia. S'il s'agissait juste du mariage... » Elle s'interrompit car on sonnait à la porte.

« Qui cela peut-il bien être ? s'impatienta Isobel. Bon sang, les gens ne se rendent pas compte que nous ne sommes pas d'humeur à recevoir des visiteurs ? Ne te tracasse pas, je m'en occupe.

— Non, j'y vais, moi.

— Eh bien, allons-y ensemble. »

Un couple d'inconnus bon chic bon genre se tenait sur le seuil.

« Bonjour, dit la femme d'un ton enjoué. Nous voudrions une chambre, s'il vous plaît.

— Pardon ? fit Olivia, hébétée.

— Une chambre, répéta la femme. Vous êtes bien un *bed and breakfast* ? ajouta-t-elle en brandissant le guide de la ville.

— Je regrette, mais c'est complet actuellement, répondit Isobel. Peut-être devriez-vous voir avec l'Office du tourisme…

— On m'a indiqué que nous pourrions avoir une chambre, insista la femme.

— Cela m'étonnerait, dit Isobel avec calme, parce que nous n'avons plus de place.

— J'ai parlé avec quelqu'un au téléphone ! s'énerva la touriste. J'avais bien précisé que nous souhaitions venir ici. D'ailleurs, votre établissement nous a été recommandé par nos amis les Rendle.

— Quel honneur, ironisa Isobel.

— Je vous prie de me parler sur un autre ton, jeune fille ! Est-ce là votre façon habituelle de conduire vos affaires ? Le client est roi, ne l'oubliez pas ! On nous a affirmé que nous aurions une chambre, vous ne pouvez pas renvoyer les gens sans la moindre explication !

— Oh, mon Dieu, murmura Isobel.

— Vous voulez une explication ? intervint Olivia d'une voix chevrotante.

— Maman, ne te donne pas la peine de…

— Vous voulez une explication ? » Olivia respira à fond. « Bien, par quoi vais-je commencer ? Par le mariage de ma fille ? le mariage qui était censé avoir lieu demain ?

— Oh, fit la touriste, décontenancée. Un mariage ? Cela change tout.

— Ou bien vais-je commencer par son précédent mariage, il y a dix ans ? Un mariage dont nous n'avons jamais été informés. » La voix d'Olivia enflait dangereusement. « Ou encore, par le fait que nous sommes obligés de tout annuler, et que toute notre famille, tous nos amis se moquent de nous derrière notre dos ?

— Vraiment, je ne…, balbutia la femme.

— Mais qu'importe ? Entrez donc ! cria Olivia en ouvrant la porte en grand. Nous allons vous trouver une place, entre les cadeaux que nous allons devoir renvoyer, la pièce montée que nous allons devoir manger, les tenues que nous ne porterons jamais, et cette superbe robe de mariée...

— Viens, Rosemary, marmonna le mari de la dame, gêné, en la tirant par la manche. Navrés de vous avoir dérangées. Je te l'avais bien dit, nous aurions mieux fait d'aller à Cheltenham. »

Tandis que le couple s'éloignait, Isobel regarda sa mère qui, la main toujours sur la poignée de la porte, avait le visage baigné de larmes.

« Il faut absolument que tu te reposes un peu, maman. Laisse le téléphone décroché, regarde la télé, ou allonge-toi un moment.

— Impossible, nous avons encore des appels à passer.

— Foutaises ! Tous les gens à qui j'ai parlé étaient déjà au courant. Les nouvelles circulent vite, tu sais. Nous avons appelé les personnes les plus importantes. Les autres suivront.

— À vrai dire, murmura Olivia après un court silence, je me sens un peu fatiguée. Je vais peut-être me coucher quelques instants. » Elle referma la porte d'entrée et dévisagea sa fille. « Et toi, tu vas te reposer aussi ?

— Non. » Isobel attrapa son manteau. « Je sors. Je vais rendre une petite visite à Milly.

— Bonne idée. Elle sera contente de te voir. N'oublie pas...

— Quoi ? »

Olivia marqua un silence. « N'oublie pas de lui dire que je l'embrasse. » Elle baissa la tête. « C'est tout. Dis-lui que je l'embrasse. »

Le salon d'Esme était un havre de tranquillité et de raffinement. Isobel s'assit dans un élégant sofa aux tons pastel et contempla avec plaisir le décor de la pièce, la collection de boîtes en argent disposées dans un savant désordre sur une petite table, l'assiette en bois de pommier remplie de galets gris et lisses.

« Alors, interrogea Milly, assise en face d'elle. Maman est toujours furibarde ?

— Pas vraiment, non. Elle est… bizarre.

— Ce qui signifie sans doute qu'elle est furieuse.

— Non, je t'assure. Elle m'a dit de t'embrasser de sa part.

— C'est vrai ? » Milly ramena un pied sous elle et avala une gorgée de café. Ses cheveux étaient négligemment attachés en queue de cheval, elle portait un jean et de vieilles chaussettes de ski.

Esme apparut et tendit une tasse de café à Isobel. « Tiens, voilà. Mais je vais devoir t'enlever Milly dans pas longtemps, nous sortons déjeuner.

— Bonne idée, approuva Isobel. Où allez-vous ?

— Dans un petit endroit que je connais. » Esme sourit aux deux sœurs. « On part dans une dizaine de minutes, Milly ?

— Parfait.

— Eh bien, dit Isobel, une fois Esme sortie. Comment vas-tu, réellement ?

— Je ne sais pas. Tantôt je me sens plutôt bien, tantôt j'ai envie d'éclater en sanglots. Je n'arrête pas de me dire : Qu'est-ce que je serais en train de faire en ce moment ? » Milly ferma les yeux. « Je me demande comment je vais passer la journée de demain…

— Soûle-toi.

251

— J'ai l'intention de prendre une cuite ce soir. » Un sourire fugitif éclaira les traits de Milly. « Tu ne veux pas te joindre à moi ?

— Peut-être. Et… Simon ne t'a pas contactée ? »

Le visage de Milly se ferma. « Non.

— C'est fini pour de bon entre vous ?

— Oui.

— Je n'en reviens pas. Juste parce que…

— Parce que je lui ai menti sur un seul point. Ce qui, par conséquent, fait de moi une menteuse pathologique ; personne ne pourra plus jamais croire un mot de ce que je dis.

— Le salaud ! Tu seras bien mieux sans lui.

— Oui. » Milly releva la tête et sourit bravement. « Ce n'est pas plus mal, dans le fond. »

Isobel regarda sa sœur et son cœur se serra. « Oh, Milly, quel dommage !

— Tant pis. Après tout, ce n'est pas comme si j'étais enceinte. Ça, ce serait vraiment une catastrophe ! » plaisanta Milly.

Isobel croisa son regard et se força à sourire. Un silence s'installa.

« Sais-tu ce que tu vas faire ? questionna enfin Milly.

— Non.

— Et le père ?

— Il ne veut pas d'enfant, il me l'a fait clairement comprendre.

— Tu ne pourrais pas le convaincre ?

— Non, et je n'en ai pas envie ! Je ne tiens pas à obliger un homme à être père. Que deviendrait notre relation, dans ce cas ?

— Le bébé vous souderait peut-être.

— Les enfants, ce n'est pas de la colle, riposta Isobel en se passant la main dans les cheveux. Si je gardais le bébé, je serais seule.

— Je t'aiderais ! Et maman aussi.

— Je sais. » Isobel se tut. Milly la dévisagea.

« Isobel, tu n'as pas réellement l'intention de t'en débarrasser ?

— Je l'ignore ! s'écria Isobel, désespérée. Je n'ai que trente ans, Milly ! Peut-être que demain je rencontrerai un type fantastique dont je tomberai folle amoureuse ! Mais si j'ai déjà un enfant…

— Cela ne changera rien du tout, affirma Milly.

— Si ! Et tu n'ignores pas qu'élever un enfant ce n'est pas de la tarte ! Je vois mes amies, autour de moi : elles se transforment en vrais zombis, même celles qui ne sont pas seules.

— Hum… je ne sais pas, murmura Milly. La décision t'appartient.

— Oui, c'est bien ça le problème. »

La porte s'ouvrit, et Esme entra, une superbe toque en fourrure sur la tête. Elle sourit aux deux sœurs.

« Tu es prête, Milly ? Isobel, mon chou, veux-tu venir avec nous ?

— Non, merci, il vaut mieux que je rentre. »

Isobel regarda sa sœur monter dans la Daimler rouge d'Esme et se prit à rêver que sa propre marraine surgissait tout à coup et l'emmenait, elle aussi, dans une superbe voiture. Mais Mavis Hindhead était une femme insignifiante qui vivait dans le nord de l'Écosse et ne s'était pas manifestée depuis le jour de la confirmation de sa filleule, à qui elle avait envoyé un affreux pull tricoté main et une carte couverte d'une écriture en pattes de mouche à laquelle Isobel n'avait strictement rien compris. Peu de marraines ressemblaient à Esme Ormerod, songeait Isobel.

Quand la voiture eut disparu au coin de la rue, Isobel se mit en route avec l'intention de rentrer directement chez ses parents, mais elle ne se sentait guère le courage de retrouver l'atmosphère triste et étouffante de la maison, ni de continuer à donner des coups de fil embarrassés à des gens qu'elle ne connaissait pas. Maintenant qu'elle marchait à l'air frais, elle avait envie de rester dehors, de se dégourdir les jambes et de se promener sans avoir un téléphone collé à l'oreille.

Elle commença à avancer d'un pas vif, sans but précis, avec un vague sentiment d'irresponsabilité, un peu comme si elle faisait l'école buissonnière. Au début, toute au plaisir de sentir la liberté de mouvement de ses jambes et de ses bras, elle ne réfléchit pas à la direction qu'elle prenait. Puis une pensée soudaine la frappa, elle s'arrêta et, poussée par une curiosité qu'elle-même jugeait malsaine, quitta la rue principale et se dirigea vers l'église Saint-Édouard.

Au moment où elle franchit le portail, elle s'attendait presque à entendre retentir une marche nuptiale. L'église débordait de fleurs, des lumières illuminaient l'autel. Isobel remonta la nef entre les rangées de bancs vides et imagina l'église pleine de monde, les visages heureux des gens, elle-même dans sa robe de demoiselle d'honneur, se tenant solennellement derrière Milly, puis observant sa sœur tandis qu'elle prononçait les vœux sacrés du mariage.

Parvenue près du chœur, Isobel s'arrêta et avisa au bout d'un banc la pile de feuilles de papier blanc désormais inutiles. Avec un pincement au cœur, elle saisit une feuille et fronça les sourcils en lisant les deux noms – Eleanor et Giles –, imprimés en caractères laids et prétentieux. Qui étaient donc Eleanor et Giles ? Qu'est-ce qu'ils venaient faire ici ?

« Espèces de parasites ! s'exclama-t-elle, indignée.

— Je vous demande pardon ? » interrogea une voix masculine derrière elle.

Elle se retourna brusquement et vit avancer un homme jeune en soutane.

« Vous officiez ici ? s'enquit-elle.

— Oui.

— Bonjour. Je suis la sœur de Milly Havill.

— Ah bien, dit le prêtre d'un air gêné. Nous avons tous été consternés par la triste nouvelle.

— Vraiment ? Que s'est-il passé ? Vous vous êtes crus autorisés à faire usage des fleurs coûteuses de Milly ?

— Que voulez-vous dire ? »

Isobel désigna la pile d'imprimés.

« Qui sont Eleanor et Giles ? Comment se fait-il qu'on leur ait permis de se marier le jour qui était réservé à Milly ?

— Ce n'est pas cela, expliqua le curé avec nervosité. Ils se marient dans l'après-midi, ils ont fixé la date depuis un an.

— Oh », fit Isobel. Elle jeta un dernier coup d'œil à la feuille de papier qu'elle tenait toujours à la main, puis la reposa. « Dans ce cas... je leur souhaite beaucoup de bonheur.

— Je suis sincèrement navré, dit le prêtre, embarrassé. Peut-être votre sœur se mariera-t-elle dans un proche avenir, quand elle aura réglé tous les problèmes.

— Je le souhaite, oui, mais ça me paraît peu probable. »

Isobel regarda encore une fois autour d'elle, puis fit demi-tour et se dirigea vers le portail. Le curé lui emboîta le pas.

« Je m'apprêtais à fermer à clé, indiqua-t-il. Nous prenons souvent cette précaution quand l'église est décorée de fleurs. Vous n'imaginez pas ce que les gens peuvent voler, de nos jours.

— Sûrement. » Isobel s'arrêta près d'une composition florale, y préleva un lis blanc et en respira l'arôme. « Cela aurait été un beau mariage, murmura-t-elle tristement. Mais maintenant c'est fichu. Ah, si vous saviez le mal que vous avez fait, tous…

— À ce que j'ai cru comprendre, il y aurait eu bigamie, objecta le prêtre.

— Oui, mais personne n'en aurait rien su. Si le chanoine Lytton avait fermé les yeux…

— Le couple, lui, l'aurait su ! Dieu l'aurait su !

— Hum. Peut-être que ça ne l'aurait pas dérangé, Dieu. »

Isobel sortit de l'église la tête basse et se cogna contre quelqu'un.

« Pardon », s'excusa-t-elle, puis elle se raidit. Harry Pinnacle était devant elle, vêtu d'un pardessus en cachemire bleu marine et d'une écharpe rouge vif.

« Bonjour, Isobel, dit-il en regardant par-dessus l'épaule de la jeune femme le curé qui l'avait suivie sous le porche. Quelle lamentable affaire !

— Oui, lamentable.

— Je déjeune tout à l'heure avec votre père.

— Il nous a parlé de ce rendez-vous, oui. »

Le prêtre referma la porte de l'église, et Harry et Isobel se retrouvèrent seuls.

« Il faut que je parte, marmonna Isobel. Au revoir.

— Un instant ! dit Harry.

— Je suis pressée », répondit Isobel, et elle se mit en chemin.

Harry la saisit par le bras.

« Je m'en fiche, dit-il en lui faisant faire volte-face. Isobel, pourquoi avoir laissé tous mes messages sans réponse ?

— Fiche-moi la paix ! chuchota Isobel en détournant la tête.

— Isobel ! J'ai besoin de te parler !

— Je ne peux pas, Harry. Je... je ne peux vraiment pas. »

Après un long silence, Harry lâcha le bras d'Isobel.

« Parfait. Si tel est ton désir.

— De toute façon... », grogna Isobel et, sans un regard pour Harry, elle enfonça ses mains dans ses poches et s'éloigna à grands pas.

14

Harry était assis au bar, une chope de bière à la main, quand James arriva au *Pear and Goose*, un petit pub du centre de Bath, anonyme et gai, plein à craquer de touristes.

« Content de vous voir, James, dit Harry en se levant pour lui serrer la main. Je vous commande la même chose que moi ?

— Oui, merci. »

Les deux hommes se turent pendant que le serveur remplissait la chope de bière mousseuse, et James réalisa que c'était la première fois que Harry et lui se voyaient seul à seul.

« Santé ! fit Harry en levant son verre.

— Santé !

— Allons nous asseoir dans un coin. Nous serons plus tranquilles pour bavarder.

— Oui. » James se racla la gorge. « Je suppose que vous voulez me parler des détails pratiques du mariage.

— Pourquoi ? » Harry paraissait surpris. « Y a-t-il un problème ? Je croyais que mes assistantes s'occupaient de cela avec Olivia.

— Je voulais dire sur le plan financier. Les révélations de Milly vous ont coûté une petite fortune. »

Harry fit un geste de la main. « Cela n'a pas d'importance.

— Bien sûr que si. Je crains de ne pas avoir les moyens de vous rembourser entièrement, mais si nous pouvions trouver un accord...

— James, je ne vous ai pas demandé de venir ici pour vous parler d'argent. Je pensais juste que vous aimeriez prendre un verre.

— Oh, fit James, déconcerté. Oui, naturellement.

— Alors, asseyons-nous et buvons. »

Ils s'installèrent à une table à l'écart. Harry ouvrit un paquet de chips et en offrit à James.

« Et Milly ? Comment va-t-elle ?

— En vérité, je ne sais pas trop. Elle est avec sa marraine. Et Simon ?

— Ce garçon est stupide. Je lui ai dit ce matin qu'il n'était qu'un sale gosse trop gâté.

— Oh !

— Dès qu'un problème surgit, il fuit ; à la moindre anicroche, il abandonne. Pas étonnant que sa société ait coulé.

— N'êtes-vous pas un peu sévère ? Il a subi un choc énorme. Nous avons tous été secoués ; c'est déjà assez dur pour nous, aussi j'imagine ce que Simon doit éprouver.

— Vous ne vous doutiez donc pas qu'elle était mariée ?

— Absolument pas.

— Elle a menti à tout le monde, y compris vous ?

— Y compris nous, oui. » James vit Harry esquisser un sourire. « Vous trouvez ça drôle ?

— Reconnaissez qu'elle ne manque pas de culot ! Il faut du cran pour monter à l'autel en sachant que vous avez quelque part un mari qui risque de se mettre en travers de votre chemin.

— C'est une façon de voir les choses.

— Mais ce n'est pas la vôtre.

— Non. Ce que je vois, c'est que l'inconséquence de Milly a causé des tas de problèmes et de tourments à pas mal de gens. Franchement, j'ai honte de penser qu'elle est ma fille.

— Soyez indulgent avec elle !

— Soyez indulgent avec Simon ! C'est lui l'innocent, ne l'oubliez pas. C'est lui qui a été injustement traité.

— Simon est un petit dictateur, un despote, un moralisateur. La vie doit se dérouler comme il l'entend, sinon ça ne l'intéresse pas. Il en a pris bien trop à son aise durant beaucoup trop longtemps, voilà son problème.

— Je serais plutôt tenté de dire le contraire. Cela ne doit pas être facile d'avancer dans votre ombre, je ne sais pas si j'en serais capable. »

Harry haussa les épaules, et les deux hommes restèrent un moment silencieux. Harry vida son verre, hésita, puis prit la parole.

« Et Isobel ? s'enquit-il, l'air de rien, comment a-t-elle réagi à toute cette histoire ?

— Selon son habitude, elle n'a pas dit grand-chose. La pauvre, elle a suffisamment de problèmes comme ça.

— Des problèmes de travail ?

— Pas exactement.

— Il s'agit d'autre chose, alors ? fit Harry, intéressé. Elle a de gros soucis ?

— Gros est le terme exact, répliqua James avec ironie.

— Comment cela ? »

James contempla sa chope vide.

« Bah, je suppose que ce n'est pas un grand secret, dit-il après un silence. Elle est enceinte.

— Enceinte ? s'écria Harry, bouleversé. Isobel est enceinte ?

— Je comprends votre réaction, moi-même j'ai du mal à y croire.

— Vous en êtes sûr ? Cela ne peut pas être une erreur ?

— Ne vous inquiétez pas, répondit James, touché par la sollicitude de Harry. Tout ira bien.

— Vous a-t-elle parlé ?

— Isobel est une fille très secrète. Nous ignorons même qui est le père.

— Ah bon, marmonna Harry en vidant son verre.

— Tout ce que nous pouvons faire, c'est la soutenir, quelle que soit sa décision.

— Quelle décision ?

— De garder le bébé... ou pas. »

James, embarrassé, haussa les épaules et détourna le regard. Une expression étrange effleura les traits de Harry.

« Je vois, murmura-t-il. Je vois. C'est une possibilité. » Il ferma les yeux. « Que je suis bête.

— Pardon ?

— Non, rien, répondit Harry en rouvrant les yeux. Rien.

— De toute façon, ce n'est pas votre problème. » James avisa le verre de Harry, vide. « Permettez-moi de vous en offrir un autre.

— Non, non, c'est moi.

— Mais vous avez déjà...

— Je vous en prie, James. » Harry avait l'air las, tout à coup, presque triste, remarqua James. « Laissez-moi vous inviter, je vous en prie. »

Isobel marcha jusqu'au jardin des Aveugles. Là, elle s'assit sur un banc de fer, se mit à contempler le jet d'eau du bassin, et s'efforça de réfléchir calmement. Dans sa tête, un film passait en boucle – un film dans lequel elle voyait l'expression de Harry, quand elle l'avait quitté devant l'église, et entendait le son de sa voix. À force de repasser ce film, elle imaginait que sa souffrance s'apaiserait et que son esprit retrouverait une tranquillité qui lui permettrait d'analyser froidement la situation. Mais sa souffrance ne s'apaisait pas, son esprit ne se calmait pas, et elle se sentait littéralement déchirée.

Harry et elle s'étaient rencontrés quelques mois plus tôt, à l'occasion des fiançailles de Simon et Milly. Dès l'instant où ils s'étaient serré la main, ils avaient éprouvé une vive attraction l'un pour l'autre. Chacun s'était aussitôt détourné afin de parler à d'autres convives mais, tout au long de la soirée, Harry n'avait pas quitté Isobel des yeux, et Isobel avait ressenti une attirance irrésistible pour Harry. Huit jours plus tard, ils s'étaient donné rendez-vous pour dîner en secret et Isobel avait passé la nuit chez Harry, à l'insu de tous ; le lendemain matin, de la fenêtre de la chambre de Harry, Isobel avait aperçu dans l'allée Milly qui agitait la main pour dire au revoir à Simon. Un mois plus tard, Harry et elle s'étaient rendus à Paris sur des vols différents. Chaque rencontre avait été un moment délicieux, un plaisir exquis, fugitif et secret. Ils avaient décidé de ne rien dire à personne et de s'en tenir à une relation légère et sans conséquences – deux personnes adultes qui prennent du bon temps ensemble, rien de plus.

Mais maintenant, fini la relation légère et sans conséquences, fini l'absence d'engagement. Quelque décision qu'elle prenne, cela aurait de toute façon des répercussions incalculables. À cause d'un incident biologique minime, leurs vies, à l'un comme à l'autre, ne seraient plus jamais pareilles.

Harry ne voulait pas d'enfant, il le lui avait clairement fait comprendre. Si elle décidait de garder le bébé, elle devrait l'élever seule. Résultat : elle perdrait Harry, elle perdrait sa liberté, elle serait obligée de compter sur l'aide de sa mère. La vie deviendrait un cercle infernal, entre biberons, couches-culottes et « areu areu » bêtifiants.

D'un autre côté, si elle se débarrassait de l'enfant...

Une douleur sourde étreignit Isobel. À quoi bon se leurrer ? Bien entendu, elle avait le choix – toute femme moderne avait le choix. Mais, en réalité, elle n'avait aucune liberté : elle était esclave d'un sentiment maternel qu'elle n'avait jamais soupçonné en elle, esclave d'un être minuscule qui grandissait à l'intérieur de son corps, esclave d'un désir de vie primitif et impérieux.

Rupert s'assit sur un banc de la National Portrait Gallery, face à un tableau qui représentait Philippe II d'Espagne. Il avait quitté depuis plus de deux heures Martin, qui lui avait serré la main avec chaleur et l'avait incité à lui téléphoner chaque fois qu'il en éprouverait le besoin. Après cela, Rupert avait déambulé au hasard, sans prêter attention à la foule des passants et des touristes qui le bousculaient, absorbé par ses pensées. De temps à autre, il s'arrêtait à une cabine téléphonique pour appeler Milly, mais la ligne était toujours occupée, ce dont il était secrètement soulagé : il n'avait envie de partager avec personne la nouvelle de la mort d'Allan. Pas encore.

La lettre était dans son attaché-case. Il n'avait pas trouvé jusque-là le courage de la lire, car il craignait à la fois qu'elle ne réponde pas à ses espérances et qu'elle y réponde. Sous le regard sévère et intransigeant du roi Philippe, il ouvrit sa mallette et sortit l'enveloppe. Son nom tracé par la main d'Allan lui serra de nouveau le cœur. Il tenait entre ses mains le dernier lien qui existerait jamais entre Allan et lui. Une part de lui-même voulait enterrer cette lettre sans l'avoir ouverte, garder les derniers mots d'Allan intacts, non lus. Mais, au moment même où cette pensée lui traversait l'esprit, ses doigts déchiraient l'enveloppe en tremblant, et il en sortait d'épais feuillets beiges couverts d'un seul côté de l'écriture régulière d'Allan.

Cher Rupert,
N'aie crainte. N'aie crainte, disait l'ange. Je ne t'écris pas juste pour te donner mauvaise conscience. Du moins pas consciemment. Enfin, je ne crois pas.

En vérité, je ne sais pas très bien pourquoi je t'écris. Liras-tu un jour cette lettre ? C'est peu probable. Tu m'as sans doute oublié, tu es vraisemblablement marié et père de triplés. J'imagine parfois que tu vas soudain apparaître à la porte et m'emporter dans tes bras, tandis que les autres malades en phase terminale crieront des hourras et frapperont le sol avec leurs cannes. En réalité, cette lettre finira sûrement dans un camion à benne – comme tant d'autres objets, un jour glorieux, de notre monde moderne – et sera recyclée en aliments pour le petit déjeuner. J'aime assez cette idée : des flocons d'Allan, avec une pincée d'optimisme et un soupçon d'amertume.

Pourtant, je continue à écrire, comme si j'avais la certitude qu'un jour tu rechercheras ma trace et tu liras ces mots. Peut-être le feras-tu, peut-être non. Mon esprit confus s'est-il égaré ? Ai-je accordé à notre relation une importance qu'elle ne méritait pas ? Les perspectives de ma vie se sont réduites de façon si radicale que – je m'en rends bien compte – ma façon de voir les choses s'en est trouvée faussée. Et cependant, contre toute attente, je continue à écrire. La vérité, Rupert, c'est que je ne peux me résoudre à quitter ce pays, encore moins ce monde, sans laisser quelque part un mot d'adieu pour toi.

Quand je ferme les yeux et que je pense à toi, je te revois tel que tu étais à Oxford, même si, bien sûr, tu as dû changer depuis. Cinq ans plus tard, qui est Rupert ? Qu'est-il devenu ? J'ai quelques idées à ce sujet, mais je n'ai pas envie de les dévoiler. Je ne veux pas être le con prétentieux qui croyait te connaître mieux que tu ne te connaissais toi-même. Ce fut mon erreur, à Oxford. J'ai confondu colère et lucidité. J'ai pris mes désirs pour les tiens. De quel droit me suis-je emporté contre toi ? La vie est beaucoup plus complexe que ce que nous imaginions alors.

Ce que j'espère, c'est que tu es heureux. Ce que je crains, c'est que tu ne le sois pas, si tu lis cette lettre. Les gens heureux ne reviennent pas fouiller dans leur passé en quête de réponses. Quelle est la réponse ? Je l'ignore. Peut-être aurions-nous été heureux si nous étions restés ensemble. Peut-être la vie aurait-elle été douce. Mais on ne peut être sûr de rien.

Si cela se trouve, nous avons vécu le meilleur de notre relation. Nous nous sommes séparés, mais au moins l'un de nous deux a eu le choix, même si ce n'était pas moi. Si nous étions restés ensemble jusqu'à maintenant, aucun de nous n'aurait eu le choix. Rompre est une chose, mourir en est une autre. Franchement, je ne sais pas si j'aurais pu faire face aux deux en même temps. Il va me falloir déjà beaucoup de temps pour m'habituer à l'idée de ma mort.

Mais je m'étais promis de ne pas parler de la mort. Ce n'est pas l'objet de ma lettre. Il ne s'agit pas d'une lettre de reproche, mais d'une lettre d'amour, rien d'autre. Je t'aime encore, Rupert, et tu me manques toujours. Voilà ce que je voulais réellement te dire : je

266

t'aime encore, et tu me manques toujours. Si je ne te revois pas, alors… je suppose que c'est la vie qui veut cela. Mais au fond de moi j'espère que je te reverrai.
    À toi pour toujours.

Allan.

Quelques instants plus tard, une jeune institutrice apparut au seuil de la galerie avec toute une classe de gamins qui bavardaient et riaient. Elle avait prévu de les installer pour l'après-midi à dessiner le portrait d'Élisabeth Ire. Mais, quand elle aperçut l'homme assis sur le banc au milieu de la pièce, elle dirigea aussitôt ses élèves vers un autre tableau.

Rupert, qui pleurait en silence, ne les remarqua même pas.

Quand Harry rentra chez lui, dans l'après-midi, il constata que la voiture de son fils était garée à sa place habituelle. Il monta directement à la chambre de Simon, frappa et, n'obtenant pas de réponse, entrouvrit légèrement la porte. La première chose qu'il vit fut l'habit de Simon, toujours accroché contre l'armoire et, dans la corbeille à papier, un carton d'invitation au mariage. Harry fit la grimace et referma la porte. Il hésita, redescendit l'escalier et se dirigea vers le complexe de loisirs.

La piscine était éclairée par des projecteurs situés sous l'eau, la musique jouait en sourdine mais il n'y avait personne. Au bout du bâtiment, la porte du sauna était couverte de buée. Harry s'y précipita aussitôt et entra. Simon, le visage rougi par la chaleur, leva la tête d'un air surpris.

« Papa ? murmura-t-il en scrutant son père à travers la vapeur. Qu'est-ce que tu… ?

267

— Il faut que je te parle, déclara Harry qui s'assit sur une banquette face à Simon. Je te dois des excuses.

— Des excuses ?

— Je n'aurais pas dû m'emporter contre toi, ce matin. Je le regrette.

— Oh, fit Simon en regardant ailleurs. C'est... ça n'a pas d'importance.

— Si. Tu as subi un gros choc, j'aurais dû le comprendre, je suis ton père.

— Je sais, oui. »

Harry examina son fils pendant un moment.

« Tu préférerais que je ne le sois pas ? »

Simon se tut.

« Je pourrais difficilement te le reprocher. J'ai été un foutu père. »

Simon s'agita sur sa banquette, mal à l'aise.

« Tu...

— Ne te crois pas obligé de faire des efforts de politesse. Je sais que j'ai été complètement à côté de la plaque, avec toi. Pendant seize ans tu ne m'as pas vu une seule fois et soudain, vlan ! tu m'as sous les yeux à tout bout de champ. Pas étonnant que nos relations aient été quelque peu difficiles. Si nous étions un couple marié, il y a belle lurette que nous aurions divorcé. Oh, pardon, je touche là un sujet délicat.

— Ça va. » Simon se tourna vers son père et esquissa un sourire. Tout à coup, il réalisa que Harry était habillé. « Papa, tu es censé enlever tes vêtements, ici.

— Je ne suis pas venu pour prendre un bain de vapeur, mais pour avoir une conversation avec toi. Bon, j'ai dit ce que j'avais à dire. À toi, maintenant. Tu es supposé répondre que j'ai été un père merveilleux, après quoi j'aurai l'esprit en paix. »

Un long silence s'installa, puis Simon prit la parole.

« J'aurais simplement aimé… »

Il s'interrompit.

« Quoi ?

— J'aurais simplement aimé ne pas me sentir un éternel raté. Tout ce que j'entreprends échoue. Alors que toi… toi, à mon âge, tu étais millionnaire !

— Mais non.

— Dans ta biographie…

— Ce tissu de conneries ! Simon, à ton âge, j'avais un million de *dettes* ! Par chance, j'ai trouvé un moyen de le rembourser.

— Pas moi, répliqua Simon avec amertume. J'ai fait faillite.

— D'accord, tu as fait faillite, mais au moins tu n'as pas été obligé de tout vendre, et tu n'es jamais venu pleurer dans mon giron pour que je te sorte d'affaire. Tu es resté indépendant, farouchement indépendant, et je suis fier de toi à cause de ça. » Harry marqua une pause. « Je suis fier, même, que tu m'aies rendu les clés de l'appartement que je vous ai acheté. Ça m'a emmerdé, mais je suis fier de toi. »

Après un long silence, ponctué par la respiration des deux hommes et le bruit des gouttes qui tombaient au sol sous l'effet de la condensation, Harry reprit :

« Et, si tu t'efforces d'arranger les choses avec Milly, au lieu de t'éloigner d'elle… alors, je serai encore plus fier de toi. Parce que ça, c'est quelque chose que je n'ai jamais fait, et que j'aurais dû faire. »

Harry se tut, s'adossa contre le mur, allongea les jambes et fit la grimace. « Il faut reconnaître que ce n'est pas très agréable. Mon caleçon me colle à la peau.

— Je t'ai averti.

— En effet. » Harry dévisagea Simon à travers la vapeur. « Eh bien, vas-tu donner une seconde chance à Milly ? »

Simon poussa un profond soupir.

« Oui, évidemment, à condition qu'*elle* me donne une seconde chance. Je ne sais pas ce qui m'a pris hier soir, j'ai été idiot, injuste, je me suis comporté comme un... » Il hocha la tête. « J'ai essayé de l'appeler cet après-midi.

— Et alors ?

— Elle doit être avec Esme.

— Esme ?

— Sa marraine, Esme Ormerod. »

Harry regarda Simon d'un air surpris. « Esme Ormerod est la marraine de Milly ?

— Oui. Pourquoi ?

— Drôle de femme, répondit Harry avec une moue.

— J'ignorais que tu la connaissais.

— Je l'ai invitée à dîner quatre ou cinq fois. Grossière erreur.

— Pourquoi ?

— Peu importe. C'était il y a longtemps. » Harry ferma les yeux. « Alors, comme ça, elle est la marraine de Milly. Cela m'étonne.

— C'est une cousine, je crois.

— Cette famille est tellement sympathique, dit Harry, mi-figue mi-raisin, puis il ajouta avec sérieux : C'est vrai, je les trouve tous très sympathiques : Milly est une fille adorable, James me paraît un type bien, j'aimerais le connaître davantage. Quant à Olivia... Que dire d'elle ? C'est une femme charmante.

— Tu l'as dit. » Simon fit un grand sourire à son père.

« Mais je n'aimerais pas la rencontrer au coin d'un bois.

— Ni nulle part ailleurs. »

270

Des gouttes d'eau dégoulinèrent sur le crâne de Harry, qui grimaça.

« La seule dont je ne sais que penser, reprit Simon d'un air songeur, c'est Isobel. Je la trouve assez énigmatique, je me demande toujours ce qu'elle a dans la tête.

— Moi aussi, avoua Harry, après une légère hésitation.

— Elle est très différente de Milly, mais je l'aime bien.

— Moi aussi, murmura Harry. Je l'aime beaucoup. » Il contempla le sol, puis se leva brusquement. « J'en ai assez de cet enfer, je vais prendre une douche.

— Pense à enlever tes vêtements d'abord.

— Très juste. » Harry adressa un signe de tête amical à Simon et sortit du sauna.

Rupert se leva péniblement, rangea la lettre d'Allan et quitta la galerie. L'après-midi tirait à sa fin. À Trafalgar Square, il observa un peu les touristes, les taxis, les pigeons, puis se dirigea à pas lents vers la station de métro. Sa démarche était incertaine, vacillante, comme s'il avait perdu une partie vitale de lui-même qui le maintenait en équilibre.

Tout ce qu'il savait, c'était que l'unique certitude qu'il avait eue dans la vie n'existait plus. Le centre de gravité par rapport auquel il avait bâti son existence s'était évanoui. Il lui semblait aujourd'hui que tout ce qu'il avait fait depuis dix ans avait été le résultat d'une bataille intérieure contre Allan. Maintenant, le combat était terminé, et il n'y avait pas de vainqueur.

Dans le métro, il regarda d'un air absent son reflet dans la vitre et se demanda avec une sorte de détachement ce qu'il allait faire désormais. Il se sentait fatigué, vidé, brisé, comme s'il avait échoué sur un rivage inconnu après une tempête et ignorait quelle direction prendre. D'un côté, il y avait sa femme, sa maison, son ancienne vie, et les compromis qui avaient fini par constituer pour lui une seconde nature. Pas vraiment le bonheur, mais pas vraiment le malheur non plus. De l'autre, il y avait l'honnêteté – douloureuse, difficile –, l'honnêteté et toutes les conséquences qu'elle entraînait.

D'un geste las, Rupert se passa la main sur le visage. Il n'avait pas envie d'être honnête. Il n'avait pas envie d'être malhonnête. Il avait envie de n'être rien – rien qu'une personne dans le métro, sans décision à prendre, sans rien à faire à part écouter le roulement du wagon et regarder les visages des voyageurs indifférents, plongés dans leurs livres ou leurs magazines. Remettre la vie à plus tard – le plus tard possible.

Mais il arrivait à sa station. Tel un automate, il attrapa son attaché-case, se leva, descendit, suivit le flot des voyageurs, monta l'escalier, sortit dans la nuit froide. Comme à l'habitude, les gens débouchaient en masse dans la rue principale, puis la foule s'éclaircissait au fur et à mesure que les habitants bifurquaient dans les rues adjacentes. Rupert suivit le mouvement et ralentit quand il approcha de chez lui. Parvenu au coin de sa rue, il s'arrêta et songea un instant à revenir sur ses pas. Mais où aller ? Il n'avait nul autre endroit où se rendre.

Il n'y avait pas de lumière dans la maison et il éprouva un certain soulagement ; il prendrait un bain, boirait un verre ou deux et, avec un peu de chance, il aurait les idées plus claires au moment où Francesca rentrerait. Il lui montrerait peut-être la lettre d'Allan. Ou peut-être pas. Rupert sortit sa clé, l'introduisit dans la serrure, mais ne parvint pas à ouvrir. Il recommença et la serrure résista ; il regarda de plus près et comprit : Francesca avait fait changer la serrure. Francesca l'avait mis dehors.

Il resta pétrifié et contempla la porte en frémissant de rage et d'humiliation. « La garce ! marmonna-t-il. La garce ! » Une nostalgie profonde pour Allan le saisit tout à coup, et il rebroussa chemin, les larmes aux yeux.

« Vous avez un problème ? cria une jeune fille de l'autre côté de la rue. Vous êtes enfermé dehors ? Vous pouvez téléphoner d'ici, si vous voulez.

— Non, merci. » Rupert jeta un coup d'œil à la fille ; elle était jolie et avait l'air sympathique. Une fraction de seconde, il eut envie de s'écrouler sur son épaule et de lui raconter toute son histoire ; puis il lui vint à l'esprit que peut-être Francesca l'observait depuis la maison, et la panique s'empara de lui. Il s'éloigna rapidement et héla un taxi. Il n'avait aucune idée de l'endroit où il voulait aller.

« Bonsoir, dit le chauffeur. Où dois-je vous conduire ?

— À... à... » Rupert ferma les yeux, les rouvrit et consulta sa montre. « À la gare de Paddington. »

À six heures, on sonna à la porte et Isobel alla ouvrir. Simon se tenait sur le seuil, un gros bouquet de fleurs dans les bras.

« Ah, c'est toi, dit Isobel d'un ton peu aimable. Qu'est-ce que tu veux ?

— Voir Milly.

— Elle n'est pas là.

— Je sais. » Simon, tiré à quatre épingles, l'air anxieux, avait tout d'un soupirant à l'ancienne mode, songea Isobel en réprimant un sourire. « Je voudrais vérifier l'adresse de sa marraine.

— Tu aurais pu téléphoner, fit remarquer Isobel, inflexible. Ça m'aurait évité de venir ouvrir.

— La ligne était toujours occupée.

« — Ah bon. » Isobel croisa les bras et s'appuya au chambranle de la porte ; elle n'avait pas envie de faciliter les choses à Simon. « Alors, tu as fini par descendre de tes grands chevaux ? ironisa-t-elle.

— Ça suffit, Isobel, donne-moi l'adresse, répliqua Simon, agacé.

— J'hésite. Milly souhaite-t-elle te parler ?

— C'est bon, laisse tomber, dit Simon en tournant les talons. Je trouverai l'adresse par moi-même. »

Isobel le regarda s'éloigner, puis cria : « 10, Walden Street. »

Simon s'arrêta et se retourna. « Merci.

— De rien. J'espère… enfin…

— Oui, moi aussi. »

Ce fut Esme qui vint ouvrir ; elle portait un long peignoir blanc.

« Oh, fit Simon, gêné. Pardonnez-moi de vous déranger. J'aurais aimé parler à Milly. »

Esme le regarda de haut en bas.

« Elle dort, répondit-elle. Elle a beaucoup bu à midi. Je ne veux pas la réveiller.

— Ah. » Simon se balançait d'un pied sur l'autre. « Dans ce cas… pouvez-vous lui dire que je suis passé et… lui remettre ceci. »

Il tendit le bouquet de fleurs à Esme, qui y jeta un coup d'œil légèrement méprisant.

« Je le lui dirai. Au revoir.

— Peut-être pourrait-elle me téléphoner, quand elle sera réveillée.

— Peut-être. À elle d'en décider.

— Bien entendu, marmonna Simon en rougissant. Au revoir, et merci.

— Au revoir. »

Esme referma la porte, considéra le bouquet de fleurs, et alla le jeter à la poubelle ; puis elle monta à l'étage et frappa à la porte.

« Qui était-ce ? » questionna Milly en levant la tête.

Elle était allongée sur une table de massage et l'esthéticienne d'Esme lui massait le visage avec une huile spéciale.

« Un représentant, répondit Esme d'une voix tranquille. Il voulait me vendre des chiffons à poussière.

— Oh, il en passe souvent chez nous aussi, commenta Milly en reposant la tête sur la table. Ils ont le chic pour se pointer toujours au pire moment. »

Esme sourit. « Le massage t'a fait du bien ?

— Un bien fou, oui.

— Tant mieux. » Esme s'approcha de la fenêtre, réfléchit un instant, puis se retourna. « Tu sais, je crois qu'on devrait partir quelque part. Je me demande pourquoi je n'y ai pas pensé plus tôt. Tu n'as pas envie de rester à Bath demain, n'est-ce pas ?

— Non, pas vraiment, mais… je n'ai envie d'aller nulle part, en réalité. » Sur ces mots, Milly fondit en larmes.

« Nous prendrons la voiture et je t'emmènerai au pays de Galles. Je connais une petite auberge d'où on a une vue fantastique et qui propose une cuisine divine. Qu'en penses-tu ? »

Milly se tut. L'esthéticienne essuya délicatement les traces de larmes sur ses joues et lui tamponna le visage avec un liquide jaune qu'elle versa d'un flacon incrusté de dorures.

« Demain sera une journée difficile, reprit Esme d'une voix douce. Mais on surmontera cette épreuve, et après… » Elle s'approcha de sa filleule et lui prit la main. « Songe, Milly, que tu as une chance qui est rarement donnée à une femme : celle de repartir à zéro, de reconstruire ta vie exactement comme tu le voudras.

— Tu as raison, murmura Milly, les yeux rivés au plafond. Comme je le voudrai.

— Le monde t'appartient ! Et dire que tu as failli te caser et devenir Mme Pinnacle ! s'écria Esme avec une pointe de mépris. Ma chérie, tu l'as échappé belle. Quand tu repenseras à tout cela, plus tard, tu m'en seras reconnaissante, je t'assure !

— Je te suis déjà reconnaissante, affirma Milly en tournant la tête vers sa marraine. Je ne sais pas ce que j'aurais fait sans toi.

— Ma chère petite ! » Esme lui tapota la main. « Maintenant, relaxe-toi, profite bien de ton massage. Moi, pendant ce temps, je vais préparer la voiture. »

15

Quand James arriva chez lui, ce soir-là, la maison était plongée dans le silence et l'obscurité. Il accrocha son manteau dans l'entrée, fit une grimace à son reflet dans le miroir et ouvrit sans bruit la porte de la cuisine. La table était jonchée de papiers et de tasses à café, et Olivia était assise dans le noir, le menton sur la poitrine, les épaules affaissées, dans une attitude de vaincue. Elle ne vit pas tout de suite son mari mais, au bout de quelques instants, elle redressa brusquement la tête, le regarda avec appréhension, détourna aussitôt les yeux et fit le geste de se protéger le visage avec les mains. James s'approcha d'elle, avec le sentiment désagréable d'être un tyran domestique.

« Eh bien, dit-il en posant sa mallette sur une chaise. Ça y est, c'est fini. Ta journée a dû être épouvantable, pour décommander tout le monde.

— Oh, pas tant que cela, répondit Olivia d'une voix sourde. Isobel m'a beaucoup aidée. À nous deux... » Elle s'interrompit. « Comment s'est passée ta journée ? Isobel m'a dit que tu avais des problèmes au bureau. Je... je ne m'en étais pas rendu compte. Je suis désolée.

— Tu ne pouvais pas le deviner, je ne t'ai rien raconté.

— Parle-m'en.

— Pas maintenant, dit James avec lassitude. Plus tard, peut-être.

— Plus tard, oui. Bien sûr. »

La voix d'Olivia tremblait, et James éprouva un choc en constatant qu'il y avait de la peur dans ses yeux.

« Je te prépare du thé, ajouta-t-elle précipitamment.

— Merci. Olivia...

— Je n'en ai pas pour longtemps. »

Elle se leva et, dans sa hâte, accrocha sa manche au coin de la table ; elle tira dessus avec une espèce de frénésie, comme si elle voulait à tout prix se détourner de son mari et s'adonner à des tâches familières. James s'assit à la table et se mit à feuilleter distraitement le cahier rouge posé devant lui ; les pages étaient remplies de listes, de notes, de pense-bêtes, de petits dessins – esquisse d'un projet de grande envergure, il le réalisa soudain.

« Des cygnes, s'étonna-t-il en voyant une rubrique marquée d'un astérisque. Tu n'avais quand même pas l'intention de louer des cygnes vivants ?

— Des cygnes sculptés dans la glace, précisa Olivia dont le visage s'anima un peu. On devait les remplir avec des... Oh, peu importe.

— Avec quoi ?

— Des huîtres, répondit Olivia, après une légère hésitation.

— J'adore les huîtres.

— Je sais. »

Avec des gestes maladroits, Olivia saisit la théière pour la mettre sur la table et la laissa tomber. La théière se brisa sur le carrelage et Olivia poussa un cri.

« Olivia ! s'exclama James en se levant d'un bond. Quelque chose ne va pas ? »

La théière gisait en mille morceaux au milieu d'une grosse flaque de thé, le liquide brun et brûlant se répandait entre les carreaux jusqu'aux pieds de James, et le gros œil jaune cerclé de noir d'un canard le fixait d'un air de reproche.

« Elle est cassée ! murmura Olivia, désespérée. Une théière que nous avions depuis plus de trente ans ! » Elle se baissa, ramassa un bout de l'anse et le contempla avec consternation.

« On en achètera une autre.

— Je n'en veux pas d'autre, marmonna Olivia. C'est celle-ci que je veux… je… » Elle s'interrompit et regarda son mari dans les yeux. « Tu vas me quitter, James, c'est bien ça ?

— Quoi ? fit James, stupéfait.

— Tu vas me quitter, répéta Olivia d'une voix calme, tandis que ses doigts serraient l'anse brisée de la théière. Pour une nouvelle vie, une vie plus passionnante. »

Il y eut un silence, puis James comprit brusquement.

« Tu m'as entendu, dit-il enfin en s'efforçant de rassembler ses pensées. Tu m'as entendu. Je n'avais pas réalisé…

— Oui, je t'ai entendu, confirma Olivia sans le regarder. C'est cela que tu veux, non ?

— Écoute, mon intention n'était pas de…

— Tu attendais que le mariage soit passé, je suppose. Tu ne voulais pas gâcher la fête. Eh bien, la fête n'aura pas lieu. Par conséquent, inutile d'attendre plus longtemps, tu peux partir.

— Tu souhaites que je parte ?

— Je n'ai pas dit ça », répliqua Olivia d'un ton un peu plus véhément, mais sans relever la tête.

Un long silence s'installa. Sur le sol, le thé continuait de couler lentement entre les carreaux, puis finit par s'arrêter.

« Le problème au bureau, dit soudain James en s'approchant de la fenêtre, le problème qu'a évoqué Isobel concerne une restructuration de la société. Ils vont

279

délocaliser trois services et les transférer à Édimbourg. On m'a demandé si j'aimerais aller là-bas, et j'ai répondu... » James se retourna vers sa femme. « ... j'ai répondu que j'y réfléchirais. »

Olivia leva les yeux et regarda son mari. « Tu ne m'en as jamais parlé.

— Non, en effet, reconnut James, sur la défensive. Je connaissais d'avance ta réponse.

— Vraiment ? Quelle clairvoyance !

— Tu es ancrée ici, Olivia. Tu as ton travail, tes amis, je savais que tu n'aurais pas envie de lâcher tout ça. Seulement, j'éprouvais un besoin de nouveauté ! » Une expression douloureuse passa sur le visage de James. « Peux-tu comprendre ça ? N'as-tu jamais eu envie de partir et de recommencer à zéro ? Je me sentais piégé et coupable, et je pensais que peut-être vivre dans une autre ville serait un remède à mon malaise. Avoir chaque matin sous les yeux une vue différente, respirer un air différent.

— Je vois, dit Olivia au bout d'un moment. Eh bien, pars, ajouta-t-elle d'un ton cassant. Je ne te retiens pas. Veux-tu que je t'aide à préparer tes bagages ?

— Olivia...

— Pense à nous envoyer une carte postale.

— Olivia, je t'en prie, ne réagis pas comme ça !

— Je devrais réagir comment, à ton avis ? Tu as envisagé de me quitter !

— Qu'est-ce que j'aurais dû faire ? s'écria James, hors de lui. Répondre non tout de suite ? Me résigner à rester encore vingt ans à Bath ?

— Non ! riposta Olivia, les larmes aux yeux. Tu aurais dû me demander de partir avec toi. Je suis ta femme, James, tu aurais dû me consulter.

— À quoi bon ? Tu m'aurais dit...

— Tu ne sais pas ce que j'aurais dit ! » Olivia releva crânement la tête. « Tu ne sais pas ce que j'aurais dit, James. Et tu ne t'es même pas donné la peine de le savoir.

— Je…, commença James, puis il se tut.

— Tu ne t'es même pas donné la peine de le savoir, répéta Olivia, une nuance de mépris dans la voix.

— Qu'est-ce que tu aurais dit, si je t'avais posé la question ? » interrogea James après un long silence.

Il chercha le regard d'Olivia, mais ses yeux étaient rivés sur le bout de porcelaine brisée qu'elle tenait dans sa main et son expression était indéchiffrable.

On sonna à la porte d'entrée. Ni l'un ni l'autre ne bougea.

« Qu'est-ce que tu aurais dit, Olivia ?

— Je ne sais pas », répondit-elle enfin. Elle posa l'anse de la théière sur la table et regarda son mari. « Je t'aurais sans doute demandé si tu étais vraiment si malheureux de ta vie ici. Je t'aurais demandé si tu pensais réellement que le fait de vivre dans une autre ville résoudrait tous tes problèmes. Et si tu avais répondu oui… » On sonna encore une fois, avec insistance. « Tu ferais mieux d'aller voir », suggéra Olivia.

James la dévisagea un moment, puis se leva. Il ouvrit la porte d'entrée, et la surprise le fit reculer : Alexander se tenait sur le perron, ses bagages autour de lui ; il n'était pas rasé et semblait sur ses gardes.

« Écoutez, dit-il aussitôt. Je suis sincèrement désolé. Il faut me croire, je n'ai jamais eu l'intention de déclencher tout ça.

— Cela n'a plus guère d'importance, maintenant, observa James d'un ton las. Le mal est fait. À votre place, je partirais sans demander mon reste.

— Pour moi, cela a de l'importance. Par ailleurs… » Alexander hésita. « J'ai laissé des affaires ici, dans ma

281

chambre. Votre fille m'a flanqué à la porte avant que je puisse les récupérer.

— Je vois. Dans ce cas, entrez. »

Alexander franchit le seuil avec circonspection et aperçut les cartons à gâteau empilés dans un coin.

« Milly est là ?

— Non, elle est avec sa marraine.

— Comment va-t-elle ?

— À votre avis ? »

James croisa les bras et dévisagea Alexander.

« Ce n'est pas ma faute ! se défendit le jeune homme.

— Comment ça, ce n'est pas votre faute ? s'indigna Olivia, qui venait d'apparaître à la porte de la cuisine. Milly nous a raconté la façon dont vous l'avez asticotée, menacée ! Vous êtes un être malfaisant qui aimez persécuter les gens !

— Hé, arrêtez ! Ce n'est pas une sainte, elle non plus !

— Peut-être avez-vous cru rendre un immense service à la société en la démasquant, intervint James. Peut-être avez-vous pensé accomplir votre devoir. Mais vous auriez pu venir nous trouver d'abord, nous ou Simon, avant d'informer le pasteur.

— Je n'ai jamais cherché à la démasquer, grands dieux ! J'ai juste voulu la mettre en boîte.

— La mettre en boîte ?

— La taquiner un peu. Et c'est tout ce que j'ai fait. Je n'ai rien dit au pasteur ! Pourquoi le lui aurais-je dit ?

— Qui sait ce que peut concocter votre cervelle malveillante ? riposta Olivia.

— Oh, je me demande pourquoi je me donne tant de peine, dit Alexander, de toute façon vous ne me croirez jamais. Mais je n'ai pas dénoncé Milly, OK ? Pourquoi aurais-je flanqué en l'air son mariage ? Vous deviez me

282

payer pour faire les photos de cette foutue cérémonie, pour quelle raison aurais-je voulu tout gâcher ? »

Il y eut un silence et James jeta un coup d'œil à Olivia.

« Je ne connais même pas le nom du pasteur, reprit Alexander d'un ton las. Écoutez, j'ai tenté de l'expliquer à Isobel et elle n'a pas voulu m'entendre, je tente de vous l'expliquer et vous ne vous voulez pas m'entendre, pourtant c'est la vérité : je n'ai révélé à personne le secret de Milly. À personne. Seigneur, elle aurait pu avoir une demi-douzaine de maris, je m'en fiche pas mal !

— D'accord, fit James avec un profond soupir. D'accord. Mais, si ce n'est pas vous, qui a parlé au pasteur ?

— Dieu seul le sait. Qui d'autre était au courant ?

— Personne, répondit Olivia. Elle ne l'avait révélé à personne. »

Nouveau silence.

« Elle l'a dit à Esme », murmura alors James. Son regard croisa celui de sa femme. « Elle l'a dit à Esme. »

Isobel avait arrêté sa voiture dans un renfoncement de l'allée qui menait à Pinnacle Hall et, à travers le pare-brise, elle observait, visible juste à l'angle de la résidence, la tente installée pour la réception du mariage. Elle était là depuis une demi-heure, à organiser calmement ses pensées, à se concentrer comme pour un examen. Elle dirait à Harry ce qu'elle avait à lui dire, admettrait aussi peu d'objections que possible, et partirait. Elle serait aimable mais irait droit au but et, s'il repoussait sa proposition… Isobel hésita. Il ne pouvait pas refuser un plan aussi raisonnable. Il ne pouvait tout simplement pas.

Elle observa ses mains, déjà gonflées par la grossesse, lui semblait-il. La grossesse – ce mot réveilla en elle des frayeurs adolescentes. La grossesse, leur avait-on appris au lycée, était comparable à une bombe atomique qui détruit tout sur son passage et condamne ses victimes à une vie semée de difficultés presque insurmontables. Elle ruinait les carrières, les relations, le bonheur. Le risque n'en valait vraiment pas la peine, affirmaient les professeurs, tandis que les élèves de la classe de première ricanaient et faisaient circuler dans les rangs les numéros de téléphone de cliniques où avorter. Isobel ferma les yeux. Les professeurs avaient peut-être raison, en fin de compte. Sans cette grossesse, sa relation avec Harry aurait pu évoluer – qui sait ? – vers autre chose que des rencontres occasionnelles. Déjà, Isobel avait commencé à éprouver le désir de le voir plus souvent, de partager avec lui les moments de joie et de peine, d'entendre sa voix le matin en se réveillant ; elle avait eu envie de lui dire qu'elle l'aimait.

Mais maintenant il y avait le bébé. C'était un élément nouveau, un pas de plus, une pression supplémentaire. Garder l'enfant, c'était bafouer les désirs de Harry et obliger leur relation à entrer dans une dimension où elle n'avait aucune chance de survivre. Garder l'enfant, c'était détruire leur relation. Mais ne pas le garder, c'était se détruire, elle.

Le cœur serré, Isobel se donna un dernier coup de peigne et descendit de voiture. L'air était étonnamment doux et léger, on se serait cru un soir de printemps. La jeune femme remonta d'un pas tranquille l'allée de graviers ; pour une fois, elle ne se souciait guère d'être scrutée par des yeux soupçonneux. Ce jour-là, elle avait une excellente raison de venir à Pinnacle Hall.

Elle sonna et sourit à la jeune fille rousse qui lui ouvrit.

« Je voudrais voir Harry Pinnacle, s'il vous plaît. Je suis Isobel Havill, la sœur de Milly Havill.

— Je vous connais, répondit la fille d'un ton peu aimable. Je suppose que c'est au sujet du mariage ? Ou du non-mariage, devrais-je dire ? » Elle regarda Isobel comme si tout était sa faute et, pour la première fois, Isobel se demanda ce que les gens pouvaient bien dire et penser au sujet de Milly.

« Exact. Voulez-vous le prévenir simplement de ma présence ?

— Je ne sais pas s'il est disponible.

— Peut-être pourriez-vous lui poser la question.

— Attendez ici. »

Au bout de quelques instants, la fille rousse revint.

« Il va vous recevoir, indiqua-t-elle, comme s'il s'agissait d'une immense faveur. Mais pas longtemps.

— Il a dit cela ? »

La fille observa un silence agressif et Isobel sourit intérieurement. Elles se dirigèrent vers le bureau de Harry et la fille frappa à la porte.

« Oui ! » répondit aussitôt Harry. La fille ouvrit et Harry leva la tête.

« Isobel Havill, annonça la jeune fille rousse.

— Oui, je sais », répliqua Harry en croisant le regard d'Isobel.

Une fois la porte refermée, il posa son stylo et dévisagea sans un mot la visiteuse.

Isobel, qui tremblait un peu, resta debout près de la porte. Le regard de Harry était comme une caresse sur sa peau ; elle ferma les yeux et s'efforça de reprendre ses esprits. Elle entendit Harry se lever, avancer vers elle. Il lui prit la main et embrassa l'intérieur de son poignet, alors elle rouvrit les yeux et murmura : « Non. »

Sans lui lâcher la main, il riva ses yeux dans les siens, tandis qu'elle faisait de même, tentant de faire passer dans son regard tout ce qu'elle voulait lui dire ; mais trop de désirs et de pensées contradictoires se lisaient dans ses yeux pour qu'il puisse les déchiffrer. Harry parut légèrement déçu et lâcha tout à coup la main d'Isobel.

« Buvons un verre, proposa-t-il.

— J'ai quelque chose à te dire.

— Tu ne veux pas t'asseoir ?

— Non, j'aimerais juste te parler.

— Je t'écoute.

— Voilà. » Isobel rassembla tout son courage pour prononcer les mots fatidiques. « Je suis enceinte. De toi », précisa-t-elle après un court silence.

Harry eut un petit sursaut.

« Quoi ? fit Isobel, sur la défensive. Tu ne me crois pas ?

— Bien sûr que si, je te crois. J'allais dire... » Il se tut. « Peu importe. Continue.

— Tu n'as pas l'air surpris.

— Cette phrase fait partie de ton petit discours ?

— Oh, ça suffit ! » Elle prit une profonde inspiration et se perdit dans la contemplation de l'angle de la cheminée, avec l'espoir que sa voix demeurerait ferme. « J'ai beaucoup réfléchi, j'ai tourné la question dans tous les sens, j'ai envisagé les différentes possibilités, et j'ai décidé de garder l'enfant. J'ai pris cette décision tout en sachant que tu ne veux pas d'enfant. Par conséquent, elle portera mon nom et je serai responsable d'elle.

— Tu sais que c'est une fille ?

— Non, je... j'ai tendance à employer le féminin quand le genre n'est pas spécifié.

— Je comprends. Continue.

— Je serai responsable d'elle, sur le plan financier comme sur tous les autres plans. Cependant, j'estime qu'un enfant a besoin de son père, dans la mesure du possible. Je sais que tu n'as pas choisi cette situation, mais moi non plus, et l'enfant non plus. » Isobel se tut et serra les poings. « J'aimerais donc te demander d'assumer un minimum de présence et de responsabilité parentale. Ce que je te propose, c'est de voir l'enfant régulièrement, une fois par mois peut-être, afin qu'elle grandisse en sachant qui est son père. Je ne réclame pas davantage, mais je crois qu'un enfant a droit au moins à ça. J'essaie juste d'être raisonnable. » Elle eut soudain les larmes aux yeux. « J'essaie juste d'être raisonnable, Harry !

— Une fois par mois, dit-il en fronçant les sourcils.

— Oui ! s'exclama-t-elle, en colère. Un enfant ne peut quand même pas se contenter de rencontrer son père deux fois par an !

— Sans doute pas. »

Harry s'approcha de la fenêtre, et Isobel le suivit des yeux avec appréhension. Il se retourna brusquement.

« Deux fois par mois, est-ce que ça irait ? »

Isobel le regarda d'un air surpris.

« Oui, bien sûr...

— Deux fois par semaine ?

— Oui, mais... »

Harry avança lentement vers Isobel, fixant sur elle des yeux pleins de chaleur. « Deux fois par jour ?

— Harry...

— Pourquoi pas chaque matin, chaque après-midi, et chaque nuit ? »

Il lui prit les mains avec tendresse et elle n'opposa aucune résistance.

« Je ne comprends pas, murmura-t-elle, s'efforçant de se contrôler. Je ne...

— Et si je te disais que je t'aime ? Que j'ai envie d'être avec toi tout le temps ? Et d'être un meilleur père pour notre enfant que je ne l'ai été pour Simon ? »

Isobel le dévisagea, en proie à des émotions et des sentiments qui menaçaient de la submerger.

« Mais ce n'est pas possible ! s'écria-t-elle d'une voix douloureuse et accusatrice. Tu as dit que tu ne voulais pas d'enfant ! » Des larmes coulaient le long de ses joues. « Tu as dit...

— Quand cela ? Je n'ai jamais dit une chose pareille.

— Tu ne l'as pas exprimé ainsi, reconnut Isobel, après un court silence. Mais tu as fait la grimace.

— J'ai fait quoi ?

— Il y a quelques mois, quand je t'ai raconté qu'une de mes amies était enceinte, tu as... tu as fait la grimace. Alors je t'ai demandé : "Tu n'aimes pas les bébés ?", et tu as dévié la conversation.

— C'est tout ?

— N'est-ce pas suffisant ? J'ai compris ce que ça signifiait.

— Tu as failli ne pas garder l'enfant à cause de ça ?

— Je ne savais pas quoi faire ! Je pensais... »

Harry hocha la tête d'un air incrédule.

« Tu penses trop, voilà ton problème.

— Ce n'est pas vrai !

— Tu supposes donc que je n'aime pas les bébés. M'as-tu déjà vu avec un bébé ?

— Euh... non.

— Justement. »

Harry prit Isobel dans ses bras et elle ferma les yeux. Au bout de quelques instants, elle se détendit. Une multitude de questions tourbillonnaient dans sa tête, mais elle s'en moqua.

« J'aime les bébés, affirma tranquillement Harry. Du moment qu'ils ne braillent pas. »

Isobel se raidit et releva vivement la tête.

« Tous les bébés braillent ! Tu ne peux pas empêcher que… » Devant l'expression de Harry, elle s'interrompit. « Ah, tu plaisantais.

— Bien sûr que je plaisantais. » Il haussa les sourcils. « C'est comme ça que tu interprètes les pensées des diplomates étrangers ? Pas étonnant que le monde soit en guerre : c'est Isobel Havill qui a conduit les négociations. D'après elle, vous ne voulez pas la paix, puisque vous avez fait la grimace. »

Isobel, riant et pleurant à la fois, enfouit sa tête contre la poitrine de Harry.

« Tu désires vraiment cet enfant ? demanda-t-elle tout bas.

— Oui, je le désire vraiment. » Il lui caressa les cheveux. « Et même si je ne le désirais pas, ajouta-t-il d'un ton pince-sans-rire, tu aurais intérêt à le garder. On ne sait jamais, l'occasion ne se représentera peut-être jamais plus.

— Je te remercie.

— Il n'y a pas de quoi. »

Ils demeurèrent silencieux, puis Isobel s'écarta de Harry à contrecœur.

« Il faut que je parte, dit-elle.

— Pourquoi ?

— Mes parents doivent avoir besoin de moi.

— Je suis sûr que non. En revanche, moi, j'ai besoin de toi. Reste ici cette nuit.

— Tu crois ? Et si quelqu'un me voit ? »

Harry éclata de rire.

« Isobel, tu n'as pas encore compris ? J'ai envie que tout le monde te voie ! Je t'aime ! Je souhaite que… » Soudain, il la regarda avec une expression différente. « Dis-moi, est-ce que tu pourrais envisager de… de donner mon nom au bébé ? »

Isobel sentit des frissons lui parcourir le corps.

« Tu ne veux pas dire que…

— Je ne sais pas. Cela dépend. Est-ce que, par hasard, tu aurais déjà un mari ?

— Salaud ! » s'exclama Isobel en lui lançant un coup de pied dans les tibias.

Harry partit d'un grand rire.

« Alors, c'est oui ou c'est non ?

— Salaud ! »

James et Alexander, assis à la table de la cuisine, buvaient du brandy pendant qu'Olivia téléphonait.

« À propos, j'ai fait développer ça. » Alexander sortit de son sac une enveloppe kraft. « Cadeau de la maison.

— Qu'est-ce que c'est ?

— Jetez un coup d'œil. »

James posa son verre, ouvrit l'enveloppe et en tira un paquet de photos noir et blanc sur papier glacé. Il examina la première avec attention, sans rien dire, puis les regarda une par une, lentement, jusqu'à la dernière. Sur toutes les photos, Milly le dévisageait avec de grands yeux lumineux ; le modelé de son visage était d'une grande douceur, et sa bague de fiançailles brillait discrètement à son doigt.

« Ces photos sont incroyables, murmura James. Absolument fantastiques.

— Merci, répondit Alexander avec désinvolture. J'en suis plutôt satisfait.

— Elle est belle, bien sûr, comme toujours, mais il n'y a pas que ça, commenta James, détaillant une fois de plus la première photo de la pile. Vous avez capté une intensité dans l'expression de Milly que je n'avais jamais remarquée jusque-là. Elle a quelque chose de… de mystérieux.

— Elle a l'air d'une femme qui a un secret. Ce qui était précisément le cas. »

James dévisagea Alexander.

« C'est pour cette raison que vous l'avez asticotée ? Pour obtenir ce résultat sur les photos ?

— En partie. Et aussi parce que... je suis un peu vicieux et que ce genre de choses m'amuse.

— Et vous vous fichez pas mal des conséquences ?

— Je ne pensais pas que cela aurait la moindre conséquence. Je ne me doutais pas une seconde que Milly paniquerait, elle semblait si... si sûre d'elle.

— Elle peut donner l'impression d'être forte, mais derrière cette apparence elle est fragile. Exactement comme sa mère. »

Olivia rentra à cet instant dans la cuisine.

« Alors ? s'enquit James. Tu as parlé au chanoine Lytton ? C'est Esme qui l'a mis au courant ?

— J'ai eu ce jeune vicaire idiot qui n'a rien voulu me dire ! expliqua Olivia en retrouvant un peu de sa vivacité coutumière. Tu te rends compte ? Il m'a répondu qu'il n'était pas en droit de révéler une confidence, et que le chanoine Lytton était trop occupé pour venir au téléphone. Trop occupé !

— Occupé à quoi ? »

Olivia, une lueur étrange dans le regard, poussa un profond soupir.

« À répéter une cérémonie de mariage, répondit-elle. Avec l'autre couple qui se marie demain. Je crains qu'il n'y ait pas grand-chose à faire, ajouta-t-elle en se servant un verre de brandy.

— Si, riposta James. Nous rendre sur place pour avoir la réponse. »

Sa femme le regarda avec des yeux ronds.

« Quoi ? Interrompre la cérémonie ? Tu y songes réellement ?

— Mais bien sûr. Si ma cousine a trahi la confiance de Milly et a délibérément fait échouer son mariage, il faut que je le sache. » James reposa son verre sur la table. « Allons-y, Olivia. Où est passé ton esprit combatif ?

— Tu es sérieux ? murmura-t-elle.

— Oui. Et d'ailleurs (James fit un clin d'œil à Alexander), il se pourrait qu'on s'amuse bien. »

Assis près de la fenêtre de sa chambre, Simon essayait de lire un livre quand il entendit sonner. D'un geste nerveux, il repoussa le volume et se leva immédiatement. C'était Milly ! Ce ne pouvait être qu'elle.

Après sa visite chez Esme, il était rentré à Pinnacle Hall tout heureux, le cœur plein d'espoir. Après le choc douloureux et la colère de la veille, il avait eu l'impression que la vie reprenait son cours normal. Il avait fait le premier pas ; dès que Milly répondrait à son offre de réconciliation, il lui renouvellerait ses excuses et tenterait de son mieux de guérir la blessure qui les avait tous deux atteints. Ils attendraient patiemment que le divorce de Milly soit prononcé, organiseraient une autre cérémonie de mariage, et repartiraient à zéro.

Elle était là ! songeait-il en descendant le large escalier, un sourire aux lèvres. Mais, au moment où il traversait le hall, la porte de son père s'ouvrit, Harry sortit dans le couloir, un verre de whisky à la main, en riant et faisant des signes à quelqu'un qui se trouvait dans son bureau.

« C'est bon, dit Simon. J'y vais. »

Harry se retourna. Il paraissait surpris.

« Oh, bonjour. Tu attends quelqu'un ?

— Je ne sais pas, répondit Simon, gêné. Milly, peut-être.

— Dans ce cas, je te laisse le champ libre. »

Simon sourit à son père et, malgré lui, jeta un coup d'œil dans le bureau. À son étonnement, il aperçut la jambe d'une femme. Piqué par la curiosité, il lança à son père un regard interrogateur. Harry sembla réfléchir quelques secondes, puis ouvrit la porte en grand.

Isobel Havill était assise près de la cheminée. Elle leva brusquement la tête, l'air choqué, et Simon la considéra avec stupéfaction.

« Tu connais Isobel, n'est-ce pas ? demanda Harry d'un ton enjoué.

— Oui, bien sûr. Bonjour, Isobel, qu'est-ce que tu fais là ?

— Je suis venue discuter du mariage.

— Non, protesta Harry. Ne lui mens pas.

— Oh, marmonna Simon, confus. Cela n'a pas...

— Nous avons quelque chose à te dire, Simon, poursuivit Harry. Bien que, peut-être, ce ne soit pas le meilleur moment...

— Non, en effet, dit Isobel avec fermeté. L'un de vous deux ne va-t-il pas ouvrir ?

— Qu'avez-vous à me dire ? s'enquit Simon, dont le cœur se mit à battre à tout rompre. Il s'agit de Milly ?

— Non, répondit Isobel avec un soupir.

— Pas directement, précisa Harry.

— Harry ! Simon n'a pas envie d'entendre cela maintenant.

— Entendre quoi ? »

La sonnette retentit à nouveau. Simon observa son père, puis Isobel, et remarqua qu'ils échangeaient de petits signes complices – des sourires, des regards, des grimaces. Son regard passa de l'un à l'autre, et soudain il comprit.

« Allez répondre, l'un de vous deux, les pressa Isobel.

— J'y vais », dit Simon d'une voix étranglée par l'émotion.

Isobel lança un regard de reproche à Harry.

« Ça va, Simon ? fit Harry. Excuse-moi, je n'avais pas l'intention de...

— C'est bon, c'est bon », répondit son fils sans se retourner.

Simon se précipita à la porte d'entrée, l'ouvrit avec des gestes fébriles, et se retrouva nez à nez avec un inconnu – un homme grand et bien bâti, avec des cheveux blonds qui, à la lumière de la lanterne, formaient un halo autour de sa tête. Ses yeux étaient injectés de sang et son regard triste et las.

Simon dévisagea l'inconnu avec consternation, trop dérouté par les événements pour prononcer un seul mot. Les pensées se bousculaient dans sa tête, et son cerveau tentait de relier la dernière information qu'il venait de recevoir avec toutes les autres preuves qu'il avait pu avoir sous les yeux ces derniers mois. Combien de fois avait-il vu son père en compagnie d'Isobel ? Presque jamais, ce qui était peut-être en soi un indice. S'il avait été plus attentif, aurait-il remarqué quelque chose ? Depuis quand durait leur liaison ? Et où diable pouvait bien être Milly ?

« Je cherche Simon Pinnacle », dit l'inconnu au bout d'un instant. Il regardait Simon d'un air suppliant et, en même temps, au son de sa voix, on le sentait sur la défensive. « Serait-ce vous, par hasard ?

— Oui, répondit Simon, tâchant de se concentrer et de rassembler ses esprits. Que puis-je pour vous ?

— Vous ne savez sans doute pas qui je suis.

— Moi, je crois que si, dit Isobel, qui s'était approchée d'eux. Oui, je crois bien, répéta-t-elle en dévisageant l'inconnu avec stupéfaction. Vous êtes Rupert, n'est-ce pas ? »

Giles Claybrook et Eleanor Smith, debout devant l'autel de l'église Saint-Édouard, se regardaient en silence.

« Bien, fit le chanoine Lytton en souriant avec bienveillance au jeune couple. Y aura-t-il une alliance ou deux ?

— Une, répondit le futur marié.

— Giles ne veut pas porter d'alliance, expliqua Eleanor, légèrement contrariée. Impossible de le convaincre.

— Ellie, mon chou, intervint l'oncle d'Eleanor qui filmait la scène. Tu pourrais te déplacer un tout petit peu vers la droite ? Parfait.

— Une seule alliance, répéta le chanoine Lytton, qui nota l'information sur son carnet. Bon, dans ce cas... »

Il fut interrompu par un bruit au portail de l'église et tourna la tête d'un air surpris. La porte s'ouvrit, livrant passage à James, Olivia et Alexander.

« Pardonnez-nous, dit James, qui s'avançait rapidement dans l'allée principale. Nous voulons juste dire quelques mots au chanoine Lytton.

— Nous n'en aurons pas pour longtemps, renchérit Olivia.

— Excusez-nous de vous interrompre, ajouta Alexander d'un ton enjoué.

— Que se passe-t-il ? s'étonna Giles.

— Madame Havill, je suis occupé ! aboya le pasteur. Veuillez attendre au fond.

— Cela ne prendra qu'une seconde, affirma James. Nous désirons simplement savoir une chose : qui vous a parlé du premier mariage de Milly ?

— Si vous essayez de me persuader, à ce stade ultime, que l'information est fausse...

— Non ! fit James, excédé. Nous voulons juste savoir.

— Est-ce que c'est lui ? interrogea Olivia en désignant Alexander.

295

« — Non, répondit le prêtre. Ce n'est pas lui. Maintenant, si vous voulez bien...

— Est-ce ma cousine Esme Ormerod ? » insista James.

Après un silence, le chanoine Lytton dit d'un air guindé :

« On me l'a dit sous le sceau de la confidence et je crains que...

— Cela confirme ce que je pensais, conclut James, qui se laissa tomber sur un banc. Je n'arrive pas à y croire ! Comment a-t-elle pu faire une chose pareille ? C'est la marraine de Milly, elle est censée l'aider et la protéger !

— En effet, dit le pasteur avec sévérité. Serait-ce aider votre fille que de ne pas intervenir, alors qu'elle s'engageait dans le mariage sur la base du mensonge et de la duplicité ?

— Qu'est-ce que vous racontez ? s'exclama Olivia. Qu'Esme a agi dans l'intérêt de Milly ? »

Le pasteur acquiesça.

« Dans ce cas, vous êtes fou ! Elle a agi par pure méchanceté et vous le savez ! Elle aime semer la zizanie, c'est une femme malveillante. Je ne l'ai jamais aimée, d'ailleurs j'ai vu clair en elle dès le début. Oui, dès le début, répéta Olivia, avec un coup d'œil à James. »

Le pasteur s'était tourné vers Giles et Eleanor.

« Toutes mes excuses pour cette interruption totalement déplacée. Reprenons. Nous en étions à la remise de l'alliance.

— Un instant, dit l'oncle d'Eleanor. Dois-je rembobiner le film ou est-ce que je garde toute la scène ? » Il désigna James et Olivia. « On pourrait envoyer la cassette à un show télévisé.

— Certainement pas, riposta Eleanor d'un ton sec. Continuez, chanoine Lytton. » Elle lança un regard mauvais à Olivia. « Ne nous occupons pas de ces gens grossiers.

— Très bien, acquiesça le pasteur. Maintenant, Giles, mettez l'alliance au doigt d'Eleanor et répétez après moi : *Je jure de t'aimer et de te chérir.* »

Après un silence, Giles répéta avec timidité : « Je jure de t'aimer et de te chérir.

— *Pour le meilleur et pour le pire.*

— Pour le meilleur et pour le pire. »

Tandis que les paroles consacrées résonnaient dans le silence, tout le monde parut se détendre. Olivia leva les yeux vers la haute voûte de l'église, puis les reporta sur James ; une expression nostalgique passa sur son visage, et elle alla s'asseoir près de son mari. Tous deux observèrent Alexander en train de s'approcher discrètement de l'autel pour prendre en photo le chanoine Lytton qui s'efforçait d'ignorer la caméra.

« Tu te souviens de notre mariage ? chuchota Olivia.

— Oui. » James la dévisagea avec circonspection. « Pourquoi ?

— Pour rien. Je... J'y repensais, c'est tout. J'avais un de ces tracs.

— Le trac, toi ? »

James esquissa un sourire.

« Oui, parfaitement. » Olivia se tut un long moment, puis reprit, sans le regarder : « La semaine prochaine... si tu en avais envie... nous pourrions peut-être aller à Édimbourg. Prendre des vacances, descendre à l'hôtel, visiter la ville. Et... et parler. »

Un silence s'installa.

« Ça me plairait, dit enfin James. Ça me plairait beaucoup. Mais... et le *bed and breakfast* ?

« — Je pourrais fermer quelques jours. » Olivia rougit légèrement. « Ce n'est pas ce qu'il y a de plus important dans ma vie, tu sais. »

James l'examina sans rien dire puis, avec délicatesse, posa la main sur celle de sa femme. Olivia resta immobile. Tout à coup, on entendit du bruit à la porte de l'église et tous deux sursautèrent tels des gamins pris en faute. Le jeune curé arriva presque en courant, un téléphone sans fil à la main.

« Chanoine Lytton, dit-il, réprimant avec peine son excitation. Vous avez un appel urgent de Mlle Havill. Normalement, je ne vous aurais pas interrompu, mais...

— Un appel de Milly ? dit Olivia, surprise. Passez-la-moi, s'il vous plaît !

— D'Isobel Havill, rectifia le curé sans prêter davantage attention à Olivia. Elle appelle de Pinnacle Hall, précisa-t-il, les yeux brillants, en tendant l'appareil au chanoine Lytton. Il s'est produit, semble-t-il, un rebondissement plutôt inattendu. »

Isobel raccrocha et regarda les autres.

« Je viens de parler à maman, à l'église. Vous savez, ce n'est pas Alexander qui a dénoncé Milly au pasteur.

— Qui, alors ? questionna Simon.

— Vous n'allez jamais le croire. » Isobel laissa passer quelques secondes pour ménager son effet. « Esme.

— Ça ne me surprend pas, commenta Harry.

— Tu la connais ? s'étonna Isobel.

— Je l'ai connue autrefois, il y a longtemps. »

Isobel le considéra un instant d'un air soupçonneux, puis fronça les sourcils et tapota le téléphone.

« Et Milly qui ne se doute de rien ! Il faut que je l'appelle.

— Pas étonnant qu'elle ne m'ait pas laissé entrer, dit Simon. Cette femme est vraiment un drôle d'oiseau ! »

Il y eut un silence tendu pendant qu'Isobel attendait la communication. Soudain elle changea d'expression et fit signe aux deux hommes de se taire.

« Bonjour, Esme, dit-elle d'un ton naturel. Milly est-elle là, par hasard ? Ah bon. Cela t'ennuierait de la réveiller ? Oh, je comprends. Bon, eh bien, tant pis. Embrasse-la de ma part. »

Isobel raccrocha et lança un bref regard à Simon et à Harry.

« Je n'ai aucune confiance en cette femme, déclara-t-elle. Je m'en vais faire un tour là-bas. »

16

Une fois au pied de l'escalier, Milly s'arrêta et posa sa valise par terre.

« Je m'interroge.

— Comment cela, tu t'interroges ? » dit vivement Esme. Elle portait sa toque en fourrure et tenait à la main une paire de gants en cuir noir et une carte routière. « Allons-y ! Il se fait tard.

— Je ne sais pas si j'ai raison de partir, expliqua Milly en s'asseyant sur les marches. J'ai l'impression de fuir. Peut-être vaudrait-il mieux que je reste et que j'affronte bravement la situation.

— Tu ne fuis rien du tout, ma chérie, tu agis avec bon sens. Si on reste ici, tu vas passer toute la journée de demain collée à la fenêtre, à broyer du noir. Si on part, tu auras une vue différente pour te distraire.

— Mais je devrais au moins parler à mes parents.

— Tu le feras lundi. Ils sont sûrement très occupés pour l'instant.

— Justement, je pourrais peut-être les aider.

— Milly, s'impatienta Esme, tu es ridicule. Le meilleur endroit pour toi, actuellement, c'est un coin éloigné, tranquille, discret, où tu pourras enfin réfléchir à ta vie.

Accorde-toi un peu de temps pour retrouver ton équilibre et définir tes priorités dans l'existence. »

Milly contempla le plancher quelques minutes.

« C'est vrai, admit-elle. J'ai besoin de réfléchir.

— Évidemment ! Tu as besoin de calme, de paix et de solitude. Si tu retournes chez tes parents, ce sera le désordre, l'affolement, la pression émotionnelle. En particulier de la part de ta mère.

— Pauvre maman, elle était complètement bouleversée. Elle désirait tant ce mariage.

— Bien sûr. Nous le désirions tous. Mais, puisque ce mariage n'aura pas lieu, il va falloir que tu envisages ta vie différemment, non ? »

Milly poussa un soupir et se leva.

« Oui, tu as raison. Un week-end à la campagne est exactement ce qu'il me faut.

— Tu ne le regretteras pas, affirma Esme en souriant à sa filleule. Allez, en route. »

La Daimler était garée dans la rue, sous un réverbère. Au moment où les deux femmes montaient en voiture, Milly se retourna et regarda avec curiosité par la vitre arrière.

« On dirait la voiture d'Isobel.

— Il y a des tas de petites Peugeot comme celle-là dans le quartier », marmonna Esme.

Elle mit le contact et la musique de Mozart retentit à plein volume.

« Mais *c'est* la voiture d'Isobel ! Qu'est-ce qu'elle fait ici ?

— Écoute, on n'a pas le temps de s'attarder, dit Esme en enclenchant une vitesse. Tu lui téléphoneras quand nous serons arrivées.

— Non, attends ! Elle descend de voiture, elle vient vers nous. Arrête, Esme ! »

Esme démarra. Milly dévisagea sa marraine avec stupéfaction.

« Esme ! Stop ! »

Quand la Daimler déboîta, Isobel, paniquée, se mit à courir derrière ; elle ne voulait surtout pas perdre de vue Milly. Elle comprit que sa sœur l'avait aperçu lorsqu'elle la vit se tourner vers Esme et discuter avec elle. Pourtant, la voiture ne s'arrêta pas, et la colère s'empara d'Isobel. Pour qui cette garce d'Esme se prenait-elle ? Où donc emmenait-elle Milly ? La fureur lui donna des ailes et, au prix d'un immense effort, elle piqua un sprint ; haletante, elle ne quittait pas des yeux les feux arrière de la Daimler et se demandait ce qu'elle ferait une fois qu'Esme aurait atteint le coin de la rue et s'engagerait sur la nationale.

Par chance, le feu au bout de la rue passa au rouge, et Esme fut obligée de ralentir. Avec un sentiment de triomphe digne d'une athlète olympique, Isobel rattrapa la Daimler et frappa violemment contre la vitre de Milly. Elle vit sa sœur invectiver Esme et attraper le frein à main. Brusquement, la portière s'ouvrit ; Milly s'éjecta de la voiture et faillit dégringoler sur le trottoir.

« Que se passe-t-il ? interrogea-t-elle. J'ai pensé qu'il devait s'agir de quelque chose d'important.

— Et comment ! répliqua Isobel, hors d'haleine, le visage en feu, folle de rage. Et comment, c'est important ! Bon Dieu ! » Elle ramena ses cheveux en arrière et s'obligea à inspirer à fond plusieurs fois. « D'abord, il faut que tu saches que c'est cette garce qui t'a dénoncée au pasteur. »

Elle désigna Esme qui, toujours au volant, la regardait avec des yeux étincelants de fureur.

« Qu'est-ce que tu racontes ? C'est Alexander.

— Non, c'est elle. Pas vrai ? lança-t-elle à Esme.

— Quoi ? s'exclama Milly en se tournant vers sa marraine d'un air incrédule. Tu as fait ça ?

— Bien sûr que non, rétorqua sèchement Esme. Pourquoi aurais-je fait une chose pareille ?

— Pour te venger de Harry, peut-être, suggéra Isobel, soudain caustique.

— Arrête de dire des bêtises !

— Ce ne sont pas des bêtises. Il m'a tout raconté à ton sujet. Tout.

— Ah oui, vraiment ? fit Esme d'un ton moqueur.

— Oui, affirma Isobel avec froideur. Vraiment. »

Il y eut un silence, durant lequel Esme regarda attentivement Isobel. Tout à coup, elle comprit.

« Ah, je vois, dit-elle enfin, avec un petit sourire méprisant à l'adresse d'Isobel. J'aurais dû m'en douter. Vous deux, les sœurs Havill, vous avez un penchant pour l'argent.

— Et toi, tu es une garce, Esme.

— Je ne comprends pas, s'écria Milly en regardant tour à tour Isobel et Esme. De quoi parlez-vous ? Esme, c'est vrai que tu as révélé au chanoine Lytton que j'étais déjà mariée ?

— Oui, et je l'ai fait pour ton bien. Tu n'allais quand même pas épouser ce type immature et moralisateur !

— Tu m'as trahie, toi, ma marraine ! Tu m'as trahie, alors que tu devrais être de mon côté !

— Je suis de ton côté. »

Une file de voitures s'était formée derrière la Daimler et quelqu'un se mit à klaxonner ; Isobel répondit par un geste d'impatience.

« Écoute, Milly, argumenta Esme. Tu es beaucoup trop bien pour épouser Simon Pinnacle ! Tu as toute la vie devant toi, tu ne t'en rends pas compte ? Je t'ai sauvée d'une existence faite d'ennui et de médiocrité.

— Tu penses réellement cela ? Que tu m'as sauvée ? »

D'autres voitures commençaient à klaxonner et, du bout de la file, un conducteur descendit de son véhicule pour venir voir ce qui se passait.

« Ma chérie, je te connais tellement bien, affirmait Esme. Et je sais que...

— Non, tu ne me connais pas ! Personne ne me connaît ! Vous croyez tous savoir qui je suis, mais en réalité vous l'ignorez ! Vous n'avez aucune idée de ce qu'il y a réellement sous...

— ... sous quoi ? » interrogea Esme d'un ton provocant.

Milly dévisagea sa marraine en silence, le souffle un peu court, puis elle détourna les yeux.

« Dites donc ! fit une voix agressive derrière elles. Vous n'avez pas vu que le feu est vert ?

— Si, répondit Milly d'un air hébété. Je crois bien que je l'ai vu.

— La dame s'en va tout de suite », dit Isobel, et elle claqua de toutes ses forces la portière d'Esme. Puis elle prit sa sœur par le bras. « Viens, Milly, partons. »

Elles montèrent dans la voiture d'Isobel et s'éloignèrent rapidement. Milly se cala dans son siège et se massa le front du bout des doigts. Isobel conduisait vite et bien ; de temps à autre, elle jetait un coup d'œil à sa sœur mais se taisait. Au bout d'un moment, Milly se redressa et ramena ses cheveux en arrière.

« Merci, Isobel.

— De rien.

— Comment as-tu deviné que c'était Esme ?

— Ça ne pouvait être qu'elle : personne d'autre n'était au courant. Alexander n'avait rien dit, donc c'était forcément elle. » Isobel marqua une pause. « Il y a autre chose, aussi.

— Quoi ? » Milly tourna vivement la tête vers Isobel. « Qu'est-ce que c'est que cette histoire de vengeance contre Harry ?

— Esme et lui ont eu une liaison. Disons que ça n'a pas marché.

— Comment le sais-tu ?

— Harry l'a raconté à Simon. Et à moi. Il se trouve que j'étais là. »

Isobel rougit et appuya brusquement sur l'accélérateur. Milly la dévisagea, l'air surpris.

« Quelque chose ne va pas ?

— Non. »

Isobel devint cramoisie et regarda droit devant elle. Milly sentit son cœur battre à tout rompre.

« Que se passe-t-il, Isobel ? Qu'a voulu dire Esme : *Vous avez un penchant pour l'argent ?* »

Isobel se tut, fit grincer la boîte de vitesses, mit le clignotant pour tourner à gauche et appuya par erreur sur le bouton des essuie-glaces.

« Ah, cette fichue voiture !

— Tu me caches quelque chose, Isobel.

— Non.

— Que faisais-tu à Pinnacle Hall ? Qui étais-tu allée voir ?

— Personne.

— Ne te moque pas de moi ! Simon et toi, vous vous êtes vus derrière mon dos. »

Isobel éclata de rire.

« Non, bien sûr ! Ne sois pas ridicule.

— Qu'est-ce que j'en sais ? Si ma marraine a pu me trahir, pourquoi ma propre sœur ne me trahirait-elle pas, elle aussi ? »

Isobel jeta un coup d'œil à Milly : elle était blême, tendue, et agrippait son siège à deux mains.

« Pour l'amour du ciel, Milly, tout le monde n'est pas comme Esme Ormerod ! Je n'ai jamais vu Simon dans ton dos, évidemment.

— Alors, de quoi s'agit-il ? Dis-moi ce qu'il y a, je t'en prie !

— D'accord, je vais te le dire. Je voulais t'en parler tranquillement mais, puisque tu es si soupçonneuse... » Isobel respira à fond. « Il s'agit de Harry.

— Quoi, Harry ?

— La personne que j'allais voir. C'est lui... le père. » Isobel regarda sa sœur en coin. Milly la dévisageait sans comprendre. « De mon enfant. C'est avec lui que... je sortais.

— Quoi ? Tu es sortie avec Harry Pinnacle ?

— Oui.

— Il est le père de ton enfant ?

— Oui.

— Tu as une liaison avec le père de Simon ? »

La voix de Milly, qui montait de plus en plus au cours de cet échange, était devenue presque un cri.

« Oui, dit Isobel, sur la défensive. Mais... » Sa sœur éclata soudain en sanglots. « Milly ! Qu'est-ce qui ne va pas ? » À la vue de sa sœur pliée en deux sur son siège, la tête dans les mains, Isobel eut les larmes aux yeux et la route se brouilla devant elle. « Je suis vraiment désolée, Milly, je sais que le moment est très mal choisi pour te révéler ça. Je t'en prie, ne pleure pas !

— Je ne pleure pas, balbutia Milly au milieu de ses sanglots. Je ne pleure pas !

— Alors, qu'est-ce que...

— Je ris ! » Milly reprit son souffle, regarda Isobel et recommença à rire de façon hystérique. « Harry et toi ! Mais c'est un vieux !

— Non, ce n'est pas un vieux !

— Si ! Il a les cheveux gris !

— Et alors ? Je m'en fiche. Je l'aime et j'attends un enfant de lui. »

Milly observa sa sœur. Isobel regardait droit devant elle d'un air de défi, mais ses lèvres tremblaient et des larmes coulaient sur ses joues.

« Oh, Isobel, excuse-moi ! Je ne pensais pas ce que j'ai dit ! Il n'est pas vieux, bien sûr. Je suis certaine que vous formerez un très beau couple.

— Un couple de vieux schnocks !

— Mais non, voyons ! » Milly laissa échapper un petit rire, puis mit sa main devant sa bouche. « Je n'arrive pas y croire. Ma sœur entretient une liaison secrète avec Harry Pinnacle. Je savais bien que tu manigançais quelque chose, mais j'étais à des années-lumière de deviner ! Personne d'autre n'est au courant ?

— Simon.

— Tu l'as dit à Simon avant moi ? »

Devant l'air blessé de Milly, Isobel prit une mine exaspérée.

« Milly, j'ai l'impression d'entendre maman ! Non, je ne le lui ai pas dit. Il nous a surpris.

— Hein ? Au lit ?

— Non, pas au lit. »

Milly pouffa de rire.

« Ben, j'en sais rien, moi, ça aurait pu arriver, non ? » Elle regarda Isobel à la dérobée. « En tout cas, tu es drôlement fortiche pour garder un secret !

— Tu peux parler ! »

Milly se tut.

« Peut-être, dit-elle peu après, mais... » Elle étira les jambes et posa les pieds sur le tableau de bord. « En fait, je n'ai jamais pensé à mon mariage avec Allan comme à un secret.

— C'était quoi, alors ?

— Je ne sais pas trop... » Milly réfléchit quelques instants. « Un secret, c'est quelque chose qu'on est obligé de garder caché. Mon mariage avec Allan, c'était... comme quelque chose qui avait eu lieu dans un autre monde et qui n'existait pas réellement dans celui-ci. » Elle regarda par la vitre d'un air songeur. « J'y ai toujours pensé de cette façon. Si personne ne l'avait découvert, il n'aurait jamais existé.

— Tu es folle, déclara Isobel en tournant à droite.

— Non ! » protesta Milly. Elle désigna ses pieds, chaussés d'escarpins en daim rose. « Comment trouves-tu mes nouvelles chaussures, à propos ?

— Très jolies.

— Elles m'ont coûté trois fois rien. Simon les détesterait. » Il y avait dans la voix de Milly une certaine satisfaction. « Je pense que je devrais me faire couper les cheveux.

— Bonne idée, approuva Isobel d'un air absent.

— Et les décolorer. Et aussi me mettre un anneau dans le nez. » Elle surprit le regard horrifié de sa sœur et lui adressa un grand sourire. « Ou quelque chose de ce genre. »

Tandis qu'elles approchaient de Pinnacle Hall, Milly remarqua soudain le paysage autour d'elle et se raidit.

« Que se passe-t-il, Isobel ?

— Nous allons à Pinnacle Hall.

— Je le vois bien, mais pourquoi ? »

Isobel hésita.

« Je pense qu'il vaudrait mieux attendre qu'on y soit.

— Je ne veux pas voir Simon. Au cas où tu aurais organisé une rencontre, oublie ton idée. Je n'ai pas l'intention de lui parler.

— Tu sais, il est allé te présenter ses excuses, cet après-midi. Il t'a apporté des fleurs. Seulement, Esme ne l'a pas laissé entrer. » Isobel se tourna vers sa sœur. « Tu acceptes de le voir, maintenant ?

— Non, répondit Milly, après un court silence. C'est trop tard, il ne peut pas effacer les paroles qu'il a prononcées.

— Je pense qu'il les regrette sincèrement, c'est tout ce que je peux te dire.

— Je m'en fiche. »

Isobel s'engagea dans l'allée et Milly se recroquevilla sur son siège.

« Ça ne me dérange pas de voir Harry, mais pas Simon. Je ne veux pas le rencontrer.

— Bien, dit Isobel avec calme. De toute façon, ce n'est pas pour le rencontrer, lui, que je t'ai amenée ici. Il y a quelqu'un d'autre qui désire s'entretenir avec toi. » Elle coupa le moteur et regarda Milly dans les yeux. « Prépare-toi à avoir un choc.

— Quoi ? »

Mais Isobel était déjà descendue de voiture et se dirigeait vers la maison. Non sans hésiter, Milly sortit à son tour et suivit sa sœur. Machinalement, elle leva les yeux vers la fenêtre de la chambre de Simon ; les rideaux étaient tirés mais elle aperçut un rai de lumière. Peut-être que Simon la guettait derrière la vitre. Pleine d'appréhension, elle accéléra le pas. Qu'est-ce qu'Isobel avait voulu dire ?

Comme elle approchait, la porte d'entrée s'ouvrit brusquement et une haute silhouette se profila sur le seuil.

« Simon ! s'écria Milly sans réfléchir.

— Non. » La voix de Rupert résonna dans l'air du soir. Il s'avança, et la lumière éclaira ses cheveux blonds. « C'est moi, Milly.

— Rupert ? » Milly n'en revenait pas. « Qu'est-ce que tu fais là ? Je te croyais à Londres.

— Je suis venu par le train. Il fallait que je te voie. Il n'y avait personne chez toi, alors je suis venu ici.

— Dans ce cas, je suppose que tu es au courant. Le pot aux roses a été découvert, et le mariage est annulé.

— Je sais. C'est pour ça que je suis ici. Milly, j'ai retrouvé la trace d'Allan.

— Pas possible ! Déjà ? Où est-il ? Il est ici ?

— Non. » Rupert fit quelques pas sur le gravier et, arrivé à hauteur de Milly, il lui prit les mains. « Milly, j'ai de mauvaises nouvelles. Allan est... Allan est mort. Il est mort il y a quatre ans. »

Milly dévisagea Rupert sans un mot. Elle avait l'impression qu'on venait de lui jeter un seau d'eau glacée à la figure. Allan était mort. Elle essaya de digérer cette information mais n'y parvint pas. Ce n'était sûrement pas vrai, Allan ne pouvait pas être mort, on ne meurt pas à son âge, c'était absurde.

L'espace d'un instant, elle voulut croire qu'il s'agissait d'une plaisanterie. Mais Rupert ne riait pas, ne souriait pas ; il fixait sur elle un regard désespéré et semblait attendre une réaction, une réponse. Milly cligna des yeux plusieurs fois, avala sa salive, sentit sa gorge se nouer.

« Mais que... comment... ? » balbutia-t-elle, tandis que des visions d'accident de voiture, de crash d'avion, de carcasses métalliques déchiquetées lui traversaient l'esprit.

« De leucémie. »

Milly ressentit un choc, et d'horribles frissons lui parcoururent la colonne vertébrale.

« Il était malade ? questionna-t-elle, la bouche sèche. Tout ce temps-là, il était malade ?

— Non, pas à l'époque où nous l'avons connu. Après.

— Est-ce qu'il... il a beaucoup souffert ?

— Apparemment non, répondit Rupert d'une voix sourde. Mais je n'en sais rien, je n'y étais pas. »

Milly le dévisagea quelques secondes en silence.

« Ce n'est pas possible, murmura-t-elle. Il n'aurait jamais... Il n'aurait jamais dû mourir. » Elle secoua la tête avec force. « Allan ne méritait pas de mourir.

— Non, fit Rupert d'une voix tremblante. Il ne le méritait pas. »

Milly regarda longuement Rupert, avec l'impression que leurs souvenirs communs les rapprochaient soudain. Alors, dans un geste purement instinctif, elle tendit les bras. Rupert chancela, tomba presque sur elle et enfouit la tête contre son épaule. Milly le serra fort et leva ses yeux brouillés de larmes sur le ciel étoilé. Un nuage masqua la lune, et Milly réalisa tout à coup qu'elle était veuve.

Quand Isobel entra dans la cuisine, Simon leva les yeux d'un air méfiant. Assis à l'immense table de bois, il avait un verre de vin à la main et le *Financial Times* ouvert devant lui, que sans doute – pensa Isobel – il ne lisait pas.

« Salut, dit-il.

— Salut. »

Elle s'assit en face de lui et se servit du vin. Ils se turent et Isobel observa Simon avec curiosité ; évitant son regard, il gardait les yeux baissés, comme en proie à une lutte intérieure.

« À ce que j'ai compris, dit-il enfin, tu es enceinte. Félicitations.

— Merci. » Isobel lui sourit. « Je suis très heureuse.

— Parfait. C'est super.

— L'enfant sera ton demi-frère. Ou ta demi-sœur.

— Je sais. »

Isobel regarda Simon avec sympathie.

« Cela ne te semble pas trop difficile à gérer ?

— Pour être franc, si, un peu. Dans un premier temps, tu dois devenir ma belle-sœur ; l'instant d'après, tu ne dois plus devenir ma belle-sœur ; et tout à coup, voilà que tu vas être ma belle-mère et que tu vas avoir un enfant !

— J'ai bien conscience que tout cela est plutôt inattendu. Je suis sincèrement désolée. Comment m'appelleras-tu, à propos ? "Belle-maman" est peut-être un peu exagéré ; que dirais-tu de "maman" tout court ?

— Très drôle », répliqua Simon, agacé. Il avala une gorgée de vin, prit son journal, le reposa. « Où est Milly, bon sang ? Ils en mettent du temps, tu ne trouves pas ?

— Allons, ne sois pas si impatient. Après tout, elle vient juste d'apprendre que son mari est mort.

— Je sais, mais quand même... » Simon se leva, s'approcha de la fenêtre, puis se retourna. « Au fait, qu'est-ce que tu penses de ce Rupert ?

— Ma foi... je dois reconnaître que je m'attendais à un parfait salaud, mais ce type a l'air... » Isobel réfléchit. « ... très triste. Oui, il a vraiment l'air très triste. »

« En vérité, disait Rupert, je n'aurais jamais dû me marier avec elle. »

Il était penché en avant, les mains sous le menton, et paraissait très las. À côté de lui, Milly resserra ses bras autour de ses genoux. Tous deux étaient assis sur un muret, derrière le bâtiment administratif ; au-dessus d'eux, la vieille pendule ressemblait à une seconde lune.

« Je savais ce que j'étais, je savais que je bâtissais ma vie sur un mensonge, mais je pensais y arriver. » Rupert considéra Milly avec des yeux pleins de détresse. « Je le pensais vraiment, tu comprends.

— Quoi ?

— Que je serais un bon mari, un mari normal, correct. Qui ferait comme tout le monde : recevoir des amis à dîner, aller à l'église, écouter nos enfants chanter au concert de Noël... Nous avons essayé d'avoir un enfant, tu sais. Francesca s'est retrouvée enceinte, l'année dernière ; le bébé aurait dû naître en mars, mais elle a fait une fausse couche. Maintenant, tout le monde va remercier Dieu pour ça, tu ne crois pas ?

— Non, fit Milly d'une voix hésitante.

— Mais si ! Ils vont clamer que c'est une bénédiction ! » Rupert secoua la tête. « Je suis peut-être égoïste, mais je voulais cet enfant, je le désirais de toutes mes forces. Et je... j'aurais été un bon père.

— Je suis certaine que tu aurais été un excellent père, affirma Milly avec force.

— Tu es gentille. » Un sourire fugace éclaira le visage de Rupert. « Je te remercie.

— Toutefois, un enfant ne sert pas à souder un couple, fit remarquer Milly.

— Non, en effet. Le plus étrange, c'est que nous n'avons jamais formé ce que j'appelle un couple ; nous vivions côte à côte, en parallèle, sans avoir réellement conscience de l'existence de l'autre ; nous ne nous disputions jamais, nous n'avions jamais de conflit. À vrai dire, nous nous connaissions à peine ; notre relation était tout à fait courtoise et plaisante, mais elle n'avait rien de réel.

— Tu as été heureux ?

— Je ne sais pas. J'ai fait semblant de l'être. Parfois, j'ai réussi à me leurrer moi-même. »

Un silence s'installa. Au loin, un renard glapit. Rupert poussa un soupir et étira les jambes.

« On devrait peut-être y aller ? suggéra-t-il.

— D'accord », répondit Milly, sans enthousiasme.

Rupert la dévisagea un instant avec curiosité. « Et toi ? interrogea-t-il.

— Quoi, moi ?

— La mort d'Allan change tout, tu t'en rends compte ?

— Oui, je m'en rends compte. » Elle contempla ses mains, puis se leva. « Allons-y, je commence à avoir froid. »

Quand il entendit la porte d'entrée s'ouvrir, Simon se leva d'un bond, comme électrisé. Il se lissa les cheveux, traversa la cuisine et vérifia anxieusement son apparence en passant devant la fenêtre sans rideaux. Isobel le regarda avec perplexité.

« Elle ne voudra sans doute pas te parler, l'avertit-elle. Tu l'as profondément blessée.

— Je sais. » Simon s'arrêta à la porte. « Je sais, mais… »

Il saisit la poignée, hésita une seconde, puis ouvrit.

« Bonne chance », lui lança Isobel.

Milly était debout dans le hall d'entrée, les mains enfoncées dans les poches. Au bruit des pas de Simon, elle leva la tête. Simon s'immobilisa et la détailla. On aurait dit qu'elle avait changé, brutalement, comme si les événements de ces derniers jours avaient modifié son visage, et toute sa personne.

« Milly », murmura-t-il d'une voix tremblante. Elle fit un petit signe d'acquiescement. « Milly, je suis désolé, je regrette sincèrement. Je ne pensais pas un mot de ce que j'ai dit. Je n'avais pas le droit de te parler ainsi, je n'avais pas le droit de te dire des choses pareilles.

— Non, chuchota Milly, tu n'avais pas le droit.

— J'étais blessé, sous le choc, ça m'a échappé, c'est sorti tout seul. Mais si tu me donnes une seconde chance, je... je ferai tout pour me racheter. » Les yeux de Simon s'emplirent de larmes. « Milly, je me fiche que tu aies déjà été mariée, ça me serait égal que tu aies une demi-douzaine d'enfants. Tout ce que je veux, c'est être avec toi. » Il avança d'un pas. « C'est pourquoi je te demande de me pardonner et de m'accorder une seconde chance. »

Après un long silence, Milly répondit, sans le regarder : « Je te pardonne, Simon.

— Vraiment ? » Il la fixa avec insistance. « Vraiment ? »

Milly haussa légèrement les épaules.

« Ta réaction était compréhensible. J'aurais dû te parler d'Allan dès le début. »

Il y eut un moment de flottement, puis Simon s'approcha de Milly et voulut lui prendre la main, mais Milly tressaillit et Simon arrêta son geste. Il se racla la gorge.

« J'ai appris ce qui lui est arrivé. Je suis désolé.

— Oui.

— Tu dois être...

— Oui.

— Cependant... tu sais ce que ça signifie pour nous deux ? »

Milly le dévisagea comme s'il lui parlait dans une langue inconnue.

« Quoi donc ?

— Eh bien, cela signifie que nous pouvons nous marier.

— Non, Simon. »

Simon pâlit. « Que veux-tu dire ? » interrogea-t-il d'un ton faussement léger.

Milly croisa brièvement son regard, puis détourna les yeux.

« Je veux dire que nous ne pouvons pas nous marier. »

Tandis que Simon la considérait avec stupéfaction, elle tourna les talons et sortit.

17

Milly fonça jusqu'à la voiture d'Isobel ; là, elle s'adossa à la portière avant et chercha fébrilement son paquet de cigarettes, s'efforçant d'ignorer la douleur qui lui étreignait la poitrine et de ne pas penser à l'expression sidérée de Simon. *J'ai fait ce qu'il fallait*, se dit-elle, *j'ai été honnête. Enfin, j'ai été honnête.*

Les mains tremblantes, elle mit la cigarette à ses lèvres et tenta de l'allumer avec son briquet, mais chaque fois le vent éteignait la flamme. Finalement, avec un soupir rageur, elle jeta la cigarette par terre et l'écrasa sous son pied. Tout d'un coup, elle se sentait impuissante et seule. Impossible de revenir chez Simon, impossible de partir sans clé de contact. Elle n'avait même pas de téléphone portable. Peut-être Isobel viendrait-elle la rejoindre dans un moment.

Elle entendit des pas sur le gravier et sursauta en voyant Simon qui avançait vers elle à grands pas, l'air très déterminé.

« Écoute, lui cria-t-elle de loin. Ça ne sert à rien. Toi et moi, c'est fini, d'accord ?

— Non, pas d'accord ! rétorqua Simon en arrivant à la voiture, un peu haletant. Qu'est-ce que tu as voulu dire par "On ne peut pas se marier" ? C'est à cause de ce que je t'ai dit ? Je regrette vraiment mes paroles, Milly, et je ferai tout mon possible pour réparer mes torts. Mais ne mets pas une croix sur notre relation juste à cause de ça !

— Ce n'est pas de cela qu'il s'agit. Tu m'as blessée, c'est vrai, mais je t'ai dit que je te pardonnais.

— De quoi s'agit-il, alors ?

— De quelque chose de plus essentiel. Toi et moi... Nous deux en tant que couple, terminé, point final. »

Milly haussa les épaules et commença à s'éloigner.

« Et pourquoi ? insista Simon, qui lui emboîta le pas. Explique-moi, Milly, ne te sauve pas comme ça !

— Je ne me sauve pas, riposta-t-elle en se retournant. Mais c'est inutile d'en discuter. Crois-moi, cela ne marcherait pas entre nous. Alors, faisons preuve d'un peu de dignité. Adieu, Simon. » Et elle repartit à toute allure.

« Rien à foutre de la dignité ! s'exclama Simon en courant presque derrière elle. Je ne vais pas te laisser sortir de ma vie comme ça ! Je t'aime, Milly, je désire t'épouser. Tu ne m'aimes pas ? Tu ne m'aimes plus ? Si c'est le cas, dis-le-moi.

— Ce n'est pas le cas.

— Eh bien, qu'est-ce qui cloche ? Où est le problème ? »

Milly s'immobilisa soudain.

« D'accord, je vais te le dire. » Elle ferma les yeux quelques secondes, les rouvrit et regarda Simon bien en face. « Le problème, c'est que... je n'ai jamais été honnête avec toi. Jamais.

— Je t'ai déjà dit que je m'en fiche. Tu pourrais avoir dix maris, ça m'est complètement égal !

— Je ne te parle pas d'Allan, répliqua Milly, au supplice. Je parle de tous les autres mensonges que je t'ai dits. Mensonges ! Mensonges ! Mensonges ! »

Ces mots claquèrent dans l'air du soir tels des oiseaux battant des ailes.

Simon la dévisagea d'un air embarrassé. Il déglutit et se passa la main dans les cheveux.

« Quels mensonges ?

— Tu vois ! Tu ne t'en doutes même pas ! Tu ignores totalement qui je suis en réalité ! Tu ne connais pas la vraie Milly Havill.

— Kepinski », rectifia Simon.

Milly plissa les yeux, puis tourna les talons et s'éloigna rapidement.

« Excuse-moi, plaida aussitôt Simon. Je ne voulais pas dire cela. Reviens, Milly !

— Inutile ! ça ne marchera jamais. Je ne peux pas continuer.

— Continuer quoi ? De quoi parles-tu ?

— Je ne peux pas continuer à être ce que tu crois que je suis ! Je ne peux pas être ta parfaite petite poupée Barbie !

— Je ne te traite pas comme une poupée Barbie ! protesta Simon, choqué. Grands dieux ! Je te traite comme une femme adulte, une femme intelligente.

— Oui, une poupée Barbie en plus intelligente, c'est bien ça le problème ! Tu veux une femme intelligente et jolie, qui porte des vêtements coûteux, qui méprise les feuilletons télévisés, et qui connaît tout de l'influence des taux de change sur les importations européennes. Eh bien, je ne peux pas être cette femme-là ! J'ai cru que je pourrais y arriver, mais c'est impossible ! Je n'y arrive pas ! »

Simon la considéra avec stupeur.

« Mais qu'est-ce que tu racontes, bon sang ?

— Simon, je ne peux plus répondre à tes attentes. » Des larmes jaillirent des yeux de Milly, et elle les essuya d'un geste agacé. « Je ne peux pas jouer un rôle toute ma vie, je ne peux pas faire semblant d'être ce que je ne suis pas. Rupert a essayé, regarde où ça l'a mené !

— Milly, je ne veux pas que tu sois autre chose que ce que tu es. Je veux que tu sois toi-même.

— Comment pourrais-tu le vouloir ? Tu ne sais même pas qui je suis.

— Bien sûr que si !

— Non ! s'écria Milly, désespérée. Simon, c'est ce que je tâche de te faire comprendre : je t'ai menti depuis le jour où nous nous sommes rencontrés.

— À propos de quoi ?

— De tout !

— Tu m'as menti à propos de *tout* ?

— Oui.

— Quoi, par exemple ?

— Tout !

— Cite-moi au moins une chose.

— D'accord. Je… je n'aime pas les sushis. »

Simon resta muet de surprise.

« C'est donc ça ? dit-il enfin. Tu n'aimes pas les sushis ?

— Ce n'est pas ça, non, bien sûr, j'ai pris un mauvais exemple. Je… je ne lis jamais les journaux, je fais juste semblant.

— Et alors ?

— Je ne comprends rien à l'art moderne. Je regarde des émissions de télé débiles.

— Quoi, par exemple ? questionna Simon, qui ne put s'empêcher de rire.

— Des trucs dont tu n'as jamais entendu parler, comme… *Family Fortunes.*

— Milly…

— Et puis, je m'achète des chaussures bon marché que je ne te montre pas.

« — Et alors ?

— Et alors ? » Des larmes de colère jaillirent des yeux de Milly. « Pendant tout ce temps-là, j'ai fait semblant d'être ce que je ne suis pas. Le soir où l'on s'est rencontrés, en réalité je ne connaissais rien à propos de la vivisection ! J'avais vu quelques jours plus tôt l'émission *Blue Peter* qui traitait de ce sujet. »

Simon se figea sur place. Un long silence suivit.

« Tu avais vu l'émission *Blue Peter* sur ce sujet !

— Oui, dit Milly, des larmes dans la voix. Une émission spéciale. »

Tout à coup, Simon rejeta la tête en arrière et éclata de rire.

« Ce n'est pas drôle ! s'indigna Milly.

— Oh si ! affirma Simon, secoué par le rire. Si, c'est hilarant !

— Non ! Depuis ce jour, je n'ai pas cessé de me sentir coupable. Tu ne comprends donc pas ? J'ai fait semblant d'être intelligente et mûre, et je t'ai dupé. En réalité, je ne suis pas intelligente ! »

Simon s'arrêta net de rire.

« Tu parles sérieusement ?

— Oui, bien sûr ! répondit Milly en fondant en larmes. Je ne suis ni maligne ni futée !

— Mais si, voyons.

— Non ! Pas comme Isobel !

— Comme Isobel ? s'écria Simon, stupéfait. Tu trouves qu'Isobel est futée ? Tu penses que c'est malin de se faire mettre enceinte ? »

Devant son expression, Milly ne put s'empêcher de sourire.

« Isobel est peut-être une intellectuelle, poursuivit Simon, mais c'est toi la plus intelligente de ta famille.

— Vraiment ?

— Vraiment. Et même si ce n'était pas le cas, même si tu avais le cerveau de la taille d'un pois chiche, je t'aimerais quand même. Je t'aime pour toi, Milly, pas pour ton QI.

— Ce n'est pas possible que tu m'aimes, dit Milly d'une voix brisée. Tu ne me...

— Je ne te connais pas ? Si, je te connais. » Simon soupira. « Connaître une personne, ce n'est pas aligner des faits, c'est davantage... quelque chose qu'on ressent. » Il écarta avec tendresse une mèche de cheveux du visage de Milly. « Je sens quand tu vas rire et quand tu vas pleurer. Je sens ta gentillesse, ta chaleur, ton sens de l'humour. Tout cela, je le ressens à l'intérieur de moi. Et c'est ça qui compte, pas les sushis, pas l'art moderne, pas les feuilletons télévisés. » Il se tut quelques secondes, puis cita d'un ton pince-sans-rire : « "D'après notre enquête..." »

Milly le regarda avec de grands yeux.

« Tu regardes *Blue Peter* ?

— Ça m'arrive de temps en temps, répondit Simon avec un sourire. Allons, Milly, j'ai le droit d'être humain, moi aussi, non ? »

Un silence s'installa. Quelque part, une horloge sonna. Milly poussa un profond soupir et marmonna :

« Je prendrais bien...

— Une cigarette ? »

Milly dévisagea Simon.

« Peut-être. »

Simon lui sourit.

« J'ai deviné juste ? N'est-ce pas la preuve que je te connais ?

— Peut-être.

— Reconnais-le ! Je te connais, je sais quand tu as besoin d'une cigarette. C'est ça, le véritable amour, tu ne crois pas ? »

Après un court silence, Milly répondit une fois de plus :
« Peut-être », puis elle prit son paquet de cigarettes et son
briquet dans sa poche. Simon mit la main autour de la
flamme pour empêcher que le vent ne l'éteigne.

« Bon, fit-il, quand Milly tira la première bouffée.

— Bon », fit-elle.

Milly tira une deuxième bouffée sans regarder Simon,
dans un silence tendu.

« J'ai pensé à quelque chose, dit Simon au bout d'un
moment.

— Quoi ?

— Si tu voulais, nous pourrions aller dîner dans une
pizzeria. Et peut-être que... peut-être que tu pourrais me
parler un peu de toi.

— D'accord. » Milly rejeta la fumée de sa cigarette et
esquissa un sourire. « Ce serait bien.

— Tu aimes la pizza, n'est-ce pas ?

— Oui.

— Tu ne dis pas ça juste pour m'impressionner ?

— Arrête, Simon !

— Bon, je vais chercher la voiture.

— Non, attends ! Allons-y à pied, j'ai envie de marcher.
Et de parler.

— Tu veux aller à pied jusqu'au centre-ville ?

— Pourquoi pas ?

— Il y a presque cinq kilomètres !

— Tu vois que tu ne me connais pas ! Je suis capable
de parcourir cinq kilomètres à pied ; au lycée, je faisais
partie de l'équipe de cross-country.

— Mais il gèle !

— On se réchauffera en marchant. Allez, viens, insista-
t-elle, et elle lui prit la main. J'en ai vraiment envie.

— Bon, d'accord. Si tu y tiens. »

« Ils se dirigent vers le parc, annonça Isobel. Ensemble. » Elle se détourna de la fenêtre. « Mais ils ne se sont pas encore embrassés.

— Ils n'ont peut-être pas envie d'avoir des spectateurs, fit remarquer Harry. Surtout une sœur aînée indiscrète.

— Ils ne se rendent pas compte que je les regarde. J'ai fait très attention. Oh, ils ont disparu, maintenant. » Elle se jucha sur le rebord de la fenêtre, l'air pensif. « J'espère que…

— Détends-toi. Tout se passera bien. »

Harry, assis près de la cheminée, tenait à la main un bout de papier et un stylo.

« Qu'est-ce que tu fais ? lui demanda Isobel avec curiosité.

— Rien, répondit-il, et il plia aussitôt le morceau de papier en deux.

— Montre-moi, insista Isobel.

— Ce n'est rien d'important. » Harry commença à fourrer le papier dans sa poche, mais Isobel se précipita et le lui arracha des mains. « Juste quelques prénoms qui me sont venus à l'esprit, et que j'ai notés pour ne pas les oublier. »

Isobel examina la feuille de papier et éclata de rire.

« Tu es fou, Harry ! On a sept mois pour y réfléchir ! » Elle parcourut la liste, souriant pour certains prénoms, faisant la grimace pour d'autres. Puis elle retourna le bout de papier. « Et ça, c'est quoi ?

— Ça, fit Harry, l'air un peu gêné. C'est juste au cas où nous aurions des jumeaux. »

Milly et Simon traversaient lentement le parc de Pinnacle Hall et se dirigeaient vers une grille en fer forgé qui ouvrait sur la route nationale.

« J'aurais dû faire tout autre chose ce soir, commenta Milly en contemplant le ciel étoilé. Ce soir, j'étais censée dîner tranquillement chez mes parents et terminer ma valise pour le voyage de noces.

— Et moi, fumer le cigare avec mon père et remettre en cause ma décision.

— C'est ce que tu fais ? Remettre en cause ta décision ?

— Et toi ? »

Milly se tut et garda les yeux fixés sur le ciel. Ils poursuivirent leur chemin en silence, passèrent devant la roseraie, la fontaine gelée, pénétrèrent dans le verger.

« Le voilà, dit Simon en s'immobilisant. Le banc où je t'ai demandée en mariage. Tu t'en souviens ? »

Milly se raidit.

« Évidemment. Tu avais la bague dans ta poche, et tu avais mis la bouteille de champagne dans la souche d'arbre.

— J'avais passé des jours et des jours à préparer ce moment. » Simon s'approcha de la souche d'arbre et la caressa d'un air rêveur. « Je voulais qu'il soit parfait. »

Milly jeta un coup d'œil à Simon et serra les poings. *La franchise avant tout*, se répétait-elle avec obstination. *Sois franche.*

« Il était trop parfait, dit-elle de façon abrupte.

— Quoi ? » Simon la dévisagea, l'air défait, et Milly ne put se défendre d'un sentiment de culpabilité.

« Excuse-moi, Simon, je ne voulais pas dire ça. » Elle s'écarta un peu de lui et contempla les arbres. « C'était beau.

— Ne fais pas semblant, Milly, lui reprocha-t-il, blessé. Qu'as-tu réellement pensé ?

— Eh bien, pour être tout à fait honnête, répondit Milly après un court silence, c'était beau mais… un petit peu trop préparé. » Elle le regarda bien en face. « Tu as mis la bague à mon doigt avant que j'aie eu le temps de dire ouf, un instant plus tard tu ouvrais la bouteille de champagne et nous étions officiellement fiancés. Tu ne m'as pas... » Elle s'interrompit et se passa la main sur le visage. « Tu ne m'as pas laissé le temps de réfléchir. »

Il y eut un silence.

« Je vois, marmonna Simon. Et, si je t'avais laissé le temps de réfléchir, qu'aurais-tu dit ? »

Milly le regarda longuement, puis détourna les yeux.

« Dépêchons-nous d'aller à cette pizzeria.

— D'accord, acquiesça Simon, un peu déçu. D'accord. » Il fit quelques pas, puis s'arrêta. « Tu es vraiment sûre de vouloir y aller à pied ?

— Oui. La marche m'éclaircit toujours les idées. Viens », ajouta-t-elle en lui tendant la main.

Une demi-heure plus tard, en pleine obscurité, Milly s'immobilisa. « Simon ? dit-elle d'une petite voix. J'ai froid.

— Eh bien, marchons plus vite.

— J'ai mal aux pieds, mes chaussures me donnent des ampoules. »

Simon s'arrêta à son tour et l'observa ; elle avait tiré sur les manches de son pull pour protéger ses mains du froid, et tenait ses poings sous ses aisselles ; ses lèvres étaient bleues, elle claquait des dents.

« As-tu les idées plus claires ?

— Non, répondit-elle, penaude. La seule chose à laquelle je pense, c'est un bon bain chaud.

— Bah, ce n'est plus très loin, maintenant », dit Simon d'un ton enjoué.

Milly scruta la route non éclairée, devant elle.

« Je ne peux pas faire un pas de plus, déclara-t-elle. Y a-t-il des taxis, dans le coin ?

— Ça m'étonnerait. Mais prends ma veste. » Il la lui tendit et Milly s'emmitoufla dans le tissu tiède. « Tu ne vas pas avoir froid ?

— Ça ira. On continue ?

— D'accord. »

Milly se remit en marche en boitillant ; au bout de quelques minutes, Simon s'arrêta.

« Tu ne peux pas avancer plus vite ?

— Mes pieds saignent.

— Ce sont des chaussures neuves ?

— Oui. Elles étaient très bon marché. Je les déteste, en fait. »

Elle fit encore un pas et son visage se crispa. Simon soupira.

« Bon, pose tes pieds sur les miens.

— Tu crois ?

— Enlève tes chaussures et fourre-les dans tes poches. » Simon agrippa Milly par la taille et commença à avancer maladroitement dans l'obscurité, les pieds de Milly sur les siens.

« C'est chouette, dit Milly au bout d'un moment.

— Super, ouais, grommela Simon.

— Tu marches drôlement vite.

— Toujours, quand j'ai faim.

— Je suis désolée, murmura Milly. Pourtant, c'était une bonne idée, non ? » Il y eut un silence, alors Milly se retourna et Simon faillit perdre l'équilibre. « Ce n'était pas une bonne idée ? »

Simon se mit à rire.

« Si, Milly, répondit-il d'une voix enrouée par le froid et l'effort. Une des meilleures idées que tu aies jamais eues. »

Quand ils arrivèrent enfin à la pizzeria, ils ne pouvaient presque plus parler tant ils étaient gelés et fatigués. Sitôt la porte poussée, ils furent agréablement saisis par la chaleur ambiante et l'odeur de nourriture parfumée à l'ail. Le restaurant était plein, il y avait de la musique, et les gens parlaient et riaient. Tout à coup, la route plongée dans le froid et l'obscurité leur parut bien loin.

« Une table pour deux, s'il vous plaît, demanda Simon en déposant Milly sur le sol. Et deux brandys bien tassés. »

Milly sourit et frotta ses joues rouges de froid.

« Tu sais, mes pieds vont mieux, maintenant, dit-elle en faisant quelques pas sur le carrelage. Je pense que je vais pouvoir marcher jusqu'à la table.

— Bien, approuva Simon en se redressant. Super. »

Un serveur habillé en rouge les conduisit à un box et revint aussitôt avec deux grands verres de brandy.

« Santé », dit Milly. Elle croisa le regard de Simon et hésita. « Je ne sais pas trop à quoi on trinque. À... à notre mariage qui n'a pas eu lieu ?

— À nous, répliqua Simon, soudain grave. Buvons à nous. Milly...

— Quoi ? »

Un silence s'installa, et Milly sentit son cœur battre à tout rompre. Elle se mit à déchirer nerveusement sa serviette en papier.

« Cette fois, je n'ai rien préparé, commença Simon. Dieu sait que je n'ai rien préparé du tout. Mais je ne peux pas attendre plus longtemps. »

Il posa le menu sur la table, puis se prosterna devant Milly, un genou en terre. Les clients se mirent à regarder de leur côté et à se pousser du coude.

« Milly, écoute-moi, je t'en prie. Une nouvelle fois, je te demande de m'épouser et je... j'espère que tu me répondras oui. Milly, veux-tu être ma femme ? »

Après un silence interminable, Milly releva la tête. Elle avait les joues rouges et sa serviette en papier était en miettes entre ses doigts.

« Je ne sais pas, Simon. Je... j'ai besoin d'y réfléchir. »

Quand ils eurent fini de manger, Milly se racla la gorge et l'observa avec nervosité.

« Ta pizza était bonne ? s'enquit-elle.

— Excellente. Et la tienne ?

— Aussi. »

Leurs regards se croisèrent furtivement, puis Simon détourna les yeux.

« Est-ce que tu... tu as...

— Oui, répondit Milly. J'ai réfléchi. »

Elle le contempla longuement. Il était toujours agenouillé : il était resté dans cette position durant tout le repas et avait mangé par terre, comme pour un pique-nique. Un sourire se dessina sur le visage de Milly.

« Consentirais-tu à te relever ?

— Pour quoi faire ? dit Simon en avalant une gorgée de vin. Je suis très bien installé.

— Je n'en doute pas, répliqua Milly, la voix tremblante. Je n'en doute pas. Je pensais juste... que tu voudrais peut-être m'embrasser. »

Il y eut un silence tendu.

« Vraiment, je peux ? » interrogea Simon au bout de quelques instants.

Lentement, il reposa son verre et leva les yeux sur Milly. Ils se dévisagèrent un long moment en silence, sans voir les serviteurs qui se faisaient de grands signes et appelaient leurs collègues en cuisine, sans voir ni entendre personne autour d'eux.

« Je peux vraiment ?

— Oui, murmura Milly dans un souffle. Tu peux. »

Elle posa sur la table sa serviette en lambeaux, se laissa glisser au sol à côté de Simon et lui jeta les bras autour du cou. Lorsque leurs lèvres se joignirent, des applaudissements fusèrent autour d'eux. Des larmes se mirent à couler sur les joues de Milly, dans le cou de Simon, dans leurs bouches mêlées. Elle ferma les yeux et se serra contre lui, respirant le parfum de sa peau, soudain trop épuisée pour faire le moindre mouvement. Elle avait l'impression d'être vidée de toute énergie, de toute émotion, et se sentait incapable d'en supporter davantage.

« Juste une question, chuchota Simon à son oreille. Qui va prévenir ta mère ? »

18

À neuf heures, le lendemain matin, l'air était vif et léger. Quand Milly arriva au 1, Bertram Street, le facteur s'apprêtait à glisser un paquet de lettres dans la boîte.

« Bonjour ! lança-t-il en apercevant la jeune femme. Comment va la mariée ?

— Très bien », répondit Milly, avec un sourire un peu crispé.

Elle prit le courrier, chercha sa clé dans sa poche, hésita. Partagée entre appréhension et excitation, elle préparait dans sa tête diverses phrases d'entrée en matière. Elle contempla un moment la porte en bois verni, puis introduisit la clé dans la serrure.

« Maman ? Maman ? »

Milly posa le courrier et enleva son manteau en s'exhortant à rester calme ; mais tout à coup la joie l'emporta et un sourire heureux éclaira son visage : elle avait envie de rire, de chanter, de sauter, telle une petite fille. « Maman, devine quoi ! »

Milly ouvrit d'un geste sec la porte de la cuisine et eut un mouvement de surprise. Son père et sa mère, encore en robe de chambre, prenaient tranquillement leur petit déjeuner, comme s'ils étaient en vacances.

« Oh », fit-elle, sans savoir très bien pourquoi elle était si étonnée.

« Milly ! s'exclama Olivia en posant son journal. Tu vas bien ?

— Nous nous sommes doutés que tu dormirais chez Harry, dit James.

— As-tu déjeuné ? Je te sers du café, tu veux des toasts ?

— Oui, enfin non, je veux dire... Écoutez, j'ai une bonne nouvelle à vous annoncer : Simon et moi, on va se marier !

— Oh, ma chérie, c'est merveilleux !

— Tu t'es donc réconciliée avec lui. Je suis très heureux de l'apprendre. Simon est un type bien.

— Je le sais. » Milly eut un sourire radieux. « Je l'aime et il m'aime. Tout est parfait comme avant.

— Oh ! C'est fantastique ! s'écria Olivia. Quand pensez-vous vous marier ?

— Dans deux heures.

— Quoi ? »

Olivia reposa sa tasse sur la table si brusquement qu'elle faillit la briser.

« Ce matin ? s'étonna James. Tu plaisantes ?

— Pas du tout. Ce matin ! Pourquoi pas ?

— Pourquoi pas ? répéta Olivia, qui commençait à paniquer. Parce que rien n'est prêt ! Parce que nous avons tout annulé ! Je suis navrée, ma chérie, mais le mariage ne peut pas avoir lieu !

— Nous avons tout ce qu'il faut pour que le mariage ait lieu, maman : un marié, une mariée, quelqu'un pour me conduire à l'autel (elle se tourna vers son père), et quelqu'un pour porter un grand chapeau et pleurer. Nous avons même la pièce montée. Nous n'avons besoin de rien d'autre.

— Mais le chanoine Lytton...

— On lui a parlé hier soir. En fait, tout est arrangé. Dépêchez-vous, tous les deux, allez vous habiller !

— Attends ! cria Olivia, tandis que Milly sortait de la cuisine. Et Simon ? Il n'a pas de témoin ! »

La porte se rouvrit et Milly passa la tête dans l'embrasure. « Si, il en a un. Un fameux, même. »

« C'est très simple, expliquait Simon tout en buvant son café. Voici les alliances. Quand le pasteur te les demandera, tu les lui remettras, c'est tout.

— D'accord. » Harry prit les deux alliances en or et les examina comme s'il cherchait à en mémoriser le moindre détail. « Le pasteur me demande de lui remettre les alliances et je les lui donne. Je dois les lui présenter dans la paume de ma main ? Entre mes doigts ? Comment ?

— Je l'ignore. C'est important ?

— Je ne sais pas ! C'est à toi de me le dire ! Seigneur Jésus...

— Aurais-tu le trac, par hasard ?

— Non, bien sûr que non ! File, maintenant, et n'oublie pas de cirer tes chaussures.

— À plus tard ! »

Simon sourit à son père et sortit de la cuisine.

« Alors, tu as le trac ? interrogea Isobel, qui était assise sur le rebord de la fenêtre.

— Non, riposta Harry, puis il la regarda. Peut-être un peu », admit-il. Il repoussa sa chaise, se leva et s'approcha d'Isobel. « C'est ridicule ! Je ne devrais pas être le témoin de Simon, bon sang !

— Si. C'est lui qui le veut.

— Il n'a personne d'autre sous la main, voilà tout, et il demande à son vieux papa.

— Non. Il pourrait facilement téléphoner à un de ses amis du bureau, tu le sais très bien. Il désire que ce soit toi son témoin, et personne d'autre. »

Isobel prit la main de Harry et, au bout de quelques secondes, il lui rendit sa pression. La jeune femme consulta sa montre et fit la grimace.

« Bon, il faut que j'y aille, sinon maman va piquer une crise.

— Eh bien, à tout à l'heure.

— À tout à l'heure. » Sur le pas de la porte, Isobel se retourna. « Tu connais, bien entendu, l'avantage qu'il y a à être témoin du marié ?

— Non.

— Tu peux coucher avec la demoiselle d'honneur qui est aussi témoin de la mariée.

— Ah oui, vraiment ? » Le visage de Harry s'éclaira d'un sourire.

« Ça figure dans tous les livres religieux, affirma Isobel. Demande au chanoine Lytton, tu verras. »

Une fois dans le hall d'entrée, Isobel aperçut Rupert qui descendait l'escalier. Il ne se savait pas observé, et son visage exprimait un chagrin profond, une souffrance à vif qui mit Isobel mal à l'aise. Durant quelques instants, elle le regarda sans rien dire puis, se sentant dans la position d'un voyeur, elle manifesta sa présence en faisant du bruit avec ses pieds, puis attendit avant de s'avancer, pour permettre à Rupert de se donner une contenance.

« Bonjour, dit-elle. Nous nous demandions si vous n'aviez besoin de rien. Avez-vous bien dormi ?

— Très bien, je vous remercie. Harry a été très aimable de m'héberger.

— Oh, mon Dieu, ce n'était rien ! C'est vous qui avez été très gentil de faire tout ce chemin pour informer Milly de... » Isobel laissa sa phrase en suspens. « Vous savez que le mariage va avoir lieu, en fin de compte ?

— Non. » Rupert eut un sourire las. « Voilà une excellente nouvelle. Oui, excellente ! »

Isobel le regarda avec compassion ; elle aurait voulu faire quelque chose pour lui.

« Je suis certaine que Milly aimerait que vous soyez présent. Ce ne sera pas le grand mariage chic qui était prévu au départ – en fait, il n'y aura que nous six, mais nous serions tous ravis que vous veniez, si vous en avez envie.

— Je suis touché de votre invitation, répondit Rupert, après un court silence. Très touché, mais... je pense qu'il vaudrait mieux que je rentre, si cela ne vous ennuie pas.

— Bien sûr que non. Je comprends parfaitement. C'est comme vous voulez. » Isobel inspecta le hall vide. « Je vais demander qu'on vous accompagne en voiture à la gare. Il y a un rapide pour Londres toutes les heures.

— Je ne vais pas à Londres. » Une expression lointaine, presque paisible, apparut sur les traits de Rupert. « Je vais chez moi, dans les Cornouailles. »

À dix heures et demie, Olivia était fin prête, habillée et maquillée. Elle examina son reflet dans le miroir et sourit d'un air satisfait. Son tailleur rose vif lui allait à merveille, et son chapeau assorti à larges bords offrait à son visage un ravissant éclat rosé. Ses cheveux blonds brillaient dans la lumière du soleil hivernal, tandis qu'elle pivotait devant la glace, rectifiait les imperfections de son maquillage, enlevait les peluches sur le col en velours noir de sa veste. Quand ce fut terminé, elle tourna le dos au miroir, attrapa son sac, nota avec plaisir les nœuds de satin rose faits maison qui ornaient ses chaussures en cuir verni.

« Tu es superbe ! s'exclama James en entrant dans la pièce.

— Toi aussi, dit-elle avec un regard appréciateur sur l'habit de son mari. Très distingué, le père de la mariée.

— Et la mère de la mariée, donc ! À propos, où est-elle, notre fille ?

— Elle finit de s'habiller, avec l'aide d'Isobel.

— Eh bien, en attendant, je propose que nous prenions un petit acompte sur le champagne, qu'en penses-tu ? »

Il tendit son bras à Olivia qui, après une brève hésitation, s'y appuya. Ils descendaient l'escalier lorsqu'une voix les arrêta.

« Ne bougez plus ! Ne me regardez pas ! J'en ai pour une seconde. »

Ils se regardèrent en souriant pendant qu'Alexander les mitraillait.

« Parfait, je vous libère. » Quand Olivia passa près de lui, le photographe lui fit un clin d'œil. « Votre chapeau est super, Olivia. Très sexy.

— Merci, Alexander », répondit Olivia en rougissant. James lui serra le bras et elle devint cramoisie. « Dépêchons-nous d'aller boire ce champagne », murmura-t-elle précipitamment.

Ils entrèrent au salon, où un feu flambait dans la cheminée ; James avait préparé un plateau avec une bouteille de champagne et des coupes. Il tendit un verre à Olivia et leva le sien.

« Au mariage.

— Au mariage. » Olivia s'assit avec précaution sur le bord d'une chaise, prenant soin de ne pas froisser sa jupe. « Y aura-t-il des discours, lors de la réception ?

— Y aura-t-il une réception ? »

Olivia haussa les épaules et avala une gorgée de champagne.

« Qui sait ? À Milly de décider, maintenant. » Une ombre effleura son visage. « Je ne suis qu'une invitée parmi d'autres. »

James la considéra d'un air compatissant. « Cela t'ennuie ? Tu regrettes que ce ne soit pas le grand mariage que tu avais prévu, avec l'organiste venu de Genève, les cygnes sculptés dans la glace, et les centaines d'invités de marque ?

— Non, répondit Olivia, après un bref silence. Cela ne me dérange pas. » Elle sourit gaiement à James. « Ils se marient, c'est ça qui est important, non ?

— Oui, c'est ça qui est important. »

Olivia, sa coupe de champagne entre les mains, contempla le feu un long moment.

« D'ailleurs, dit-elle soudain, à bien des points de vue, un mariage dans la stricte intimité est plus original. Un grand mariage peut facilement tomber dans la vulgarité si l'on n'y prend pas garde.

— Absolument, répliqua James qui ne put s'empêcher de sourire.

— On aurait pu prévoir cela depuis le début, au fond, poursuivit Olivia en s'animant. Après tout, nous n'avons pas envie que la terre entière assiste au mariage de notre fille, n'est-ce pas ? Ce que nous voulons, c'est une cérémonie intime.

— Pour être intime, elle le sera », conclut James en vidant son verre.

Un bruit à la porte interrompit leur conversation. Isobel se tenait sur le seuil, dans une longue robe fluide en soie rose pâle ; une couronne de fleurs rehaussait sa coiffure, et elle souriait avec embarras.

« Je suis venue vous annoncer que la mariée est prête.

— Tu es superbe, ma chérie ! s'exclama son père.

— Absolument ravissante, renchérit Olivia.

— Quand vous verrez Milly... Venez la voir descendre l'escalier. Alexander est en train de prendre des photos.

— Mais, remarqua Olivia, où sont passées les roses ?

— Quelles roses ?

— Les roses en soie sur ta robe !

— Ah... euh... elles se sont détachées.

— Détachées ?

— Oui, tu n'avais pas dû les fixer assez solidement. » Isobel observa l'expression perplexe de sa mère et sourit. « Allez, maman, les roses n'ont guère d'importance. Viens donc admirer Milly, c'est elle qui mérite toute l'attention. »

Ils sortirent tous trois du salon à la file et levèrent les yeux vers le haut de l'escalier. Milly descendait avec lenteur les marches en souriant timidement derrière son voile ; elle portait une robe en satin ivoire avec un haut brodé, des manches longues bordées de fourrure, et un diadème étincelait sur ses cheveux.

« Milly ! murmura Olivia. Tu es parfaite. Parfaite. »

Elle eut soudain les larmes aux yeux et détourna la tête.

« Qu'en pensez-vous ? interrogea Milly d'un ton anxieux. Vous croyez que ça ira ?

— Tu es divine, ma chérie, affirma son père. Simon Pinnacle peut se vanter d'avoir beaucoup de chance.

— J'ai du mal à y croire, dit Olivia en se tamponnant les yeux avec un mouchoir minuscule. Notre petite Milly se marie.

— Par quel moyen allons-nous à l'église ? s'enquit Alexander en prenant une dernière photo. Je voudrais emporter mon trépied.

— Milly, dit James, à toi de décider.

— Je ne sais pas, répondit, décontenancée, Milly qui descendait les dernières marches, sa traîne flottant derrière elle. Je n'y avais pas pensé.

— À pied ! suggéra Isobel avec un sourire narquois à sa sœur.

— Tais-toi ! rétorqua-t-elle. Mon Dieu, comment allons-nous faire ?

— Si on prend deux voitures, dit James en s'adressant à sa femme, tu pourrais emmener Alexander et Isobel, et moi j'irais avec Milly... »

À cet instant, on sonna. Tout le monde riva les yeux sur la porte d'entrée.

« Qui peut bien... » James s'interrompit, regarda les autres et alla ouvrir. Un homme avec une casquette à visière sous le bras se tenait sur le perron.

« Les voitures pour le mariage Havill, annonça-t-il.

— Quoi ? Mais on les a annulées !

— Non, répliqua le chauffeur.

— Olivia, dit James en se tournant vers sa femme. Tu n'as pas annulé les voitures ?

— Bien sûr que si !

— Pas selon mes informations, objecta le chauffeur.

— Pas selon vos informations, répéta Olivia, exaspérée. Et il ne vous vient pas à l'esprit que vos informations sont peut-être inexactes ? J'ai parlé hier avec une jeune femme qui m'a assuré que tout serait annulé. Alors je vous suggère de retourner au siège de votre société, d'interroger la personne qui répond au téléphone, et vous vous rendrez compte que...

« — Maman ! l'interrompit Milly d'une voix anxieuse. Maman ! »

Elle adressa un signe éloquent à sa mère, qui réalisa sa bévue.

« Quoi qu'il en soit, reprit Olivia en se redressant de toute sa taille, il se trouve, fort heureusement, que la situation a changé une fois de plus.

— Donc, vous voulez les voitures, conclut le chauffeur.

— En effet, acquiesça Olivia, hautaine.

— Très bien, madame. » L'homme prit congé et, quand il fut parvenu au bas du perron, on l'entendit distinctement proférer ces mots : « Espèce de folle ! »

« Bon, fit James. Vous partez tous devant... et Milly et moi suivons derrière. C'est conforme au protocole, non ?

— À tout à l'heure ! lança Isobel en souriant à sa sœur. Bonne chance ! »

Au moment où tout le monde se dirigeait vers les voitures, Alexander prit Isobel à part.

« Écoutez, j'aimerais beaucoup vous photographier, quand vous aurez un instant. Vous avez un visage extrêmement intéressant.

— Ah oui, vraiment ? ironisa Isobel en haussant les sourcils. Vous servez ce baratin à toutes les filles ?

— Non, uniquement aux très belles. Je suis tout à fait sérieux, ajouta le photographe en la dévisageant.

— Alexander...

— J'ignore si ma proposition est déplacée, dit-il en hissant son trépied sur l'épaule, mais, quand le mariage de votre sœur sera passé, peut-être pourrions-nous boire un verre ensemble, vous et moi ?

— Vous ne manquez pas d'air !

— Je sais. Alors, vous voulez bien ? »

Isobel se mit à rire.

« Je suis très flattée, dit-elle. Je suis enceinte, aussi.

342

— Oh ! fit Alexander, puis il haussa les épaules. Ça n'a pas d'importance.

— Et... » Isobel rougit légèrement. « ... je vais me marier.

— Quoi ? » Olivia, dix mètres devant eux, fit soudain volte-face. « Isobel ! s'exclama-t-elle, les yeux brillants. C'est vrai ? »

Isobel leva les yeux au ciel. « Il en est juste question, maman, rien n'est décidé.

— Mais qui est-ce, ma chérie ? Je l'ai déjà rencontré ? Je connais son nom ? »

Isobel hésita, ouvrit la bouche pour parler, puis se ravisa.

« C'est... quelqu'un que je te présenterai plus tard. Après le mariage de Milly. Pour l'heure, occupons-nous de ce mariage-ci, d'accord ?

— En tout cas, ma chérie, je suis absolument ravie !

— Tant mieux, fit Isobel, qui esquissa un sourire. Tant mieux. »

Harry et Simon arrivèrent à l'église à onze heures moins dix. Ils poussèrent la porte et contemplèrent en silence l'immense édifice désert, abondamment fleuri. Simon jeta un coup d'œil à son père puis s'avança dans l'allée centrale ; ses pas résonnèrent sur les dalles de pierre.

« Ah ! fit le chanoine Lytton, qui apparut à une porte latérale. Le marié et son témoin. Soyez les bienvenus. »

Il vint à leur rencontre et les salua.

« Où devons-nous nous asseoir ? demanda Harry en parcourant du regard les rangées de bancs vides.

— Le marié et son témoin se placent devant, du côté droit », indiqua le pasteur.

Harry et Simon le suivirent.

« C'est très aimable à vous d'avoir accepté de réorganiser la cérémonie dans de si brefs délais, dit Harry. Et pour une assistance aussi réduite. Nous vous en sommes très reconnaissants.

— Le nombre est sans importance. Comme dit Notre-Seigneur : "Là où deux ou trois se rassemblent en mon nom, je suis parmi eux." » Le chanoine Lytton marqua une pause. « Évidemment, le résultat de la quête risque d'en être quelque peu affecté... »

Harry se racla la gorge.

« Bien entendu, je comblerai la différence, si vous me donnez une estimation.

— Merci, murmura le pasteur. Ah ! mais voici Mme Blenkins, notre organiste. Nous avons eu beaucoup de chance qu'elle soit libre ce matin. »

Une femme d'un certain âge, en anorak marron, avançait vers eux.

« Je n'ai rien préparé, s'excusa-t-elle. Je n'ai pas eu le temps.

— Bien sûr, dit Simon. Nous comprenons tout à fait...

— Est-ce que la *Marche nuptiale* de Wagner vous conviendra ?

— Absolument, affirma Simon en regardant son père à la dérobée. Merci beaucoup, nous vous sommes très reconnaissants d'avoir accepté de jouer. »

Avec un petit signe de tête, l'organiste s'éloigna, et le chanoine Lytton disparut en faisant virevolter sa soutane.

Simon s'assit au premier rang et allongea les jambes.

« Je suis terrifié, murmura-t-il.

— Moi aussi, dit son père. Ce type me flanque la chair de poule. »

Simon renversa la tête en arrière et contempla la haute voûte.

344

« Serai-je un bon mari ? Saurai-je rendre Milly heureuse ?

— Tu la rends déjà heureuse. Ne change rien. Ne crois pas que tu dois te comporter différemment parce que tu es marié. » Harry regarda son fils dans les yeux. « Tu l'aimes, c'est amplement suffisant. »

On entendit du bruit au portail, et Olivia fit son entrée, ravissante dans son tailleur rose vif.

« Ils seront là dans une minute, murmura-t-elle en passant près de Simon et de son père.

— Venez vous asseoir à côté de moi », dit Harry.

Olivia hésita un instant. « Non, répondit-elle à regret. Ce n'est pas conforme au protocole, je dois me placer de l'autre côté. » Elle releva légèrement le menton. « Puisque je suis la mère de la mariée. »

Elle gagna son banc. Soudain, l'orgue commença à jouer en sourdine. Simon étira ses doigts et garda les yeux rivés sur ses mains, Harry consulta sa montre, Olivia sortit un poudrier de son sac et vérifia son maquillage.

Un mouvement se produisit du côté du porche, et tout le monde sursauta. Simon prit une profonde inspiration et s'efforça de maîtriser son trac, mais son cœur battait à tout rompre et ses paumes de mains étaient moites.

« Tu crois qu'on doit se lever ? demanda-t-il tout bas à son père.

— Je n'en sais rien ! marmonna Harry, qui semblait aussi nerveux que son fils. Comment le saurais-je ? »

Olivia se retourna et regarda vers le fond de l'église.

« Je la vois ! chuchota-t-elle. La voilà ! »

La musique ralentit, puis s'arrêta complètement. Harry, Simon et Olivia échangèrent des regards inquiets et retinrent leur souffle.

Les premiers accords de la *Marche nuptiale* retentirent. Simon, une boule dans la gorge, n'osait pas se retourner et, les larmes aux yeux, fixait un point devant lui – jusqu'à ce que son père le tire par la manche. Il tourna lentement la tête et fut saisi d'admiration. Milly, plus belle que jamais, avançait au bras de son père ; un sourire flottait sur ses lèvres entrouvertes, ses yeux brillaient derrière son voile, l'éclat de sa peau ressortait sur l'ivoire de sa robe en satin.

Lorsqu'elle parvint à la hauteur de Simon, elle s'arrêta. Elle hésita puis, d'une main tremblante, souleva lentement son voile. Dans ce geste, ses doigts effleurèrent le collier de perles de culture qu'elle portait au cou ; sa main se referma un instant sur l'une d'elles et une ombre passa dans ses yeux. Puis elle laissa retomber sa main, inspira à fond et regarda Simon bien en face.

« Tu es prête ? interrogea Simon.

— Oui, répondit-elle en lui souriant. Je suis prête. »

Quand Rupert atteignit le petit cottage perché sur la falaise, il était presque midi. Il consulta sa montre tout en marchant. Milly était sûrement mariée, maintenant. Simon et elle devaient être en train de boire le champagne, et savouraient le bonheur le plus parfait qu'il est donné à deux êtres de vivre.

La porte s'ouvrit avant même qu'il arrive au cottage et son père apparut sur le seuil.

« Bonjour, mon garçon, dit ce dernier avec affection. Je t'attendais.

— Bonjour, père. »

Rupert posa son sac par terre pour serrer le vieux monsieur dans ses bras. Il croisa le regard de son père – un regard doux, qui ne posait aucune question – et il sentit toutes ses défenses s'écrouler : il crut qu'il allait se mettre à sangloter sans fin. Mais ses émotions étaient taries et il n'avait plus de larmes.

« Viens donc boire une bonne tasse de thé », lui dit son père en le conduisant dans le petit salon qui dominait la mer. « Ta femme a appelé ce matin, elle se demandait si tu étais ici. Elle m'a chargé de te dire qu'elle s'excuse, qu'elle prie pour toi, et qu'elle t'aime. »

Rupert resta silencieux. Il s'assit près de la fenêtre et contempla la mer. En fait, il avait presque oublié Francesca.

« Tu as reçu aussi un appel d'une autre jeune femme, il y a quelques jours, ajouta son père depuis la cuisine. Une certaine Milly, je crois. A-t-elle réussi à te retrouver ? »

L'ombre d'un sourire éclaira les traits de Rupert.

« Oui, elle a réussi à me retrouver.

— Je ne me souviens pas d'elle, dit le vieux monsieur en apportant la théière. C'est une ancienne amie à toi ?

— Pas vraiment. C'est juste… la femme d'un ami à moi », répondit Rupert, puis il se renversa sur son siège et laissa son regard se perdre sur les vagues qui, en bas, au pied de la falaise, se brisaient contre les rochers.

MILLE COMÉDIES

Tout pour être heureuse ? de Maria BEAUMONT, 2008

Dans la veine de Jennifer Weiner et Marian Keyes, une comédie à la fois émouvante et chaleureuse sur les difficultés d'une jeune mère qui trouve un peu trop souvent le réconfort dans le chardonnay.
Mariée et mère de deux enfants, Maria Beaumont vit à Londres. Tout pour être heureuse ? est son troisième roman, le premier à paraître en France.

———◆———

Cerises givrées d'Emma FORREST, 2007

Une jeune femme rencontre l'homme de ses rêves. Problème, l'homme en question a déjà une femme dans sa vie : sa fille de huit ans. Une comédie très impertinente sur l'amour, la jalousie et le maquillage.
D'origine anglaise, Emma Forrest est à la fois journaliste, scénariste pour la télévision et auteur de romans, dont Cerises givrées, *le premier à paraître en France.*

———◆———

Chez les anges de Marian KEYES, 2004

Les pérégrinations d'une jeune Irlandaise dans le monde merveilleux de la Cité des Anges. Un endroit magique où la manucure est un art majeur, où toute marque de bronzage est formellement proscrite et où même les palmiers sont sveltissimes...

Réponds, si tu m'entends de Marian KEYES, 2008

Quand il s'agit de reprendre contact avec celui qu'on aime le plus au monde, tous les moyens sont bons, même les plus extravagants...
Née en Irlande en 1963, Marian Keyes vit à Dublin. Après Les Vacances de Rachel *(2000),* Le Club de la dernière chance *(2001),* Une vie de rêve *(2003) et* Chez les anges *(2004),* Réponds, si tu m'entends *est son cinquième roman à paraître chez Belfond.*

Confessions d'une accro du shopping de Sophie KINSELLA, 2002, rééd. 2004

Votre job vous ennuie à mourir ? Vos amours laissent à désirer ? Rien de tel que le shopping pour se remonter le moral... Telle est la devise de Becky Bloomwood. Et ce n'est pas son découvert abyssal qui l'en fera démordre.

Becky à Manhattan de Sophie KINSELLA, 2003

Après une légère rémission, l'accro du shopping est à nouveau soumise à la fièvre acheteuse. Destination : New York, sa Cinquième Avenue, ses boutiques...

L'accro du shopping dit oui de Sophie KINSELLA, 2004

Luke Brandon vient de demander Becky en mariage. Pour une accro du shopping, c'est la consécration... ou le début du cauchemar !

L'accro du shopping a une sœur de Sophie KINSELLA, 2006

De retour d'un très long voyage de noces, Becky Bloomwood-Brandon découvre qu'elle a une demi-sœur. Et quelle sœur !

L'accro du shopping attend un bébé de Sophie KINSELLA, 2008

L'accro du shopping est enceinte ! Neuf mois bénis pendant lesquels elle va pouvoir se livrer à un shopping effréné, pour la bonne cause...

———•———

Les Petits Secrets d'Emma de Sophie KINSELLA, 2005

Ce n'est pas qu'Emma soit menteuse, c'est plutôt qu'elle a ses petits secrets. Rien de bien méchant, mais plutôt mourir que de l'avouer...

———•———

Samantha, bonne à rien faire de Sophie KINSELLA, 2007

Le nouveau Kinsella est arrivé ! Une comédie follement rafraîchissante qui démontre qu'on peut être une star du droit financier et ne pas savoir faire cuire un œuf...

———•———

Un week-end entre amis de Madeleine WICKHAM *alias* Sophie KINSELLA, 2007

La redécouverte du premier roman d'une jeune romancière plus connue aujourd'hui sous le nom de Sophie Kinsella. Un régal de comédie à l'anglaise, caustique et hilarante, pour une vision décapante des relations au sein de la jeune bourgeoisie britannique.

———•———

Une maison de rêve de Madeleine WICKHAM *alias* Sophie KINSELLA, 2007

Entre désordres professionnels et démêlés conjugaux, une comédie aussi féroce que réjouissante sur trois couples au bord de l'explosion.

———•———

La Madone des enterrements de Madeleine WICKHAM *alias* Sophie KINSELLA, 2008

Aussi charmante que vénale, Fleur séduit les hommes pour mieux mettre la main sur leur fortune. Mais, à ce petit jeu, telle est prise qui croyait un peu trop prendre...
Madeleine Wickham alias Sophie Kinsella est une romancière anglaise à succès qui a exercé la profession de journaliste financière.

———◆———

Sœurs mais pas trop d'Anna MAXTED, 2008

Cassie, la cadette, est mince, vive, charismatique et ambitieuse ; Lizbet, l'aînée, est ronde, un peu paresseuse, souvent gaffeuse et très désordonnée. Malgré leurs différences, les deux sœurs s'adorent... jusqu'au jour où Lizbet annonce qu'elle est enceinte. Une situation explosive !
Mariée et mère de deux garçons, Anna Maxted vit à Londres. Sœurs mais pas trop *est son premier roman traduit en français.*

———◆———

Cul et chemise de Robyn SISMAN, 2002

Comme cul et chemise, Jack et Freya le sont depuis bien longtemps : c'est simple, ils se connaissent par cœur. Du moins le pensent-ils...
Née aux États-Unis, Robyn Sisman vit en Angleterre. Après le succès de Nuits blanches à Manhattan, Cul et chemise *est son deuxième roman publié chez Belfond.*

———◆———

Le Prochain Truc sur ma liste de Jill SMOLINSKI, 2007

Une comédie chaleureuse et pleine de charme sur une jeune femme qui donne irrésistiblement envie de profiter des petits bonheurs de tous les jours.
Jill Smolinski a été journaliste pour de nombreux magazines féminins, avant de se consacrer à l'écriture. Le Prochain Truc sur ma liste *est son premier roman traduit en français.*

———◆———

Alors, heureuse ? de Jennifer WEINER, 2002

Comment vivre heureuse quand on a trop de rondeurs et qu'on découvre sa vie sexuelle relatée par le menu dans un grand mensuel féminin ?

———◆———

Chaussure à son pied de Jennifer WEINER, 2004

Rose et Maggie ont beau être sœurs, elles n'ont rien en commun. Rien, à part l'ADN, leur pointure, un drame familial et une revanche à prendre sur la vie...

———◆———

Envies de fraises de Jennifer WEINER, 2005

Fous rires, petites contrariétés et envies de fraises... Une tendre comédie, sincère et émouvante, sur trois jeunes femmes lancées dans l'aventure de la maternité.

———◆———

Crime et couches-culottes de Jennifer WEINER, 2006

Quand une mère de famille mène l'enquête sur la mort mystérieuse de sa voisine... Entre couches et biberons, lessives et goûters, difficile de s'improviser détective !
Jennifer Weiner est née en 1970 en Louisiane. Après Alors, heureuse ? *(2002),* Chaussure à son pied *(2004) – adapté au cinéma en 2005 –, et* Envies de fraises *(2005),* Crime et couches-culottes *est son quatrième roman publié chez Belfond.*